デボラ、ジェニー、マイケル、ネイサン、ピーターへ

目次

凡例

本文中の［ ］は著者による補足、〔 〕は訳者による注。

本文中の引用文に邦訳書が明記してある場合は、そこから引用した。

日本語版では本文中に見出しを挿入した。

はじめに

「この発明は科学史における画期的なできごとです。エジソン氏の装置の音を聞くのは大いなる喜びであり……それに感謝を捧げたいと思います(1)」

「貴殿のすばらしい発明のことで頭がいっぱいで、仕事が手につかないほどです。その成果は（科学において）広範におよび、その可能性は計り知れません(2)」

一八七七年一二月、トマス・エジソンは自作の蓄音機で〈メリーさんのひつじ〉を録音し再生したことで歴史に名を残した。単に「科学史における画期的なできごと」であるばかりでなく、人間の声にとって革命的なできごとだった。それまで、人が話すのを聞くのは常に「生《なま》」の経験であり、話し手の口から声が出る瞬間に聞くしかなかった。エイブラハム・リンカーンのゲティスバーグ演説など、蓄音機の発明以前のすぐれた演説を文字で読むことはできるが、このときの大統領の話しぶりを正確に知ることはできない。一方、蓄音機は話し方をとらえることができた。話し方というのは、語られる言葉そのものに劣らず大きな意味をもちうる。誰かが「大丈夫だ」と言った場合、その言い方によってじつは大丈夫ではないということが伝わるかもしれない。

声はそれを発する人が何者であるかを如実に語る。友人や家族が電話をかけてきたとき、ほんの数語だけ聞けば、相手が誰だかわかる。これは驚くべきことだ。赤の他人が電話をかけてきた場合には、すぐさま訛りやイントネーションを聞き取り、相手の身分や出自や教養の程度を推測する。年齢や体格や性格についても想像するが、間違っていたり、先入観や偏見によってゆがんでいたりすることも少なくない。人に与える印象を変えるために、話し方を加減することもある。私たちはいわば言葉のカメレオンであり、生まれ故郷にいるときには無意識のうちに地元の訛りを丸出しにし、別の土地ではその場に溶け込めるように訛りを抑える。話し方の特徴というのは意外に柔軟なのだ。

声がどれほど私たちの自意識を形成しているかについては、自分の声の録音を聞いたときの狼狽を見ればよくわかる。自分の声はほかの人が聞いているよりも低く聞こえる。これは骨の振動によって音が喉頭から耳へ伝わる際に、低音が強調されるからだ。録音した声を聞けば、他者に対して示している声の個性が自分の思うそれとは違うということがたちどころにわかる。エジソンが蓄音機を発明するまで、人間はそのような違いを知らない幸せな時代を生きていた。

人類の「声の歴史」は三つの時代に区分でき、その一つの幕を開けたのが蓄音機だ。人類も昔はほかの動物と同じく、他者に影響を与えるために単純な声を出すだけだった。敵を撃退したり、危険を知らせたり、配偶相手の気を引いたりするために声を上げていた。言語の誕生とともに、第二の時代が始まった。言語のおかげで、集団で大規模な仕事をしやすくなり、世界を支配することも可能となった。それでも依然として、話し声の多くは他者の考えや行動に影響を与えることを目的としていた。たとえば親が幼い子どもに道路へ飛び出してはだめと言ったり、ヘンリー五世が「もう一度あの突破口へ突撃だ」〔『ヘンリー五世』シェイクスピア著、小田島雄志訳、白水Uブックス〕と言って兵士を鼓舞したりした。しかしその一方で、私たちは楽しみのため、あるいは気晴らしをしたり、世界とかかわったり、愛を打ち明けたりするために、言葉を発することもある。それから第三の時代の始まりを告げた蓄音機などの技術のおかげで、多数の人に声を届けることが可能になり、ときには破滅的な影響がもたらされるようになった。あるドイツの大臣はニュルンベルク裁判で、ナチスの独裁政権は「国を支配するためにあらゆる技術的手段を完全に使いこなした」最初の例であり、「ラジオや拡声器などの機器を利用して、八〇〇〇万人の国民から個々人の自由な考えを奪った[3]」と述べた。私たちは今、人工知能（ＡＩ）によってコンピューターと対話できる刺激的な時代を迎えようとしている。人類に限られていた言語コミュニケーション能力が人類だけのものではなくなり、よかれ悪しかれ、機械もこの能力をもち始めている。

本書は、「話すこと」と「聞くこと」がどのように進化したか、人間が幼児期にこれらの大事な能力をどう発達させるのか、そして人間のコミュニケーションがテクノロジーによってどう変わろうとしているのかについて語る。私たちは会話をするのにすっかり慣れきっているので、会話など単純な作業だと思っている。しかし実際には、話すことと聞くことは私たちの体と心が担う作業のなかでもとりわけ複雑なものなのだ。話すには、さまざまな脳領域からの細かい指示に従って、各器官がきっちりと協調して働く必要がある。人の発した言葉を聞き取ったり、声のトーンから言葉の真意や気分のヒントを読み取ったりするのは、ものすごく込み入った仕事だ。ふつうはこれらのプロセスは隠れていて目に見えないが、心理学者、神経科学者、生物学者たちはそこで起きていることを次々に解明している。かつて会話とは媒介を挟まずに直接交わされるものだったが、今日の世界では会話の多くがテクノロジーによって伝達され変形されるものへと移行しつつある。コンピューターとの会話が身近になるにつれて、テクノロジーの影響は拡大していく。私たちはどんな秘密を機械にうっかり漏らすことになるのだろう。ＡＩは、どんな仕組みで話したり聞いたりするのか。そしてこの先、人間の話し方をどう変えていくのだろうか。

話すことや聞くことに技術がどう影響するのか、それを教えてくれる好例が蓄音機だ。一八七八年二月、蓄音機が初めてイギリスで聴衆に披露された。実演の舞台となったのは王立研究所。ヴィクトリア朝時代に偉人たちが集い、科学や工学の最先端に触れることのできる場所だった。英国郵政省電信部の主任技師、ウィリアム・Ｈ・プリースがエジソンの発明品のレプリカを使ってデモンストレーションを行なった講堂には、客が詰めかけていた。そのレプリカは、アメリカから取り寄せた蓄音機の到着が遅れたため、前の週に急いで作製したものだった。エジソンと同じく、プリースも蓄音機の公開実験に童謡を使うことにして、「ヘイ・ディドル・ディドル」というマザーグースの童謡を再生した。「歌詞ははっきり聞き取れたが、声は非常に弱々しく不気味なカリカチュアであった」と『ロンドン・ウィークリー・グラフィック』誌は伝えている。工学の画期的な成果を披露するのに童謡を使ったのは、賢明な選択だった。聞き手は歌詞を知っているので、針がスズ箔を引っかくときの雑音に言葉がかき消されても、無意識のうちにそれを補ってくれるからだ。この新しい発明品は大いに注目を集めた。「蓄音機とはどんな形をしているのか、声をかけたらどうなるのか、どんな音がするの

トマス・エジソンと彼の作った蓄音機(5)

かと、テーブルのまわりに人が集まってきた。講堂にはいつまでも人が居残っていたが、一時になり、もう帰れと言わんばかりにガス灯が消えると、ようやく帰っていった[4]」

それから二週間経たぬうちに、エジソンの作ったスズ箔蓄音機がイングランドに届いた。通常は公開されていないが、私はBBCのラジオ番組の制作にかかわった際に間近で見る機会に恵まれた。装置の中心にスズ箔で覆われた円筒があり、装置の右側のハンドルでそれを回転させる。左側には、動作をなめらかにするための大きなはずみ車がついている。単純なじょうご型の管に向かって声を出すと、音が小さな膜に集められ、この膜が振動する。膜の裏側には針がついていて、回転するスズ箔に溝をらせん状に刻んでいく。精巧だがシンプルな設計となっていて、音声を構成する空気の振動を針の振動に変換し、この針の動きを波状の溝としてスズ箔に刻むことにより記録する。音声を再生するときはこのプロセスを逆にたどり、針が溝の凹凸をなぞることで膜を振動させ、それによって空気の分子が振動し、これが音となって聞き手の耳に届く。

エジソンの蓄音機はもはや実際に使われることのない博物館の収蔵品だが、私は王立研究所を訪れた折に、別の蓄音機でアルフレッド・テニスンの詩「庭に出よ、モード」を録音することができた。これ以外の詩は考えられなかった。というのは、蓄音機が王立研究所で初めて披露されたときにテニスン本人の立ち合いのもとで吹き込まれたのが、まさにこの詩だからだ。十分に大きな刻みをつけるためには集音ホーンのすぐそばで大声を張り上げなくてはだめで、そうしないと、再生したときに針と溝から生じる表面雑音で言葉がかき消されてしまう。私の声を再生してみると、音は弱かったが、針が溝を引っかくことでどうしても生じてしまう雑音の中でも、言葉ははっきりと聞き取れた。

初期の蓄音機の実演では、愉快な実験も行なわれた。当時は音声を再生しているときにハンドルの回転速度を変える遊びが人気だった。それを実際に聞いたある人は、回転が速すぎると「老婦人が怒っている」ように聞こえ、遅すぎると「よぼよぼの老人が水を口いっぱいに入れてしゃべっている」ように聞こえたと述べている。(6) ビートルズは、音声を重ねたり、録音した音声を逆再生したり速度を変えたりといった音声実験をした先駆者としてよく知られている。一九七〇年代には、レッド・ツェッペリンの〈天国への階段〉などの楽曲を逆再生すると冒瀆的な歌詞が聞こえるという噂が流れ、宗教団体が不快感を抱いたこともあった。しかし曲の逆再生を最初に試みたのはエジソンで、このときには自分で録音した「マッド・ドッグ」を使った。

声に対するテクノロジーの影響は、録音した言葉と戯れることができるようになったことにとどまらず、それよりはるかに大きい。人の話し方や歌い方まで変えているのだ。私は先日、「われらをおおっていた不満の冬も」〔『リチャード三世』シェイクスピア著、小田島雄志訳、白水Uブックス〕というセリフを一九世紀の俳優ヘンリー・アーヴィングが蓄音機で録音したものと、現代の俳優デイヴィッド・モリッシーによる録音とを比べてみた。一九世紀の録音では、アーヴィングは大劇場の舞台に合った発声法を用い、よく響く低音の声を出している。一方、マイクのおかげで声を張り上げる必要がなくなったモリッシーは、少人数の観客を相手に演じているかのように語っていて、細かな息遣いまではっきりと聞こえる。語り方よりもさらに顕著な変化を見せているのが歌い方だ。オペラ界のスーパースター、アデリーナ・パッティの残した初期の蓄音機録音と、エイミー・ワインハウスのような現代の歌の名手を比べてみるとよい。パッティの歌うオペラは清らかで甘やかに響くのに対し、ワインハウスの歌声は歌い手の性格や情念をはるかにたっぷり表現する。パッティは大きな声を出せるように、発声器官をきっちり鍛え上げる必要があった。ワインハウスのほうは、音量は電子機器に任せて、もっと自由な表現ができた。テクノロジーのおかげで、現代の音楽ではじつに多様な声が聞かれるようになった。

音は何もしなければはかなく消えてしまうが、それも録音によって変わった。今では話し方の歴史を伝える音声記録が大量に存在し、科学者はそれを分析することができる。それによって、文化と結びついた変化が明らかになっている。たとえば、ここ数十年で女性の声が低くなっているとか、ロンドン訛りのコックニーの特徴だった鼻声がロンドンのイーストエンドで聞かれる多文化の混ざり合った訛りに駆逐されたことなどが挙げられる。人間の声は人類史全体にわたって変化してきたと思われるが、そのような変化を直接観察できるようになったのはつい最近だ。科学者は昔の録音と最近の録音を比べて、生涯にわたって話したり聞いたりすることで人の声がどう変化するのかを調べることも

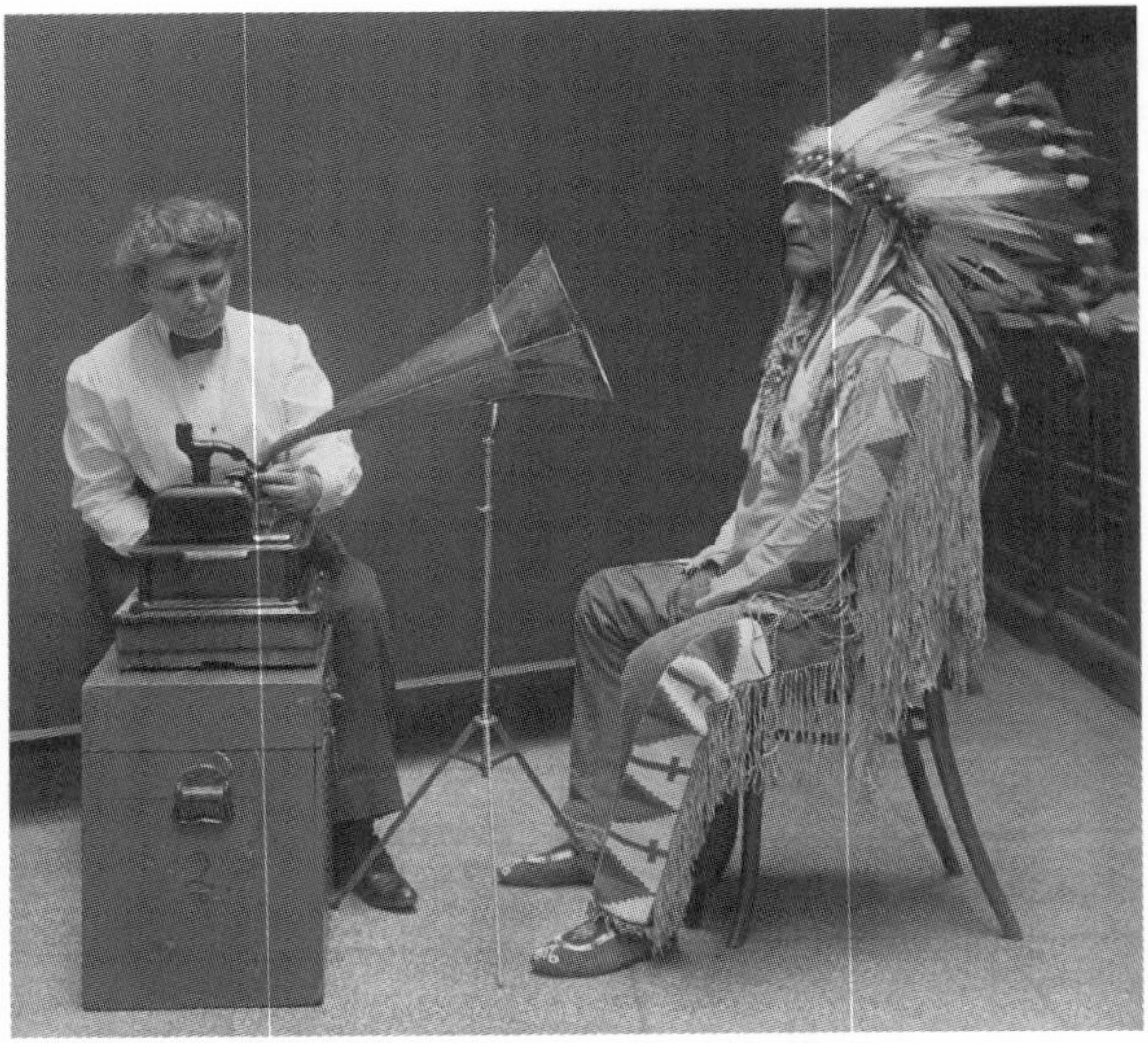

1916年、北米先住民ピーガン族の男性と民族学者フランシス・デンスモア

できる。ありがたいことに、私たちの発声器官は加齢の影響を受けにくい。声の老化が始まるのは、しわや白髪が現れる時期よりもだいぶ遅いのだ。

　エジソンは自身の発明品についてさまざまな用途を思い描いたが、最も関心をもっていたのは人の声を生前に録音しておくことだった。声は「生き物」なので、写真よりも鮮やかに人の性格を伝える。エジソンの予想では、「死期の迫った家族や偉人の口癖や声や最期の言葉を記録するために、蓄音機は間違いなく写真機より重要になるはず」[7]だった。この予言は外れたが、今ではビデオで大切な人の声を記録することが増えている。携帯電話などの機器のおかげで、静止した写真と張り合えるほど、動画や音声の存在感が増してきた。

　近ごろではAIのおかげで、亡くなった人との会話をシミュレートする「声の形見」も実現している。AIが労働者から仕事を奪う可能性についてはさまざまな議論があるが、降霊術の会を仕切る霊能者がＡＩのせいで失業の危機に直面するとは、誰が予想しただろうか（もっとも本人たちはとっくに予見し、転職に備えて職業訓練を始めたりしているだろうが）。

二〇一五年、デジタル雑誌編集者のロマーン・マズレンコは、モスクワ市内を走っていたスピード違反の車のせいで痛ましい死を遂げた。親友でＩＴ起業家のエフゲニア・クイダは、ロマーンともう一度話したくてチャットボットを作った。彼からもらった何千通ものテキストメッセージが残っていたので、それをコンピュータープログラムに読み込ませ、ＡＩを利用してロマーンと同じ言葉遣いをするボットを作成したのだ。テニスンの言葉は蓄音機の蝋管に刻まれたまま永久に変わらないが、ロマーンのボットはもとのテキストメッセージとは違う新しい言葉で応答してくれる(8)。たとえば典型的なやりとりはこんなふうに展開する。

エフゲニア　元気？

ロマーンのボット　まあね。ちょっと落ち込んでる。僕抜きで何かおもしろいことなんかやってないよね？

エフゲニア　いろんなことが起きて、毎日が過ぎていくけど、みんなあなたに会いたがってる。

ロマーンのボット　こっちも会いたいよ。これが愛ってものなんだろうね(9)。

このやりとりをどう受け止めたらよいだろう。大事な人を亡くした場合に、その人に話しかけたり頭の中で会話を交わしたりするのはめずらしいことではない。しかし、答えているのが機械だと考えると不気味な感じもする。この技術をめぐっては、ロマーンの友人や家族のあいだでも意見が分かれていて、喜んでいる人もいれば嫌悪する人もいる。ここからさらにもう一歩進んで、録音した音声を使ってロマーンの声を再現したらどうなるか想像してみよう。実現可能性については、なんら問題はない。運動ニューロン疾患などの病気で声を失った人のために、本人の声に合わせた合成音声を作成するのは一般的になってきている。形見のチャットボットがテキストメッセージを送ってくることに気味悪さを感じるというのなら、大切な人の声を薄気味悪い機械がよみがえらせるのはどうなのだろう。これによって、たとえば亡くなった人にいわば永遠の命を与えるためにデジタル記録を漁ってもよいのかといった、数々の倫理的な問題が生じる。

ＡＩは、私たちの会話を根本から変えようとしている。人にとって、話すことと聞くことは事実にもとづく情報をやりとりするだけの手段ではない。「愛してる」というフレーズには、さまざまな意味合いが込められている。コンピューターにこんな言葉を告げることなどありえないと思われそうだが、じつは毎日たくさんの人が、アマゾンの販売する音声認識ホームアシスタントの「アレクサ」に向かって愛を打ち明けている。[10] 感情を理解し表現する（あるいは、ただ巧妙に感情を模倣しているにすぎない）機械が開発されるにつれ、私たちとこれらの機械との関係は根本から変化している。二〇一三年の映画『ｈｅｒ／世界でひとつの彼女』では、孤独な男性がサマンサと呼ばれるＡＩオペレーティングシステムに恋をするが、私たちもこの映画の筋書きからさほど遠くないところにいる。

テクノロジーが自然な会話をマスターしたら、危機にさらされるのはどんな仕事だろう。一九世紀の初頭、産業革命に反対するラッダイトは自分たちの生活を脅かす新しい機械を打ち壊した。二〇世紀の序盤に音楽の録音が普及すると、作曲家のジョン・フィリップ・スーザは、やがて「音楽を学ぶという高貴な修練に進んで身を捧げようとする者がいなくなる」[11]のではないかと危惧した。二〇一四年、コネティカット州ハートフォードでリヒャルト・ワーグナーの楽劇『ニーベルングの指環』が上演されることになっていたが、オーケストラの代わりにコンピューターを使うことに対して抗議の声が上がり、それを受けて公演は延期された。[12]機械が感情に働きかける力を獲得したら、ラッダイトの役者はグローブ座に押し寄せて、シェイクスピアを演じるアンドロイドを打ち壊そうとするだろうか。ＡＩがさらに進歩してシェイクスピアになり代わり、ロボット用の脚本を書く日が来たりもするのだろうか。

劇場では古くから、人間の真実を明らかにするために動物や亡霊や操り人形を使う伝統が受け継がれてきた。コンピューターが人間と会話するようになれば、テクノロジーも人間についてさまざまなことを明らかにするだろう。子どもが聞く力や話す力を自然に獲得するプロセスと、コンピューターにそれらの力をもたせようとする科学者の苦労を比べてみよう。私たちは、複雑な計算をするのは難しく、会話をするのは簡単だと思っている。ところが機械にやらせるなら、計算のほうがじつは簡単だ。人間の会話能力などごく単純なものだと思われているが、実際には驚異的なものなのだ。

昨今では話すことや聞くことをテクノロジーと結びつけることも増えてきたが、人間の会話能力を理解したければ、まずは蓄音機の発明よりもはるか昔に起きたことを振り返る必要がある。人間の話す能力はどのように進化したのか。ネアンデルタール人が「現生人類」であるホモ・サピエンスに遭遇したならば、互いに言葉を交わすことはできるだろうか。第１章では、この活発に議論されているトピックをテーマとして扱う。

1 進化

「言語とは人間を獣から隔てる境界線であり、人間以外にこの一線を越えた動物はいない[1]」と、オックスフォード大学教授のマックス・ミュラーは一八六一年に述べた。人間をほかの動物から隔てるのは、言語を使って推論する能力なのだ。ミュラーの言葉を借りれば、「言葉を発さずには推論できず、推論せずには言葉を発することもできない[2]」。ミュラーは言語とは神から授かったものだと考え、ダーウィンの主張する自然淘汰による進化論に真っ向から反対していた[3]。彼はこの議論に勝てると誤った確信を抱き、「言語学のおかげで、われわれはダーウィン主義者の極端な説に抵抗しおおせるだろう」と主張した。それから一〇年後、ダーウィンは挑戦を受けて立ち、言語が自然淘汰で進化する過程を名著『人間の由来』で示した。それでもなお激しい論争が続いた。二年後、パリ言語学会は確固たる根拠がほとんどない状態で好き勝手な推測がなされるのを抑えるため、言語の起源について論じるのを禁じた。

言語は人間を人間たらしめるものである。よって、私たちがいかにして話すようになったかをめぐって、数々の偉大な思想家がさまざまな説を生み出してきたのも当然である。しかし数十万年の歴史を振り返って、私たちの祖先のいずれかが言語を話したのかどうかを明らかにするのは困難を極める。音は生じたとたんにはかなく消え去るものなので、太古の祖先が何を語り何を聞いたのかを知るのは難しい。進化のさまざまな面を解明するのに化石の証拠は重要な役割を果たすが、言語についてはあまり役立たない。脳も発声器官も化石として残らないからだ。それでもわずかな証拠から興味深い説が続々と生まれて発展し、活発に議論された。音楽の進化をめぐる同様の議論について、サイエンスライターのフィリップ・ボールはこう記している。「何か意見を述べた場合、それが反論にどのくらい耐えられるかは、その意見を支える証拠の数と質によって決まる」[4]〔『音楽の科学』夏目大訳、河出書房新社〕。今もなお論文や書籍が世に出ては、それに挑発された研究者が激しい反論を発表するという応酬が続いている。科学というのは同分野の研究者（多くはライバルの説のあら捜しを好む）の議論を通じて仮説が検証されることによって進展するものだが、言語の進化をめぐる議論はその極端な例であり、とうてい一筋縄ではいかない。科学誌『フロンティアズ・オブ・サイコロジー』に最近掲載されたある論評は、「ネアンデルタール人の言語？　なぜなぜ物語が主役に躍り出る」というタイトルからして侮蔑に満ちている。

この議論から一歩後ろに下がって広い視野で見れば、現代の科学は民間伝承的な説や推測よりもはるかに役立つことがわかる。これから見ていくとおり、科学者は進化の歴史を探るのにうまい方法をいろいろと考え出してきた。よって、言語によるコミュニケーションがいつ始まったのかという問いに対する決定的な答えはまだ出せないにしても、私たちがこのすばらしい能力をどうやって発展させたかについての興味深い識見を科学から得ることはできる。

音声言語には話すことと聞くことが必要だが、人間に特有のものとして求められるのは、ふつうは話すことである。私たちは、人間の言葉をほかの動物が理解しているのではないかと考えて脅威を覚えることはないらしい。聞く力の進化は話す力の進化と比べてはるかに議論の的となりにくいが、その理由の一つがここにあるのかもしれない。また、哺乳類の耳については発声器官よりも状態のよい化石が残っていて、それが憶測を抑える助けとなっている。(5)

今から三億五〇〇〇万年ほど前、私たち脊椎動物の祖先（四肢動物）が初めて海から陸に上がった。海から出たのは、おそらく陸生の無脊椎動物を餌とするためだった。初期の四肢動物の一つであるアカントステガは、太く短い脚をつけた奇怪なウナギを押しつぶしたような姿をしていた。(6)四肢動物は水の内外のどちらでも呼吸ができるように、おそらくえらと肺の両方を備えていた。しかし聴覚については、水中の音にしかうまく適応できていなかった。聴覚器官は水中での生活に合わせて進化したので、頭部が水の外にあるときにはほぼ使い物にならなかっただろう。音波とは圧力の微細な変動である。水中で音波を伝えるのは水だが、陸上では空気の分子がその役割を担う。水と空気は性質が大きく異なるので、当時の四肢動物は空気分子の細かな動きを拾うのに苦労したに違いない。私たちはみな逆のケースを経験したことがある。人間の聴覚器官は空気中でうまく機能するようにできているので、プールで頭を水中に入れたら音がよく聞こえなくなるのだ。

現在生存している動物で、当時の四肢動物に最も近いのはハイギョだ。そこで、ハイギョについて調べれば、聴覚の発達についていくらか明らかになる。そんなわけでクリスチャン・クリステンセンは、デンマークのオールフス大学で博士号の取得を目指してハイギョを使った実験を行なった。[7] ハイギョが空気中の音をまったく感知できないのなら、聴覚はどうやって進化したのか。疑問を抱いた彼は、ハイギョに軽く麻酔をかけてから濡らしたペーパータオルで包み、無音の部屋の中央に用意したハンモックに載せて、ハイギョがスピーカーから出る音に反応するかどうか確かめることにしたのだ。ハイギョの頭部に電極を設置し、ニューロンの反応を観察できるようにした。

予想に反し、ハイギョは音をまったく感知できないわけではなかった。二〇〇ヘルツ以下の低周波数で八五デシベル以上の音量なら感知できた。地方回りのトロンボーン奏者がふらりと現れて、室内で大音量の低音を吹いたとしよう。ハイギョにはこの音を感知できる耳はないが、それでも「聞く」ことはできる。音が頭部全体を振動させることによって、脳が感知できるのだ。「空気中の音を聞くことにはまったく適応していないはずのハイギョが、じつは空気によって伝わる音を感知できるというのは予想外だった」とクリスチャンは私に語った。「これはつまり、初期の四肢動物や、もしかしたらその祖先の水生動物も、空気で伝わる音を感知することができたかもしれないということだ」。四肢とはいえ四肢動物については、空気中の音を聞く力は実用レベルには至っていなかっただろう。四肢動物を襲う捕食動物は、トロンボーンのような重低音を発しない限り、感づかれずにやすやすと獲物に忍び寄ることができたはずだ。しかしあまり役に立たなかったにせよ、この原始的な聴覚が選択的進化を遂げるための出発点となったのは間違いない。

数々の進化的適応を経て、哺乳類は初期の四肢動物よりもはるかに感度の高い聴覚を獲得した。音はまず、外耳道と下鼻甲介（外耳にある椀型の小さなくぼみ）の反響によって増幅される。この作用で音は最大で二〇デシベルほど増幅され、これは知覚した音量のだいたい四倍になるのに相当する。

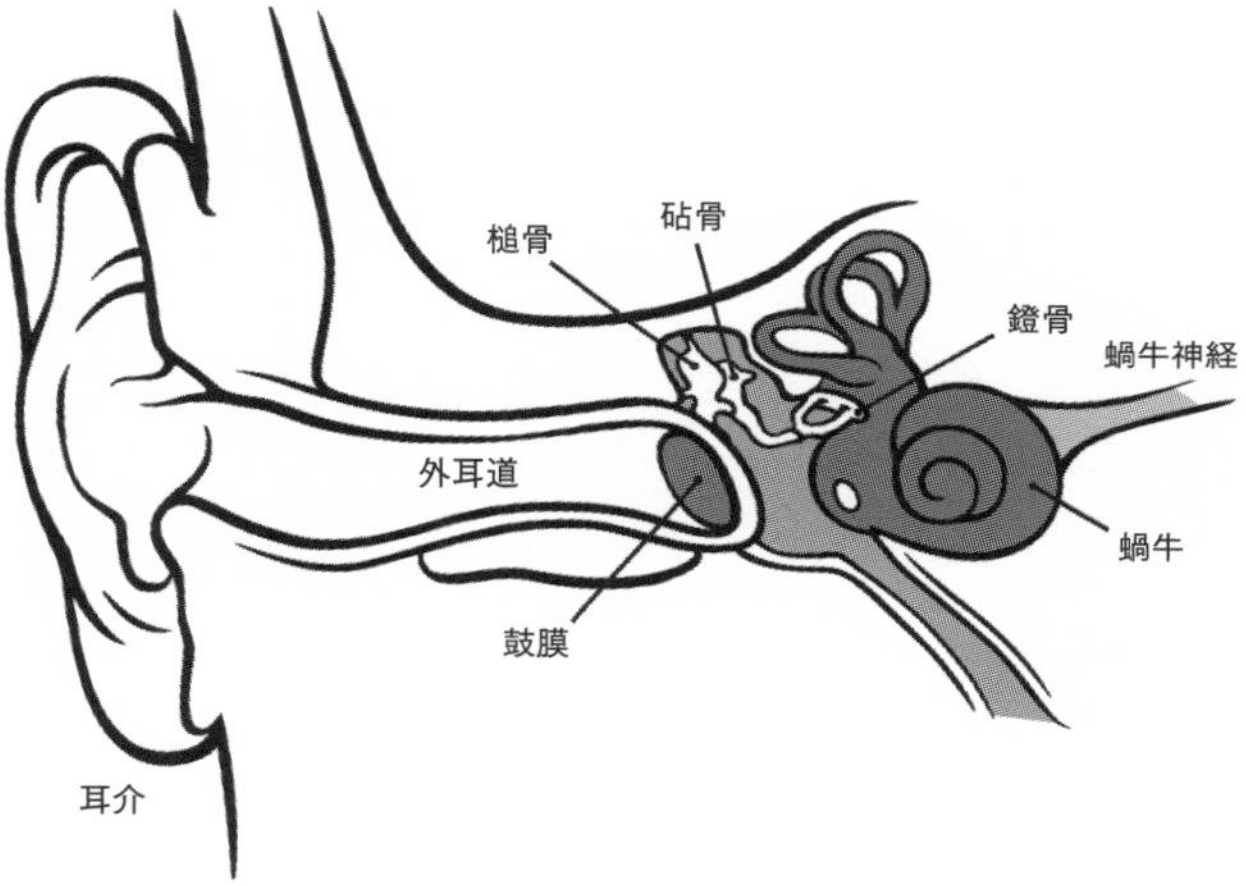

ヒトの聴覚系

次に中耳でも増幅が生じる。中耳は鼓膜と三つの耳小骨、すなわち槌骨《つち》、砧骨《きぬた》、鐙骨《あぶみ》からなり、ここで音波による微細な空気の運動が身体パーツの物理的な振動に変換される。そして最後に、内耳の蝸牛でさらに増幅される。ここで振動が電気インパルスに変換され、聴神経を経て脳に送られる。

空気中の聴覚の進化について調べる場合、陸上での生存を助けるために中耳がどのように適応したのかに着目するのがふつうだ。鼓膜は幅が九ミリほどのごく薄い膜である。表面のほぼ全体で音を集めるが、最小可聴値では水素原子の直径の数分の一に相当する幅しか振動しない。鼓膜というのは非常に有用な適応構造であり、哺乳類、爬虫類、鳥類でそれぞれ別個に進化してきた[8]。次に音は槌骨と砧骨を動かす。これらの骨がてこのように作用して、鐙骨を振動させる力を増幅する。中耳での増幅はもっぱら鼓膜と鐙骨底とのサイズの差によって生じ、この鐙骨底が振動を内耳への入り口に伝える。一〇〇本の脚をもつムカデがなんらかの理由により六本脚でバランスをとっているようなものだと考えるとわかりやすい。地面についた六本の脚には、すべての脚を地面につけているときよりも強い力がかかり、その力は通常のおよそ一七倍（一〇〇÷六）となる。これと同様に外から入ってくる音も、鼓膜を通過した力が小さな鐙骨底に集中するため、一七倍に増幅される。全体として、音は中耳でおよそ三〇デシベル増幅される。おおまかに言うと、これはふつうの話し声と叫び声の音量差に相当する。(9)

聴覚の進化の物語を単純化して、今述べた仕組みを使って音を増幅できるように哺乳類の身体構造が変化したという、わかりやすいプロセスで説明できれば話は早い。しかし実際には、進化の経路はもっと複雑なのがふつうだ。身体構造は本来の目的とは違う用途で使われるようになる。この転用現象を「外適応」という。皮肉なことに、耳骨の発達を最初に記録して聴覚の進化について独自の見解を示した科学者のカール・ボギスラウス・ライヘルトは、チャールズ・ダーウィンの著作のファンではなかった。

ライヘルトは一九世紀のドイツの解剖学者である。写真を見ると、髪を立派なたてがみのように後ろになでつけ、楕円形のメタルフレームの眼鏡をかけている。印象的なヴァン・ダイク髭をたくわえた顔で写っている写真もある。彼は脊椎動物の生物学における指折りの重大な発見をしたにもかかわらず、近ごろではほとんど世に知られておらず、「堅実ではあったが際立った知性はなかった」(10)とひどい言い方さえされている。彼は科学者としてのキャリアの序盤にブタの胎仔を解剖し、槌骨と砧骨という二つの小骨が胎仔の顎の後部に付属する軟骨から生じることに気づいた。胎仔が成長するにつれて軟骨は骨化し、収縮し、顎から離れて二個の中耳骨となる。彼は一八三七年にこう述べている。「動物の身体パーツのうち、哺乳類の中耳骨ほどはっきりと最初の形状から変化するものはめったに見つからない」。さらに二〇年ほどが過ぎてもなお、ライヘルトは、彼自身が顕微鏡で観察したことがダーウィンの自然淘汰による進化論で説明できるという事実を受け入れようとはしなかった。

現生の動物が胎仔から成体に成長するプロセスを研究すると、何百万年も昔に起きた進化を理解するのにどんな助けが得られるのだろうか。私はクイーンズランド大学で進化発生生物学を研究するヴェラ・ワイスベッカーに話を聞いた。祖先の特徴は個体の発生に保存されることがある、と彼女は言った。「進化は古いプロセスに新たなプロセスを加える。私たちがサルと似ていなくないのは、私たちの祖先がサルだったからなの。そして……私たちのたどる発生のプロセスの多くは、サルに小さな変更を加えたもの、というわけ」。つまり、私たちが自分の発生について調べると、そこにはヒトのたどった進化の歴史がいくらか見て取れるということだ。だからこそ、ライヘルトによるブタの胎仔の発生に関する観察には重大な意味があった。哺乳類には爬虫類の顎の原型があって、そこから中耳骨が生じて進化することが明らかになったのだ。

しかし、当時のライヘルトはそれに気づいていなかった。「高等動物の胚が個体発生において下等動物の段階を経るという考え方は、現在の科学で裏づけられていない」と固く信じていた。研究者として卓越した観察をしていたにもかかわらず、進化論が生物学を変容させたときに取り残されてしまったのだ。ライバルのエルンスト・ヘッケルは「私はライヘルトの主張がまったく無意味であり、事実をねじ曲げているということをはっきりと示した。……彼の書いたものは、まるで半世紀ほど昔に書かれたように感じられる」(11)と痛烈な言葉を放っている。

ライヘルトによるブタの観察は、私たちの遠い祖先にあたる爬虫類の大きな顎関節が進化して、私たちの中耳にある精巧な骨になった経緯に関する一つの見解にすぎない。進化の物語は今から三億年近く昔に、のちに哺乳類へと進化する生物群である単弓類から始まる。初期の単弓類だったディメトロドンは背中から大きな帆のような構造物が突き出ているせいで、哺乳類というより恐竜のように見える。およそ八〇〇〇万年かけて単弓類が哺乳類へと進化していくあいだに、顎関節が何度か変化した。(12) そのなかには、顎関節の二つの骨が収縮して耳に移動し、二つの小骨になるという変化もあった。

重要な証拠となるのは、中国の燕山《えんざん》山脈で発見されたヤノコノドンの化石だ。ヤノコノドンとは、体長がほんの一〇センチあまりの小型の哺乳類だ。(13) 今から一億二五〇〇万年前、恐竜が地球上を闊歩していた中生代に、ヤノコノドンはおそらく森林の下生えの中で昆虫や蠕虫《ぜんちゅう》を食べて生きていた。化石は小骨が顎関節から離脱する前の過渡期の構造を示していると思われる。つまりヤノコノドンは、顎で地面の振動を感知する爬虫類の能力を保持しながら、空気中を伝わる高周波の音を感知することもできたはずだ。

ヤノコノドンが爬虫類と哺乳類の中間にあたる聴覚構造を備えていたなら、話は簡単だ。しかし化石の記録はわずかしか存在しないので、この見方は進化の過程を単純化しすぎているかもしれない。ヤノコノドンの顎関節の骨構造はヤノコノドンに特有のもので、のちの動物には受け継がれなかったのかもしれない。あるいは進化の過程には、化石記録が残っていない別の哺乳類が存在したのだろうか。残念ながら、中耳骨の化石が体内の本来の位置で見つかることはめったにない。分解と化石化が進むあいだに、骨は乱暴な扱いを受けることが多い。川に流されたり、腐食性動物に荒らされたり、踏みつけられたり押しつぶされたりする。(14) 微細な小骨がしばしばなくなってしまうのも道理というものだ。

化石の記録の乏しさを補おうと、科学者は進化発生生物学（evolutionary development biology　略してevo-devo《エボデボ》）に頼っている。エボデボとは、胚発生を調べることによって生物の進化を解き明かしていく学問だ。私がヴェラ・ワイスベッカーに話を聞こうと思い立ったのはこのためである。というのは、彼女はよく知られたエボデボの筋書きの一つが間違っていることを示す論文を発表したばかりだったのだ。彼女の説明によると、発生から得られたデータを深読みしすぎると、進化研究が間違った方向へ進むおそれがある。しかしやり方を間違えなければ、エボデボは非常に有効だ。ヴェラは有袋類の発生の研究をしていた。有袋類でも哺乳類の進化に伴って起きたことをなぞるかのように、新生仔で顎から耳への移行が起きる。生後数週間、有袋類は砧骨と槌骨のあいだに形成された顎関節を使って乳を飲む。しかしその後の数週間で顎関節の形状が変わり、これらの骨は移動して中耳の一部となる。

ヴェラと共同研究者たちは、さまざまな週齢の幼若な有袋類から多数のサンプルを集めた。* ＣＴスキャンで多数のX線画像を撮り、中耳骨が顎から分離する時期を調べるとともに、これらの骨のサイズを測った。大きな骨は高周波の音波がぶつかってもあまり動かないので、すぐれた聴覚感度を生み出すには小骨が不可欠となる。小骨を生み出した最大の要因が聴覚なら、骨の収縮が先に起きて、それから槌骨と砧骨が顎から分離するはずだとヴェラは考えた。しかし実際には、二つの小骨は先に顎から分離して、それから収縮する。このことから、骨の分離の背後には、聴覚とはまったく無関係な別の進化的要因の存在が示唆される。有袋類の発生においてこれが起きる時期から判断して、これは

*ヴェラは、特にこの研究のために有袋類を殺したのではなく、別の研究のために集められたサンプルを使用したのだということを明確に伝えてほしいと私に求めた。

おそらく奥歯の出現と結びついている。

哺乳類の進化が有袋類の発生と同じ過程を経るなら、私たちの中耳骨のうち二つはまず聴覚ではなく摂食を助けるために形成されたということになる。一説によれば、餌の種類が変わり、種子をかみ砕く必要に迫られたことがその要因だったらしい。そのあとで、分離した骨が収縮して機能が変わり、聴覚に利用されるようになったのだ。これはまさに外適応の完璧な例である。

音の出どころを聞き取る

人間の聴覚には、コミュニケーションに必要な帯域よりもはるかに広い範囲の音をカバーしているという妙な性質がある。若者なら二万ヘルツくらいまで知覚できるが、人の話を理解するだけならこの範囲の下五分の一があれば足りる（電話会社は通話帯域を狭めるのにこの性質を利用している）。この高周波域の聴覚には、どんな淘汰圧がかかわったのだろう。数百万年前、哺乳類は恐竜から逃れようとやぶを走り回る小動物だった。互いの鳴き声を聞き取るには、高周波の聴覚が必要だった。しかししだいに大型化してヒトが誕生してもなお、聴覚の範囲が狭まらなかったのはなぜなのか。トレド大学心理学部のリッキー・ヘフナーとヘンリー・ヘフナーによれば、音の出どころを特定するのに高周波が必要で、それが淘汰圧となって聴覚が進化したのだという。

獲物を探す捕食動物であれ、あるいはほかの動物の餌になる運命を逃れようとする弱い生き物であれ、どんな動物にとっても音の出どころを特定することは生きるうえで欠かせない[15]。哺乳類が音の出どころを特定するのに使ういくつかの方法から、私たちに耳が二つある理由を説明することができる。位置を特定するには、それぞれの耳で聞こえた音を比較する必要があるのだ。頭部の形状は左右対称なので、音が正面から来る場合には、左右の耳に到達するまでの距離は等しくなる。その結果、左右の聴神経を経て脳に伝わる信号は同一となる。これに対し、音が横から来る場合には信号に差が生じる。音源から遠い側の耳に到達するまでに時間が長くかかるので、こちらの耳のほうが遅れて信号を受信することになる。この位置の手がかりは低周波の音の場合に最も役に立つ。高周波の場合、音が頭を回り込むときに音量が下がるので、この音量の差も、音の出どころを知る手がかりとなる。[16]

この二つの手がかりの質は、両耳の間の距離に影響される。象のように大型の哺乳類の場合、音は巨大な頭部を回り込まなくてはならないので、左右の耳の受け取る信号の時間差が大きくなり、音源から遠い側の耳の受け取る音はいっそう弱くなる。つまり、象は低周波の音でも音の出どころがうまく突き止められるということだ。対照的に、トガリネズミなどの小型の哺乳類はもっと高い周波を使う必要がある。*

ならば音源定位の能力は頭部のサイズと強く相関するはずだと思われるかもしれないが、じつはそうではない。弧を描くようにスピーカーを並べてその前に人を立たせ、音の出ているスピーカーはどれかと尋ねると、驚くほど正確な答えが返ってくる。正面から来る音については、人間は一、二度の角度の範囲内で音の出どころを特定することができるのだ。しかし馬で同じ実験をすると、成績は著しく下がる。二五度くらい開いていないと特定できないのだ。馬の頭の幅は人間とほぼ同じなので、位置を特定するのに使える手がかりは同程度に有効なはずである。ところがなんらかの理由で、正確な音源定位に関しては馬よりも人間のほうが強い淘汰圧を受けたのだ。

＊哺乳類の聴取可能な周波数の上限と頭部のサイズには強い相関性がある。

「音源定位となると、馬や牛はまるでだめね。とにかくひどいの」と、リッキー・ヘフナーは電話でこの研究について問い合わせた私に率直な見解を語った。彼女は科学にとって不可欠な根気強い実験家の典型と呼ぶべき人物だ。音源定位能力についての信頼できる実験データを得るために、象、オオコウモリ、アレチネズミといった多様な種を訓練するのがどれほど大変だったか、想像してみてほしい。一つの種からデータを得るのに一年近くかかることもあったという。

馬の音源定位能力のひどさはまったくの予想外で、リッキーは当初、自分の実験方法に何か問題があったに違いないと思ったほどだ。馬が水飲み場にいて、小枝のピシッという音を聞いたとしよう。その発生源を聴覚で突き止められたら絶対に役立つはずだ。そう主張する彼女に、ある教授はこう諭した。「いろいろな方法で証明できない限り、誰にも信じてもらえないね」。馬を取り替え、手順も変更して、実験を繰り返した末に、リッキーは発表しても大丈夫と確信した。それでもこの実験結果に対する反応はさまざまで、なかには信じない者もいた。信じさせるには、証拠を示すだけでなく、結果を説明できる理論を考え出すしかない。

ある晩、ベッドの中であれこれ思いをめぐらせていると、「聴覚とは、動物の存在に気づいて視覚にそれを確かめさせるためにある」という考えが浮かんだ。音源定位の進化を促した淘汰圧は、動物にとって最もよく見える視野の範囲と関係があるのではないだろうか。馬は一八〇度を超えるすぐれた水平の視野をもつ。目で音源定位の正確な情報が得られるので、聴覚に頼る必要がない。聴覚に必要なのは、弱い音を聞き取る感度だけだ。一方、人間は違う。最もよく見えるのは、網膜の小さなくぼみがもたらす「中心視野」と呼ばれるほんの小さな範囲だけで、この視野は一、二度の幅しかない。目を向けるべき方向を正確に特定するには、すぐれた音源定位能力が必要なのだ。

ヘフナーの実験で得られた最も重要なグラフには、三〇種ほどの哺乳類に関する実験結果が示され、音源定位の精度と中心視野の広さとのあいだに驚くほどの相関が存在することがわかる。一方の極に人間が位置し、他方に馬などの動物が位置する。異論を唱えていた人たちも、このグラフを見たら納得したのではないかとリッキーに尋ねると、皮肉な答えが返ってきた。「そう思いたいところだけど、皆さんご存命かどうか。あのころ私は若かったから。若ければ敵より長く生き延びて、勝ち残れるというものでしょう」

ヘフナーの研究が示すとおり、私たちは精密な聴覚感受性をもつおかげで音の出どころを特定し、獲物を追ったり、獲物になるのを回避したりすることができる。だが、外から見える聴覚器官、すなわち耳介についてはどうだろう。この独特な形状を生み出したのはどんな淘汰圧だったのか。じつはこれも音源定位と関係がある。正面か真後ろで音が出された場合には、まったく同じ信号が両耳に届く。これは頭の形が左右対称だからだ。巧みに姿を隠した動物が正面にいるのか背後にいるのかを取り違えたら、悲惨な結果に至りかねない。捕食者の手中に自ら飛び込んでしまうかもしれないのだ。耳介が前後で非対称的な形状をしているおかげで、正面から来る音と背後から来る音が違って聞こえ、それによって前後の取り違えを避けることができる。* リッキーに言わせれば、耳介は「ひどくおもしろみに欠けるわね。だって、皮膚と軟骨でできたペラペラな薄い物体が外に突き出ているだけで、格

*耳介に加えて肩から反射した音も、音の出どころが自分より高い位置にあるかどうかを突き止めるのに重要な役割を果たす。頭上にいる巨大な恐竜を避けようと地面を走り回る小型の齧歯類にとって、これはとても大事なことだ。

別に人の関心を引くようなものではないでしょう。でも、音源定位では大事な役割を果たすのよ」。しかし人間の耳介は小さいので、高周波の音でないと音源定位ができない。私たちが人の話し声の周波数帯域より高い音を聞き取ることができる理由が、これでいくらか説明できる。

初期の哺乳類やその祖先を描いた絵にはしばしば耳介が描かれているが、これは画家の創作であり、ふつう外耳は化石化しない。最も古い耳介の化石は、ネズミに似たスピノレステスと呼ばれる動物のものだった。これは湿地に生息し、強力な後脚で地中から小型の昆虫や動物を掘り出して食べていたと考えられている。二〇一五年にスペインで発見されたこの哺乳類が暮らしていたのは今から一億二五〇〇万年前なので、恐竜と同時代ということになる。驚くほど保存状態がよく、一方の耳介が残っていただけでなく、ハリネズミを思わせるとげや、毛皮や毛包、それに内臓も見つかった。(17)

音を聞き取れることは獲物や捕食者の位置を見極めるのに重要なので、人間の聴覚の主たる構成要素も今から数百万年前にはできあがっていた。人間が話し始めた時期よりもはるかに昔のことだ。最近まではこれで話は終わりだった。しかし最近になって、初期の人間に備わっていた聴覚の精度を化石から推定する巧妙な方法を科学者が考案した。おもしろいことに、聴覚能力は話し声において重要な帯域で変化してきたことがわかった。これは「話す」という新たな能力に対応した変化だろうか。それとも人間が進化するなかで受けた別の淘汰圧の副産物だったのか。

ビンガムトン大学の古人類学者のロルフ・クアムらは、絶滅した人類の耳のサイズをCTスキャンによって推定した。それから物理モデルを用いて、音波が太古の祖先の耳小骨をどのように動かしたかを推測し、聴覚の感度を導き出した。研究に使われたのは、アフリカ南部の初期人類であるパラントロプス・ロブストスとアウストラロピテクス・アフリカヌスの化石だ。(18)どちらも森林やサバンナで暮らし、現生人類と比べて脳が小さかった。アウストラロピテクス・アフリカヌスは今から三〇〇万年あまり前に生息しており、この種の「タウング・チャイルド」の頭蓋骨はこれまでに発見された先行人類のうちで最も古いものだ。[19] パラントロプス・ロブストスという名称は、その大きな下顎と臼歯に由来する。アウストラロピテクス・アフリカヌスよりも新しく、今から一五〇万年ほど前に生きていた。これら二種の顔面を復元したモデルはサルとヒトの特徴を兼ね備え、映画『猿の惑星』に登場するキャラクターを彷彿させる。

これらの初期人類の聴覚にかかわる骨は、現生人類とチンパンジーの中間に位置するものだった。槌骨は現生人類と似ているが、砧骨と鐙骨はもっと原始的でチンパンジーに近い。外耳道の形状は、現生人類とチンパンジーのどちらとも異なる。これらの特徴により、初期人類では話すのに重要な一五〇〇〜三〇〇〇ヘルツ付近の帯域がもう少し増幅されたと思われる。[20] しかし言語をもつのに十分な段階には達していなかったので、チンパンジーと比べてすぐれた聴覚が生じたのは言語以外の別の理由だったに違いない。クアムはその理由について、単純な発声を用いてサバンナで短距離のコミュニケーションをしやすくするためだったのではないかと述べている。

もっと最近の人類を調べた研究もある。[21] ホモ・ハイデルベルゲンシス（ハイデルベルク人）の骨格には、現生人類にもっと近い特徴が見られる。ハイデルベルク人はそれまでよりも寒冷な気候の地域に居住した最初の人類種で、今から七〇万年ほど前に登場した。現生人類とネアンデルタール人との最後の共通祖先と考えられている。[22] その後、今から一二万年ほど前にヨーロッパのハイデルベルク人の集団が進化してネアンデルタール人となった一方で、アフリカではある集団が二〇万年ほど前にホモ・サピエンスとなった。[23] 最も新しい共通祖先を見出そうとする試みは、進化を理解するうえで重要な役割を果たす。今の例で言えば、ハイデルベルク人とホモ・サピエンスには同じような聴覚能力があったと思われるので、ネアンデルタール人も話し声を聞き取ることが完璧にできたと考えられる。この見方は、ネアンデルタール人の耳小骨の調査で裏づけられた。二〇一六年、ライプツィヒにあるマックス・プランク進化人類学研究所のアレクサンダー・ステッセルらは、ネアンデルタール人と現生人類の聴覚にかかわる骨は若干異なるが、どちらの構造も類似した聴覚能力をもたらしたはずだということを示した。[24] 発声に対する中耳の適応は、今から五〇万年以上前にハイデルベルク人が出現したときに完了したらしい。[25] したがって、話す能力は既存の聴覚能力を利用して進化したのであって、その逆ではない。[26]

音声言語はどのように進化したか

音声言語の進化をめぐっては、聴覚の進化よりもはるかに多くの議論が存在する。現在のところ議論の多くは、氷河期のヨーロッパで暮らしていたが今から三万五〇〇〇年ほど前に絶滅したネアンデルタール人の役割をめぐるものだ。[27] ホモ・サピエンスがアフリカから世界各地へ移動したのは今からおよそ六万年前だった。ホモ・サピエンスがアフリカを出る前から言語は存在していたのだから、現生人類はネアンデルタール人がまだ生存していたときに言葉を話していたわけだ。[28] ネアンデルタール人が言葉を聞き取る能力をもっていたのは間違いない。だが、会話に加わることはできたのだろうか。

議論の一方の側には、言語はホモ・サピエンスの出現とともに比較的最近になって生まれたのであり、この言語能力のおかげで私たちホモ・サピエンスがほかの先史時代の人類を駆逐できたのだと主張する陣営がいる。[29] もう一方の陣営は、ネアンデルタール人がこれまで考えられていたよりもじつは賢く、ある程度の言語能力をもち、ホモ・サピエンスに一方的に駆逐されたのではなく彼らと交雑したのだと主張する科学者を擁している。さらに、両種の共通祖先であるハイデルベルク人も会話ができたと主張する者もいる。これが正しいなら、人類の言語は今から数十万年前に生まれた可能性が出てくる。つまり二つの対立する説は、言語の誕生した時期を今から七〇万年前から七万年前のあいだのいつかとしている。ここには六〇万年以上もの開きがある。そもそも、両陣営は何を根拠としているのか。科学によって議論を決着させることはできるのだろうか。

私たちが話すための基本的なメカニズムは、ほかの哺乳類の発声方法と大して変わらない。たとえば「エ」のように単純な母音を発音するとしよう。肺から空気が押し出され、喉頭（のど）にある声帯を通過する。声帯はせわしなく開閉して肺から来る空気の流れを分断することにより、「喉頭原音」と呼ばれる虫の羽音のような音を発生させる。声帯の開閉する速度によって声の高さが決まる。たとえば成人女性は一般に毎秒二〇〇回ほど声帯を開閉し、二〇〇ヘルツの周波数を発生させる（男性の周波数はこれより低く、一一〇ヘルツ付近である）。

声帯で生じた喉頭原音は、声道に進む。声道とは、喉の上部、口腔、鼻道からなる空洞であり、ここで音が変化する。たいていの音と同様、声帯で生じた喉頭原音には基本周波数の音である基音とその倍数にあたる周波数の倍音が含まれている。たとえば基音が二〇〇ヘルツなら、倍音は四〇〇ヘルツ、六〇〇ヘルツ、八〇〇ヘルツなどとなる。話し声を出すには、これらの倍音が不可欠である。というのは、これらの相対的な強さを喉や舌や口腔や鼻道が操作して、さまざまな母音を作るからだ。私たちがほかの霊長類と異なるのは、声道を巧みにすばやく操る能力をもっているという点である。人間は高い認知能力をもつおかげで、呼吸の変化や声帯を支える筋肉の運動と協調して、声道を驚く

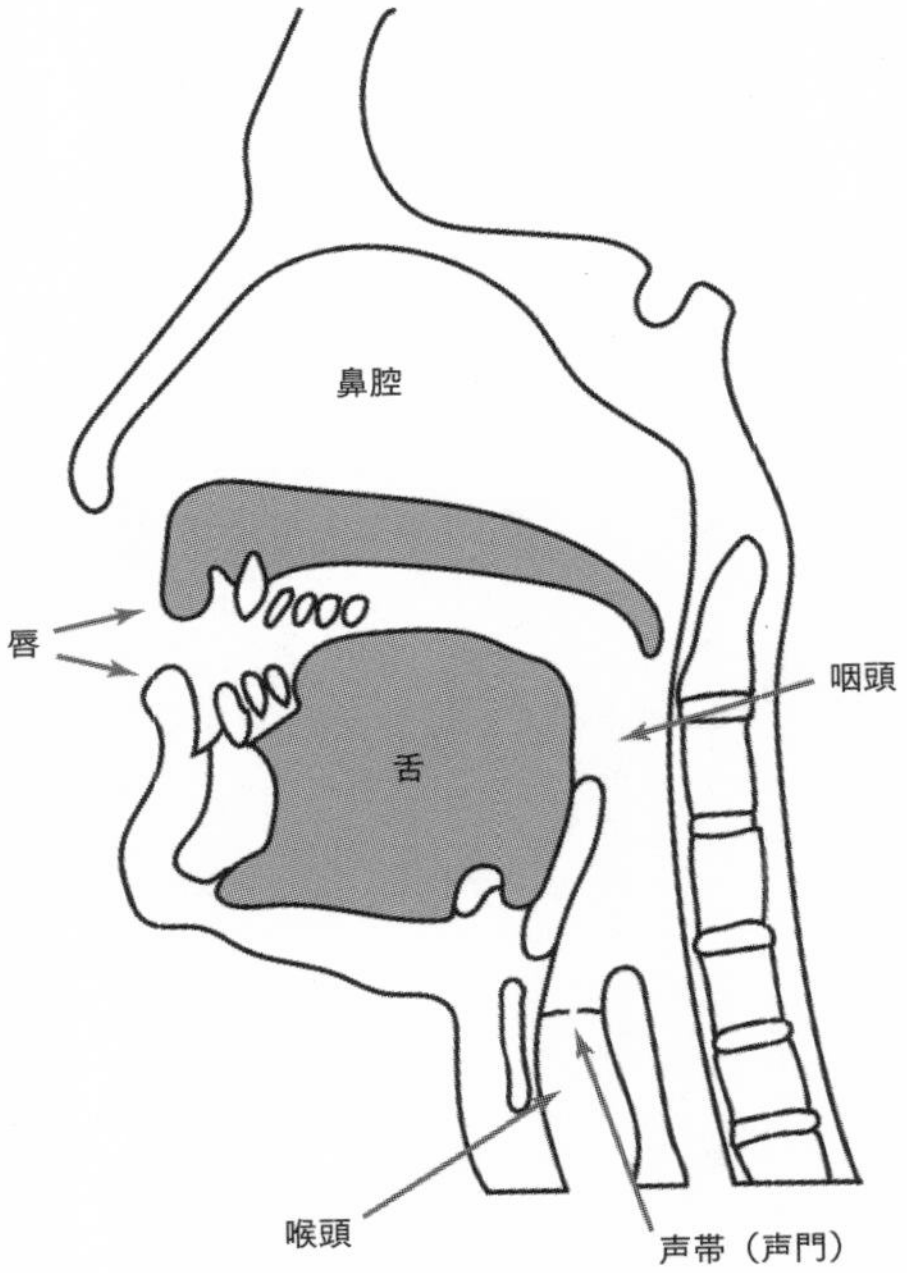

発声器官の構造

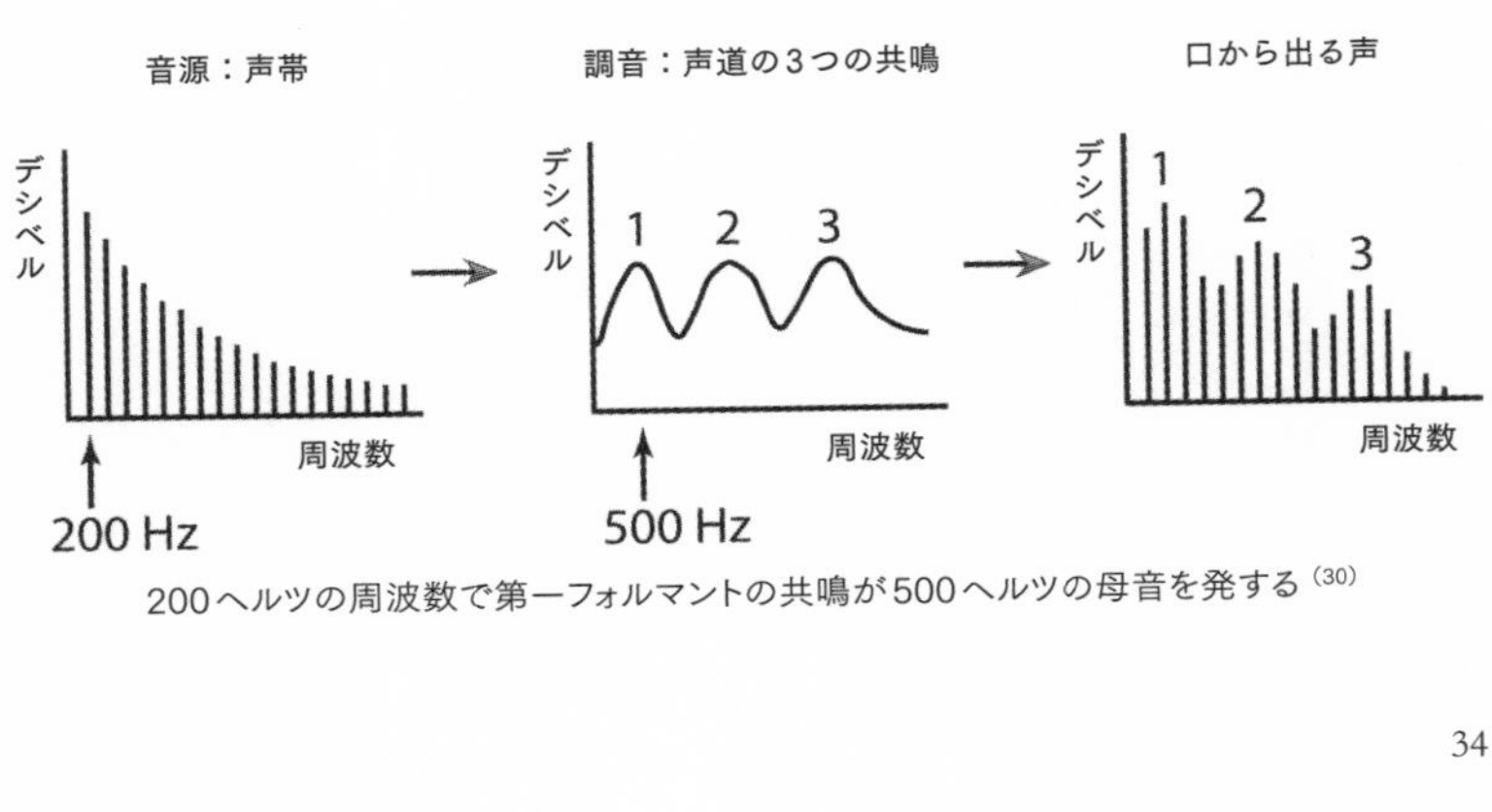

200ヘルツの周波数で第一フォルマントの共鳴が500ヘルツの母音を発する[30]

ほど高速かつ複雑に動かして、流暢に話すことができる。

声道というのは、トランペットの内部を満たす空気の柱のようなものだ。内部の空気が大きな音を出して振動する周波数がいくつかある。これは共鳴周波数と呼ばれ、これに合致する喉頭原音の倍音は必ず増幅される（それ以外の倍音は逆に抑制される）。声道の共鳴を「フォルマント」と呼ぶ。たとえば「hot – hat – hit」と声に出して言うと、母音ごとに口の形が変わるのがわかる。調音器官と呼ばれる軟口蓋、舌、唇が声道の形を変えることによって、それぞれの母音に合ったフォルマントが生じる。

調音器官を使ってフォルマントを変えるだけで、話し方を単調にも明瞭にもできる。声の高さは声帯で生じるので、どんな単語を発音するときも、声帯を同じように振動させれば同じ高さの声で発音することができるのだ。『続・夕陽のガンマン』でクリント・イーストウッドがハスキーで単調なかすれ声のブロンディーを演じたとき、この仕組みが働いていたのは間違いない。[31] イーストウッドが示したように、声の高低は、調音して聞き手にどの母音が発音されているかを伝えるフォルマントとは異なる。この効果の好例としては、エレクトリック・ライト・オーケストラの〈ミスター・ブルー・スカイ〉やダフト・パンクの〈仕事は終わらない〉といったヒット曲で使われているボーカルシンセサイザーも挙げられる。ここでは音声加工技術によって声帯で生じた原音が楽音に置き換えられているが、歌詞を伝えるフォルマントは変更されていない。*

＊〈ミスター・ブルー・スカイ〉ではボコーダーが使われている。残念ながら、ダフト・パンクはどんな技術を使っているのか詳細を明かしていない。あとの章で、最も可能性の高い技術二つについて検討する。

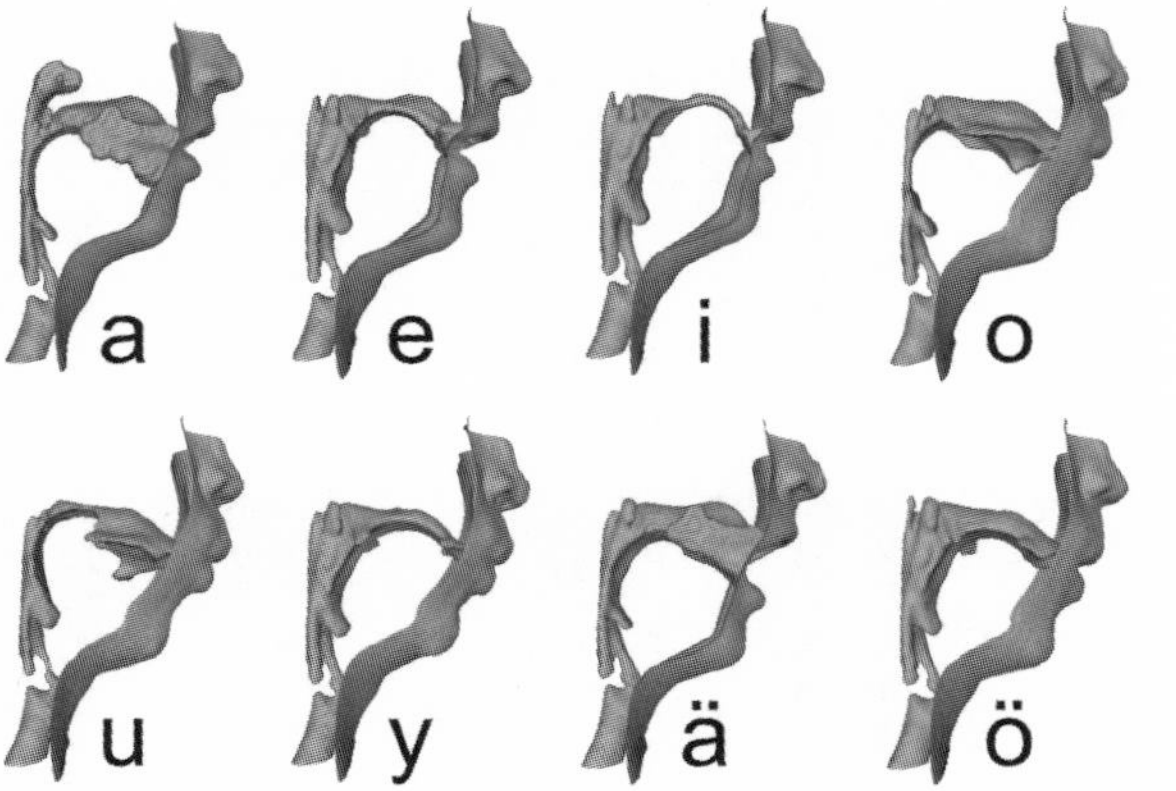

母音ごとに形状を変えるために、声道には高い柔軟性が求められる。MRI 装置で調べたもの。[32]

話す能力の進化をもっとよく理解するために、ヒトを他の現存する種と比べてみるといろいろなことがわかる。チンパンジーと現生人類の発声の仕組みには重大な違いが二つある。現生人類の喉頭のほうがチンパンジーよりかなり低い位置にあり、チンパンジーの喉のわきには喉頭嚢と呼ばれる袋状の器官がある。喉頭の位置が下降したのはいつごろか、多くの研究者がその時期を特定しようとしてきた。というのは、これはヒトが話し始めた時期を示す唯一の指標となるからだ。

ほとんどの哺乳類は喉頭の位置が高く、鼻で呼吸をしながら同時に口で飲食物を飲み込めるようになっている。ヒトの場合も、赤ん坊のうちは乳を吸いながら同時に呼吸もしなくてはならないので、この仕組みが不可欠である。しかし生後三カ月から四歳までのあいだに、ヒトの喉頭は下降する[33]。男性の場合は思春期になるとさらに低い位置へ下がる。

このように喉頭が低い位置にあるおかげで、舌はある大事な役目を果たせる。喉頭がこの位置になかったら、「beet」や「boot」という語に含まれる母音を発

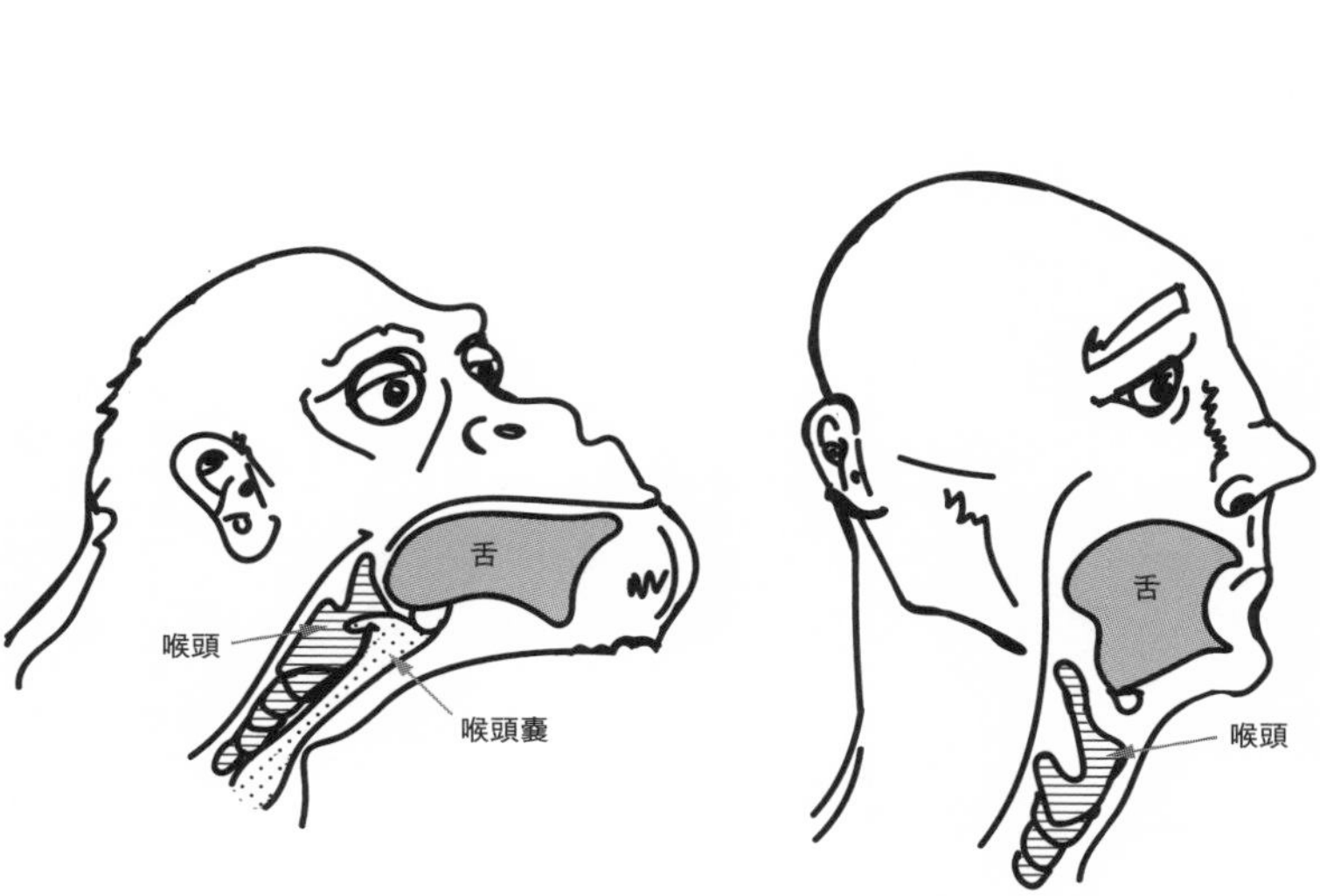

チンパンジーは喉頭の位置がヒトより高く、喉頭嚢をもつ。

することができないのだ。喉頭が低い位置にあれば、丸まった舌の可動性が高まり、言葉を発する際に上咽喉と口腔をすばやく変形させることにより、フォルマントをすばやく明確に変化させることができる。喉頭の位置が低いので、舌根が下方へ引っ張られ、それによって口腔の変形とは別に咽頭腔（喉の上部）を変形させることができる。これができなければ、私たちの話し方はもっとゆっくりで不明瞭になっただろう。

フィリップ・リーバーマンは著書『言語の生物学と進化』の中で、情報伝達において話すことがいかに効率的かを証明できる簡単な実験を紹介している。この実験では手伝ってくれる友人が要る。友人に可能な限りすばやく鉛筆でどこかをコツコツとつついてもらい、五秒間で打ちつけられる回数を数えてその速度を推定する。友人は回数を数えきれないほどの速さで鉛筆を打ちつけることができるだろう。しばらく練習をすればなおさらだ。数えられる上限は毎秒七回から九回くらいである。ところが人が話しているのを聞く場合には、毎秒二〇個から三〇個ほどの速度で音が変化するのを聞き取ることができる。つまり鉛筆の音を聞くときと比べておよそ三倍の速度だ。「bat」という単語を発音する場合、個々の文字を別個に「b-a-t」と発音するわけではない。それでは時間がかかりすぎる。実際には個々の文字の表す音をつなげて発音することによって、すばやい情報伝達を実現している。

なめらかにはっきりと話すには、口腔と咽頭の管がだいたい同じ長さでなくてはならない。唇から喉の奥までの水平距離が、声帯から軟口蓋（口蓋の奥）までの垂直距離と同じということだ。この場合、舌はよく動くことができるので、二つの管の断面積を別個に変えることができる。人間の頭部の断面を撮影したＭＲＩ動画を見ると、安静時には舌は丸い塊状になっている。しかし話し始めるとただちに舌は変形し、前後や上下に躍るように動いて声道の形状を変える。「see」と言ってから「ma」と言うと、母音を発するときに舌の位置が変わるのがわかる。「see」のときには舌はせり上がって口腔を狭めるのに対し、「ma」のときには舌が下りて口腔内の管が広がる。垂直の咽頭管の変化を調べるのはこれより難しい。「see」のときには口腔内で舌が前方に動いて咽頭管を広げるが、「ma」のときには舌が奥に引っ込んで咽頭管を狭める。

「see」に含まれる母音は、さまざまな人の話す言葉を理解するのに重要な役割を果たすことから「スーパー母音」と呼ばれる。声道の形状は人によってそれぞれ異なるので、フォルマントの周波数も人によって異なる。「bit－bet」と発音した場合、母音の周波数の違いは明らかなので、どんな単語が発音されているかを聞き手が把握する助けとなる。しかし二人の話者を比べると、この違いは明確ではないかもしれない。背の低い人が「bet」と発音した場合、背の高い人が「bit」と発音した場合と区別しにくい可能性がある。というのは、声道の長さの違いによっては、それぞれの第一フォルマントの周波数がほぼ同じになるからだ。この混乱を避けるため、聞き手は無意識のうちに話者の声道の長さを推測する。「see」に含まれる母音を発音するとき、舌は上方へ引っ張られてぎりぎりまで前方にせり出す。ふつうに「see」と言ってから、舌を少し前に出してみてほしい。ざわついた音に変わるのがわかる。このスーパー母音では、舌がぎりぎりまで前に出る。舌をそれより前に出したら、明確な音が出せなくなる。このことによって、聞き手は話し手の声道の長さを推測し、音のとらえ方を調整する。

流暢に話すためには口腔と咽頭の管の相対的な長さが重要な役割を果たすので、私たちの祖先ではどんなサイズだったのかがわかれば、話す能力の進化を解明するのに役立つはずだ。しかし、絶滅した人類でこれらのサイズを測るのは難しい。発声器官は靭帯と筋肉で頭蓋底につながっていて、これらは化石化しない。保存されるとしたら舌骨（舌根を固定させるU字型の骨）しかないが、データの解釈をめぐっては議論がある。そのうえ、骨格のほかの部分と直接つながっていないので、骨格化石から失われていることが多い。イスラエルで出土した六万年前のネアンデルタール人の化石を見ると、舌骨は現生人類と同じ形をしている。[34] このような標本はきわめてまれなため、発見時には大騒ぎとなった。しかし舌骨の形状がわかったところで人類の発声能力の指標としてはあまり役に立たないので、舌骨の化石を大量に集めても、話す能力の進化を解明するのに大きく貢献する可能性は低い。*

＊さらに、進化の過程で発話が容易になるように舌骨が変化したのなら、ヒトの発生において同様の変化が再現されないのはなぜなのか。エボデボ的には、現生人類の子どもや一〇代の男子の喉頭が下降すれば舌骨の形状に変化が起こりそうなものだが、実際にはそのような変化は起きていない。

もっと役に立つのは、五三万年以上前のハイデルベルク人の化石だ。保存状態のよい頸椎が七個残っているおかげで、スペインの古生物学者のイグナシオ・マルティネスらはその喉の長さを測ることができ、それによって声道のサイズを推定することができた。その結果、ハイデルベルク人の声道のサイズは現生人類でいうと一〇歳児に近いという結論に至った。

現生人類の発生学的研究により、ハイデルベルク人の発声器官の構造なら言葉を発することができたはずだという見方が裏づけられている。子どもが成長するにつれて、声道の水平部分と垂直部分の長さの比が変わっていく。生後一カ月では一対一・五だが、九歳ごろに理想的な一対一の比に達する。(35) 子どもは成人ほどしっかりした発声ができないとはいえ、九歳よりもはるかに早くから話し始めるものだ。このことからわかるように、初期の人類は喉頭が十分に低い位置にはなかったが、発声器官のせいで話せないということはなかっただろう。ただし、彼らの話し方は現生人類のような流暢さには欠けたかもしれない。

最近の画期的な研究はさらに先へ進み、サルの発声器官でも言葉を発するのになんら問題がないことを証明している。それなのに、なぜサルは話さないのか。その答えは、調音器官をコントロールする認知能力がないからだ。ウィーン大学のテカムセ・フィッチらは、マカクザルが筋肉をもっとうまくコントロールできたら声道でどんなことができるかを示すシミュレーションを作成した。(36) 彼らはサルが喉を鳴らしているときや、唇を鳴らしているとき、餌を食べているときなどにX線撮影を行なった。この情報を使ってサルの声道のとりうる形状を調べ、そこからフォルマント周波数を計算したところ、サルは広範囲にわたるフォルマント周波数と母音を出せることが判明した。この点を強調するために、フィッチはこの情報を音声合成装置に入力し、認知能力による限界がなければサルの声道はどんなことができるのかを明らかにした。この実験で「結婚してくれますか？」というフレーズが選ばれた理由は定かでないが、装置から出てくる声は『ロード・オブ・ザ・リング』に登場するゴラムがプロポーズしているかのように聞こえる。人間の話し声と比べれば明瞭ではないが、ヒト以外の霊長類も理解可能な言葉を話せる声道を備えていることを、この実験は証明しているのだ。

以上の実験によって、喉頭の下降は話す能力の進化を解明するうえで有益な指標だという仮説は崩れると思われる。しかし、それならばこの解剖学的変化を押し進めた要因は何なのか、代わりの説がないままこの仮説をただ切り捨てるわけにはいかない。進化の推進力が何だったにせよ、それは喉頭が下降すれば窒息しやすくなるというリスクを穴埋めするのに十分に強力だったはずである。とはいえ、喉頭が常に低い位置にある動物はヒトだけではない。コアラやモウコガゼルもこの特徴を備えている。ほかに犬などは、鳴き声を上げるときに一時的に喉頭が下降する。[37]犬の喉頭はふだんは高い位置にあるが、吠えるときには発声器官がヒトとよく似た配置に変化するのだ。なぜそうなるのだろう。

喉頭が下降すると、声道の長さが伸び、鳴き声のフォルマント周波数が下がる。低い鳴き声は、大型の動物のものと感じられる。体の大きさを伝える信号は、永続的であれ鳴くときだけであれ、喉頭の下降を促進する強力な淘汰圧となっただろう。[38]思春期にヒトの発声器官の構造に現れる変化もまた、これらの見方を後押しする。この第二の喉頭下降は男性だけに起き、話す能力の向上が伴うわけではない。身近に一〇代の男子がいる人なら、誰でも知るとおりだ。これはおそらく成人男性によく響く重低音の声を与え、体の大きさを誇張して女性を惹きつけやすくするための仕組みだ[39]（声の魅力についてはあとの章で取り上げる）。したがって、人類の喉頭が低い位置にあるのは、話すのを助けるためというよりも配偶者を惹きつけるためと考えられる。

ゴリラ、チンパンジー、ボノボは喉頭嚢をもつが、ヒトは進化の過程でこれを失った。この喉頭嚢により低周波のフォルマントが声に加わり、喉の壁から外側へ効率的に広がって、実際よりも体が大きく立派だという印象を与える。[40] サルの舌骨には小さな杯型の突起（「骨胞」と呼ばれる）があり、これが声道と喉頭嚢の接続部を開いた状態に保つと考えられている。ハイデルベルク人の舌骨には骨胞がないので、今から三三〇万年前から五三万年前のあいだに人類から喉頭嚢が消えたと推測できる。これは明瞭に話すのを助けるためだったのかもしれない。というのは、サルの喉頭嚢は声帯の振動を変化させるからだ。アムステルダム大学のバルト・デ・ブールは、喉頭嚢があったら話し方にどんな支障が生じるかについて調べる実験をした。[41] 実験では、アクリル樹脂製の管を使い、特定の母音を出す際の声道の形状を表す模型を作製した。喉頭嚢のある模型とない模型を用意し、この管で典型的な喉頭原音を発生させたところ、さまざまな母音を出すことができた。聞き手に聞かせると、喉頭嚢のある模型のほうが、異なる母音を聞き分けるのが難しいことがわかった。このことから、喉頭嚢が消失したのは流暢に話すのを促進するためだった可能性が示唆される。私たちの発声器官は、数百万年前とまではいかずとも五〇万年以上昔になんらかの言葉を発せられる程度まで発達していたらしい。発声器官の進化については研究によってもっと詳しい物語が明らかにされているが、言語の誕生した時期については、研究で得られた証拠からわかるのはここまでだ。

祖語はどのようにして現在の言語になったのか？

発声器官と聴覚器官の研究に限界があるのなら、ほかにどんな証拠を調べればよいだろう。チャールズ・ダーウィンは『人間の由来』の中で、言語の進化の研究では発声器官や聴覚器官の変化よりも認知能力の向上に着目すべきだと述べている。「高等類人猿が発声器官を発話に使わないという事実は、彼らの知能がそこまで発達していないからに違いない[42]」〔『人間の由来』長谷川眞理子訳、講談社学術文庫〕。彼はまた「オウムが、よく耳にする音を何でもまねることは有名である」と指摘し、調音能力だけでは言語の複雑さを説明するのに不十分だと主張する。彼の発言から一五〇年近くを経て、現在では発話と聴覚の進化について当時よりもはるかに多くのことがわかっている。それでもなお、認知能力に着目すべきとしたダーウィンの指摘は的を射ている。

ダーウィンは自らの経験的な観察にもとづき、鳥の鳴き声に似た祖語の存在を主張した。それは現代の発話の祖先であるが、完全な言語のもつ文法的要素はまだ備わっていない。彼の考えでは、この祖語を使いこなすには人類の知的能力の発達が必要だったはずで、鳴き声のような祖語が配偶者選択に利用されるうちに精緻化していった。やがて知能がさらに発達すると、もっと複雑な意味が祖語に付加されるようになった。そして、言語の進化自体も知能の進化を促進する要因の一つだった、とダーウィンは考えた。

認知能力の向上が祖語の発達に先行したとする見方は、現代の多くの説と合致する。ホモ・サピエンスの脳はチンパンジーの三倍から四倍ほどの大きさで、この差は今からおよそ二〇〇万年前に開き始めた[43]。ロンドン自然史博物館には、最近七〇〇万年分の人類の系統樹があり、頭蓋骨の模型一六個とともに展示されている。これらの頭蓋骨を正面から見ると、まずは眼窩周辺の変化が目につく。眉の下で眼窩の上に張り出した眉弓を比べると、人類の多くはホモ・サピエンスよりもこの眉弓が大きく発達しているのだ。しかし横から見ると、頭蓋容量の差が際立つ。新しい種《しゅ》のほうが、頭蓋の後部が大きく膨らんでいる。ただし、頭蓋容量の分析には慎重を要する。というのは、体が大きくなれば当然それに合わせて脳も大きくなるからである。最も興味深いのは、ネアンデルタール人はホモ・サピエンスよりも頭蓋容量が一〇%ほど大きいことだ。[44] おそらくヨーロッパの寒冷な環境で生き延びるための適応として、ネアンデルタール人はホモ・サピエンスよりもがっしりした体格で、体重も重かった。脳の大きさの違いはこれで説明できるだろう。

ダーウィンの考えでは、祖語には鳥の鳴き声と類似した点がたくさんあり、配偶者を惹きつけたりなわばりを守ったり「愛、嫉妬、勝利その他のさまざまな感情」を表現したりするのに使われる。話す能力を進化させるには、音を模倣できることが大事である。ヒトはこの点でほかの霊長類と違っている。ほかの霊長類では、種本来のレパートリー以外の声を発する能力がごく限られているのだ。しかし、ハチドリやバンドウイルカなど、声を模倣する種はほかにもいる。コトドリに至っては、ほかの鳥ばかりかオーストラリアの雨林で聞こえるさまざまな音、たとえば観光客のカメラのシャッター音や樹木を伐採するチェーンソーの音、自動車の盗難防止装置の発する高い警報音までまねすることが知られている。ダーウィンは、人間の言語が自然界の音や、ヒトやその他の動物の声の模倣から始まったに違いないと考えていた。しかし認知能力が発達すると、人間は声にもっと複雑な意味をもたせられるようになった。彼はこう書いている。「ある種の特別に賢い類人猿的な動物が、自分の仲間にどのような危険がせまっているのかを知らせるために、捕食者のうなり声をまねようと考えたとしても、まったくありえないことではないだろう。そして、これが言語の発生の最初の段階であったに違いない」。[45] この言葉が示すとおり、言語の発達には性淘汰以外の要素もかかわっている。ほとんどの動物は求愛中に雄のほうが大きな声を出すが、人間は男女ともに等しく雄弁である。これは、言語による知識の伝達能力が生存に対して有利に働くからにほかならない。*

音声の模倣はさまざまな種で別個に進化しているので、人類が話し始めたときに音を模倣できた可能性は高いと考えられる。しかし、ライオンのうなり声の模倣から現在の言語の複雑な文法構造へ、私たちはどうやってたどり着いたのか。一つの可能性として、「危ない。捕食者だ！」といったごく単純なメッセージを伝える声が発端だったのかもしれない[46]。やがて私たちの祖先の脳がこうした声を分解し、音の各パーツに意味を認めるようになった。このプロセスから、今日私たちが使っている名詞、動詞、形容詞などを組み合わせて文を作る「シンタックス」という仕組みが徐々に生まれたのだ[47]。

タイムマシンなどないのに、この見方が正しいかどうか、どうしたら科学的に確かめられるだろう。ここ二〇年ほどのあいだにさまざまな新しい方法が考案されたが、なかでもとりわけ役に立つものといえばコンピューターシミュレーションだ。これを使えば、仮定のシナリオを追求してシンタックスの発生に関するさまざまな説を検証することができる。この研究のパイオニアの一人がエディンバラ大学のサイモン・カービーで、彼は博士課程で指導教官だったジム・ハーフォードが一九八〇年代に行なった画期的な研究を発展させた。

サイモンのコンピューターは「エージェント」と呼ばれるおしゃべりな個体からなる集団を生成する。本物の人間の集団と同じく、エージェントの集団も時間とともに変化し、死ぬものもあれば新たに生まれるものもある。また、子どもを作って情報を子孫に伝える。そして実験が進むにつれて、奇

＊言語の進化において性淘汰の果たした役割は副次的なものにすぎないと主張する論拠として、鳴き声には母子のきずなを形成するのに重要な役割があるという見解を持ち出した者もいる。母親語（マザリーズ）については第2章で詳しく扱う。

跡のようなことが起きる。エージェント間のランダムなざわめきとして始まったおしゃべりのようなものが、やがて融合して一つの単純な言語になるのだ。エージェントが最初に発するのは、でたらめな文字の羅列である。たとえば「キヘミウィ」は「左から右へ動く正方形」といった具合に、各フレーズはそれぞれ特定の動きを示す幾何学的図形と結びつけられている。エージェントはそれぞれの「生涯」を生きながら、ほかのエージェントの発するフレーズを聞く。エージェントに課されたタスクは、それらのフレーズとそれに結びつけられた意味を記憶し、あとでそれを反復することだ。もちろん、各エージェントがフレーズと意味をコンピューターのメモリに正確に記録できるなら、あとで完璧に思い出すことができ、おもしろいことなど何も起こらないだろう。だが、コンピューターの記憶と呼び出しの能力が不完全だったら、エージェントはフレーズと意味を結びつけるのにもっと効率的で頑健な方法を探さざるをえない。やがて、フレーズ内の文字の一部が単語のように特定の含意をもち始める。このほうがはるかに効率的だからだ。先ほどの「キヘミウィ」の例で考えてみよう。語尾の「ミウィ」が「正方形」の意味をもち、語頭の「キヘ」が「左から右へ動く」という動作を表すようになるかもしれない。(48)

サイモンが私に語ったところによると、この画期的なシミュレーションも最初は嘲笑されたが、「貧弱な直観に対する解毒剤」となったことからしだいに受け入れられていったという。複雑なシステムには、全体としてどんなふるまいが現れるのか予測するのが難しいという問題がある。エージェントによるメッセージの伝達と記憶について、単純な規則を設定するだけで言語構造が生じると主張するのはずいぶん思い切った賭けだったが、それが可能だということがこのコンピューターモデルからわかる。多くの研究者がこの方法に懐疑的だったことは想像に難くないが、思いがけない幸運によって、ある実験が行なわれて幅広い支持を得るに至った。

その新しい実験というのは、文化の中で言語が人から人へと伝達されることを実験室で示す初の試みだったが、もともとはやむをえず行なわれたものだった。サイモンの指導していたハナ・コーニシュという学生が、学位取得の要件としてコンピューター上ではないリアルな実験をしなくてはいけないことになった。じつのところ、コーニシュとしてはコンピューターを使った実験をもっとやりたかったが、選択の余地はない。そこで実験室に人を集めて、自分の作ったコンピューターシミュレーションを実際にやってもらうというアイディアを思いついた。この実験は、無意味な言葉を使った複雑な伝言ゲームのようなものだ。「うまくいくとは思わなかった」というのがサイモンの率直な予想だったが、意外にも実験は成功した。実験の結果は、ランダムな文字列から単純な言語が生まれたコンピューターシミュレーションと合致したのだ。直感的に理解しにくいコンピューターのコードやアルゴリズムではなく本物の人間を使ったことによって、ここで何が起きているのか、ほかの研究者もついに呑み込めた。コンピューターと本物の人間の両方をこの種の実験で使うというやり方は、今ではすっかり定着している。(49)

初期の言語においてはジェスチャーが重要な要素だったというもっともな説がある。確かにジェスチャーは最初の言語だったかもしれないが、話し声は暗闇でもコミュニケーションができるうえに手をほかの目的に使えるという点でもっと融通が利く。消費するエネルギーが少ないという点で効率的でもある。初期の人類にはほかのサルと同様の発声能力があったので、淘汰圧によって言語的な祖語が選ばれたと考えられる。この祖語が生まれると、発声器官と神経の接続が改善されてさらに速く話せるようになるという進化の好循環が生じた。また、言語のおかげで私たちは長く連鎖した思考ができるようになり、それによって認知能力が向上した。しかし、言語の進化の多くは生物学的な力ではなく、文化的な力によって生じたと思われる。言語が使われだすと、個人は遺伝的な強みよりも学習したことがらを通じて行動を調節できるようになり、そのおかげで生存し繁殖する可能性が高くなる。生物学的な自然淘汰は、文化の力の前ではなすすべがない。実際、言語のおかげで人間は生物学的な自然淘汰というゆるやかなプロセスをおおむね出し抜いてきたのだ。

では、単純な祖語が人間の使う多彩な言語になったのはいつごろなのか。この点についても、間接的な情報しかない。現在の言語を使った思考を示唆する高度な認知能力の証拠を探せば、この移行の時期が特定できるだろうか。アートにかかわる象徴的な思考を暗示する顔料や装飾品の使用、製作するのに複雑な計画を要する道具、あるいは儀式的な埋葬行動などが手がかりとなるかもしれない。かつては考古学的記録から、およそ四万年前に大きな文化的変革が起きたと考えられていたが、この見方は発掘調査の大半が行なわれていた地域によるバイアスから生まれたのではないだろうか。近年では、先進国以外の地域での調査が増えており、抽象芸術がもっと古い時代に存在していたという証拠が見つかっている。アフリカ大陸各地の遺跡からはおよそ一〇万年前に作られた貝殻のビーズが見つかり、南アフリカのブロンボス洞窟では八万年ほど昔の幾何学模様の刻まれた石片が発見された(50)。四万年前の考古学的記録に見られる変化は、言語の誕生に伴って認知能力が一気に向上したことによるものではなく、現生人類がアフリカから世界各地へ広がっていったことによって生じたのだろう。

考古学的記録から明らかなのは、ネアンデルタール人がアートをたしなむことはほとんどなく、アート以外でも象徴を用いることはほぼなかったということだ。顔料のかけらがいくつか残っていて、さらには岩に模様を刻んだ痕跡もいくつかあるかもしれないが、それだけだ。対照的に、ネアンデルタール人と同時期に生きていた現生人類は楽器をもち、美しい壁画を描いた。多くの人にとって、これは現生人類がネアンデルタール人よりもはるかに高度な言語を使っていたことを示す強力な証拠となる。

以前には、高度な知能をもつ動物はホモ・サピエンスだけだと一般に思われていた。一八六六年にエルンスト・ヘッケルが作成した進化系統樹では、ホモ・ストゥピドゥスという種がホモ・サピエンスの直前に置かれていた。ネアンデルタール人のほぼ完全な骨格として初めて発掘された「ラ・シャペルの老人」から復元模型を作ったところ、現生人類よりもサルに近いように見えた[51]。一九二〇年、H・G・ウェルズは『世界大文化史』の中で「野蛮な征服者はたいてい打ち負かした相手側の女たちを奪って交雑するが、真の人間がネアンデルタール人と交わることはなかったであろう」と述べている。ホモ・サピエンスがネアンデルタール人と交雑しなかったのは、ウェルズによれば「体毛がひどく濃く、醜悪で、嫌悪感を抱かせるような異形《いぎょう》」のせいだったらしい[52]。

だが、そんな偏見は、現代の遺伝学で得られた知見にはなじまない。DNAを調べれば、多くの現代人のゲノムのうち一~三%はネアンデルタール人に由来するという証拠が得られる[53]。化石からDNAを抽出できるおかげで、太古の人類の祖先を調べることもできる。四万年前の現生人類の顎骨がルーマニアのペシュテラ・ク・オアセ(「骨のある洞窟」という意味)で見つかっているが、この人物のゲノムは六~九%がネアンデルタール人と一致した。染色体にネアンデルタール人と共通の部分がこれほどたくさんあるという事実は、この人物から家系図を四世代から六世代ほどさかのぼった祖先がネアンデルタール人だったことを意味する。

遺伝学的研究から、ホモ・サピエンスとネアンデルタール人とが交雑していたという明白な証拠が得られている。それならば、両者は互いにコミュニケーションができなくても交雑していたということなのか。もちろん、性交が必ずしも合意のもとでなされるわけではないし、襲撃の際に子どもや女性が連れ去られた可能性もある。しかしもっと友好的な関係を築いていたのだとすれば、ネアンデルタール人と現生人類が互いに言葉を交わせたと考えられるはずだ。DNAがもっとたくさん集まれば、遺伝物質の移転がネアンデルタール人の男か女のどちらか一方にもっぱら由来するのか、それとも両方かを調べることもできるかもしれない。これによって、現生人類とネアンデルタール人とのあいだにあった社会的な交流がいくらか明らかになる可能性もある。(54)

近年、ネアンデルタール人像は大きく変貌した。テレビのリアリティー番組『テン・イヤーズ・ヤンガー』に出演したとしても、これほどの大変身はありえないだろう。人類進化生物学教授のダニエル・リーバーマンが「ネアンデルタール人の髪をきれいに整えて、スーツを着せて帽子をかぶせたら、地下鉄で人目を引くことはないだろう(55)」と言ったのを受けて、自然史博物館が等身大の復元模型を作ったのだ。このネアンデルタール人は現生人類よりも背が低くてずんぐりした体型で、洒落た顎髭を生やした顔に思慮深げな表情を浮かべている。

言語の進化というのはなかなか厄介な分野で、多くの研究者が対立する見解に対して侮蔑をあらわにしながら互いの説を論じ合っている。サイモン・カービーの言葉を借りれば「ほとんどの人の見解が、じつはおそらく間違っている」のだ。私も不安を覚えないではないが、証拠に関する私なりの解釈を議論の場に加えさせてほしい。

今では多くの専門家が、ネアンデルタール人がなんらかの祖語をもっていたと考えている。それならおそらく、ハイデルベルク人も祖語をもっていたということになるだろう。なぜなら、ハイデルベルク人こそネアンデルタール人とホモ・サピエンスの共有する最後の祖先だからだ。発声器官の精妙な協調、脳のサイズ、ネアンデルタール人とホモ・サピエンスの交雑という証拠を踏まえると、およそ五〇万年前に言葉を伴った祖語らしきものが存在していた可能性が高いと思われる。しかし、二〇万年ほど前にホモ・サピエンスが誕生すると、何かが変わった。おそらくなんらかの遺伝的変化による認知能力の向上が好循環をもたらし、それによってさらに高度な言語がもっと複雑な思考を可能にし、そのおかげで現生人類はネアンデルタール人よりも高度な思考ができるようになって彼らを駆逐したのだ。

どの説が正しいのか、確かな答えを知ることはできるのだろうか。アイディアに満ちあふれた科学者たちはすでに、言語の進化を探究する数々の新しい方法を考案している。いずれ、もっと完全な答えが得られるだろう。遺伝学はこの物語において生物学的進化の果たす役割を解明する助けとなるはずだ。二〇〇一年にＦＯＸＰ２遺伝子が発見されたときには、たいそうな騒ぎとなった。というのは、言葉を発する際の調音においてこの遺伝子が重要な役割を果たすからだ（これについてはあとの章で詳しく扱う）。さらにはＦＯＸＰ２のバリアントの一つが、ネアンデルタール人の化石から取り出されたＤＮＡの中で発見されている。[56] しかし遺伝学的研究で言語の進化を解明するには、その前に話す能力と遺伝子との複雑な関係を明らかにする必要がある。さらに、人類のＤＮＡがもっとたくさん要る。発声器官が化石化しないという事実が、話す能力の進化をめぐる探求の妨げになるのは確かだ。それでも考古学者に発掘調査を続けてもらう必要がある。

2 声の三つの時代

産声を上げてから臨終の床で辞世の言葉を発するまで、声は生涯の伴侶となる。人が生涯で話す言葉は平均五億語に達し、世間で思われているのとは違って男女間でこの語数に差はない。(1) だが、私自身はこの語数をすでに突破してしまったかもしれない。子どものころの私はものすごくおしゃべりだったのだ。母の言葉を借りれば、「二人のお兄ちゃんたちと張り合って、口を閉じようとしなかった」らしい。

ティツィアーノは有名な絵画《人間の三つの時代》で、幼年期、成年期、老年期という生涯の三つの時期を描いている。私たちの声も同じく三つの段階を経る。まず、幼年期に言葉を使って話す能力が発達し始める。ラジオに出て話す立場となった今では妙な話だが、私は幼いころ言語療法士にかかったことがある。どうやら語尾をきちんと発音していなかったらしい。おじのレスから、私は彼の知る誰よりもたくさん声を出すのに、誰よりも少ししか言葉を話さないと言われたことがある。だが、どこかに問題があったわけではなく、ちゃんと発音しようとしなかっただけだった。これから声の第一の時期について詳しく見ていけばわかるが、誰もが言葉をきちんと話せる幸運に恵まれているわけではない。

第二の時期である成年期の声は、思春期に起きる現象から最大の影響を受ける。思春期には体が男性らしさまたは女性らしさを獲得し、声は配偶相手を惹きつけやすいように変化する。バリー・ホワイトのどっしりした低音と、デイヴィッド・ベッカムのさえずるような高音、読者はどちらがお好みだろうか。マリリン・モンローのハスキーな声のほうが、映画『ロジャー・ラビット』に出てくるジェシカ・ラビットの色っぽい声より魅惑的に響くだろうか。個人の好みも大事だが、これから見ていくとおり、集団全体の平均的な傾向というものがある。その一方で、正常な思春期が妨げられたらどうなるのか。イタリアのオペラ界には、去勢された男性がスター歌手になったという驚愕すべき事例がある。

第三の時期にあたる老年期には、徐々に起きる身体の衰えが話し声にも影響する。アリステア・クック、エリザベス女王、フランク・シナトラといった有名人の声を調べると、声というのは非常に頑健だが、プロでもいずれは加齢の影響に屈することがわかる。

人は生まれた瞬間から声をもつ。この世に生まれ出てくるまで、肺はしぼんで羊水で満たされている。子宮内の胎児には妊娠七カ月目から聴覚があるが、話すことはできない。医師が赤ん坊に泣き声を上げさせようと尻を叩くことはもうなくなったが（ふつうはもっとおだやかなやり方で十分だ）、医療スタッフは最初の泣き声に耳を傾ける。この産声は呼吸が正常かどうかを示す重要なサインであり、生まれて数分後の新生児の健康状態を評価するのに使われるアプガースコアの項目にもなっている。私はこのことを忘れようにも忘れられない。というのは、息子の一人が生まれたときのスコアがとても低く、治療が必要だといって急いで分娩室から運び出されていった経験があるからだ。*

生まれたとき、赤ん坊の声は聴覚と比べてはるかに成熟が遅れている。喉頭が十分に発達していないので、仮に話せるだけの知的能力があったとしても、言葉を正確に発するのに必要な解剖学的構造と神経が十分にできあがっていない。声道の形状は成人よりもチンパンジーに近く、喉頭が喉の高い位置にある。生後三カ月から四歳までに喉頭が下降し、それによって舌を精密にコントロールして明瞭に話せるようになる。

九〇〇〇人近い赤ん坊を対象とした研究で、赤ん坊は生後数週間は一日に二時間ほど泣くが、生後一二週目にはこの時間が一日一時間を少し上回るくらいまで減ることがわかった[2]。初めのうち、新生児の泣き声は最も単純な発声である[3]。泣き声の各部分で、声の高さと音量がまず上がって、それから下がるというパターンが見られる。次の図では、左側半分が独立した三回の泣き声を図示している。その上のグラフは話し声をグラフ化するときによく使う方法で、経時的な音圧の変動を示している。発声については、音のさまざまな要素の変動がわかる下の図のほうが役に立つ。泣き声に含まれる倍音は、平行な黒い線として表示される。各倍音の周波数が上下に変動して、声の高さに聴取可能な変化をもたらす。新生児は声帯をコントロールすることがほとんどできないので、音は肺から空気が押し出されるときの強さによってもっぱら決まる。声帯の動きを支配するのはベルヌーイ効果だ。これ

*今ではたくましい大人になっている。

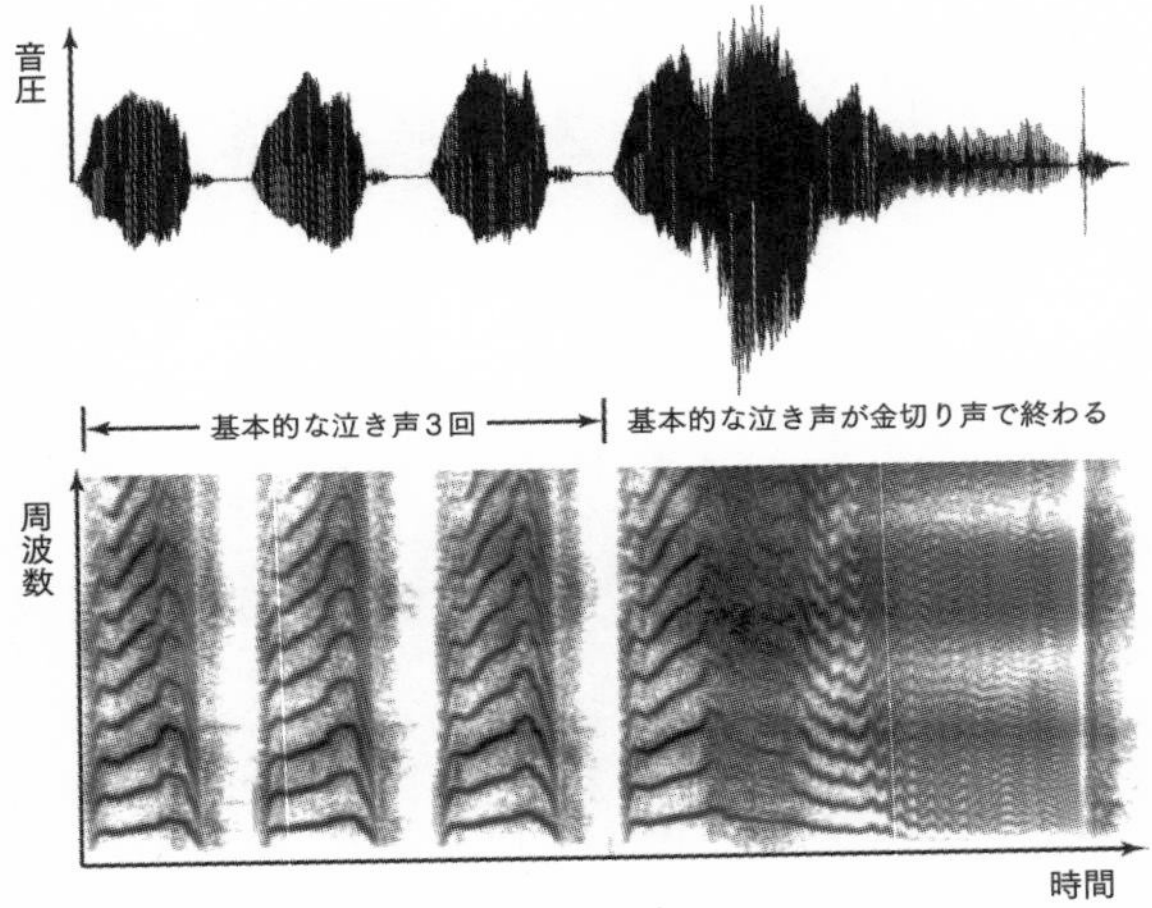

新生児の泣き声の音響学的特徴。基本的な泣き声３回のあとにもっと複雑な泣き声が続き、最後は金切り声で終わる。この段階で明確な倍音は消える。

は一八世紀のスイス人数学者、ダニエル・ベルヌーイにちなんで名づけられたもので、空気の速度と圧力の相互作用を明らかにする。空気が肺から出ていくときには、声門の細い隙間を通るために速度を上げる必要がある。ベルヌーイ効果から予測されるとおり、この空気の流れによって圧力が下がり、声帯を閉じることができる。そしてまた肺からの空気が声帯を押し開き、続いてベルヌーイ効果によって声帯が再び閉じる。これが繰り返されていく。赤ん坊は泣き声を上げている最中にはほかのときよりも空気を強く送り出すのがふつうだ。そのため、ふだんよりもすばやく声帯が開閉し、その結果として声の高さと音量が上がる。

　意外にも、泣き声にはごく早い時期から個性がいくらか備わっている。ある研究で、子宮内で胎児のときに聞いた音が泣き声に影響することが判明した。赤ん坊は神経系が未発達なので声帯をコントロールすることはほとんどできないが、呼吸の仕方を変えることで声の高さと音量がまず上がってそれから下がるときの速度を変えることはできる。こうして、拙いながらも泣き声のイントネーションを変えることができる。この実験を行なったのは、ドイツのヴュルツブルク大学のビルギット・マンペのグループである。彼らはフランスとドイツの新生児三〇人の泣き声を比較した。(4) フランスの新生児は声の高さと音量がピークに達するまでの時間が長かった。それに対し、ドイツの新生児はこの段階にはそれほど時間をかけず、そのぶん声の高さと音量がしだいに下がる第二の段階にかかる時間が長いことがわかった。研究グループは、これらのイントネーションがそれぞれの母語と類似していることを示した。フランス語では一般に、文の最後の音が発せられるまで声の高さは上がり続け、最後に下がる。一方ドイツ語では、文全体にわたって声の高さと音量が下がっていく傾向が強い。新生児は母親の胎内にいるときから母親の声を聞いてイントネーションを覚え始めていて、生まれたときにはそれをまねできるようになっているのだ。これは乳児が母親との絆を育てるために母親の行動をまねすることを示す最初のサインである。なにしろ、無力な新生児は泣くことによって大人に助けてもらうので、泣き声は生存のために重要な意味をもつ。子をもつ親なら誰でも知っているとおり、わが子が感情をあらわにして泣き叫ぶのを聞いたら、よほどのことがない限り無視などできない。

妊娠二四週目までに、胎児は音を聞いてそれに反応できるようになることが知られている。それから数週間経つと、一オクターブ以上の範囲の音を聞けるようになる。これは青年の聴取可能な周波数域のおよそ一〇分の一にあたる。胎児の音環境はおもに母体から生じる雑音で、たとえば母親の声の響き、胃や腸のチャプチャプゴボゴボという音、それに心拍のリズミカルなドクドクという音などが聞こえる。これらの音はすべて、胎児の耳に届く前に母体や羊水を通過する際に弱くなる。風呂の湯に潜って音を聞こうとするのに似ているに違いない。私はBBCの番組で、子宮内の音のシミュレーションと環境音楽を混ぜ合わせたサウンドを収録したCDの制作会社を取材したことがある。その会社によると、このCDは子どもを寝かしつけるのに役立つらしい。その効果が科学的に検証されているかどうかは知らないが、新生児集中治療室にいる未熟児に子宮内の音を聞かせると、心拍数が下がって落ち着くことは研究で示されている。(5) 保育器内で母親の声の抑えたバージョンを流すと、未熟児の聴覚野の発達を促進する可能性があることも示唆されている。新生児の泣き声を扱った研究が示すとおり、胎児は母親の話す声のリズムとイントネーションの特徴をいくつか覚える。そうだとすると、未熟児に声を聞かせるとよい効果があるというのも理にかなっている。

満期産の赤ん坊の場合はどうだろう。スピーカーを買って、母親の腹部にくくりつけるか膣内に留置することはできるが、これで音を聞かせても胎児になんらかの効果があることを示す確かな証拠はない。(6) むしろ逆に、胎児の聴覚がどれほどダメージを受けやすいかが不明なので、私としては装置が聴覚を危険にさらす可能性が心配だ。胎児に音楽を聞かせたら、神経の発達は促進されるのか、それとも妨げられてしまうのか。この問いに答えられる科学的な研究は行なわれていないので、装置などで音を増強したりせずに、昔ながらに母体の音環境を胎児に経験させるのがベストだと思われる。ちなみに胎児に最も頻繁にはっきりと届くのは母親の声である。新生児が父親を含めてほかの誰よりも母親の声をよく認識するのはそのためなのだ。

もう何年も前のことだが、私は子育て中に息子たちの泣き声が何を意味しているのか、どうしたら泣き止んでくれるのか、必死に探っていた。あのときの苦労は今でもありありと覚えている。基本的な泣き声の周波数はだいたい二五〇から四五〇ヘルツで、これはバイオリンの音域の一番下にあたる。

だが、これよりずっと高い一〇〇〇から二〇〇〇ヘルツに突然変わって、バイオリンの音域の上限に近い周波数の高い金切り声になることがある。これは、大人の歌手がふつうの歌い方から裏声に切り替えるようなものだといわれる。[7]さらに、きしるような泣き声を出すこともある。これは制御されたリズミカルな動きで声帯が開閉しなくなったときに生じると考えられている。[8]

生後数カ月のあいだに、赤ん坊はさまざまな泣き声をつなぎ合わせたりリズムのバリエーションを加えたりして、泣き声のレパートリーを増やしていく。神経系が成熟するにつれて声帯筋がうまくコントロールできるようになるので、さえずるような泣き声は減っていく。このころには、不快なのか空腹なのかといった、もっと複雑な情報を泣き声で伝えられるようになる。近ごろでは、泣き声を分析してその理由を推測できるというアプリもある。たとえば「インファント・クライズ・トランスレーター」は、生後二週の赤ん坊の泣き声を九二％の精度で「空腹」「眠い」「ストレス」「不機嫌」「退屈」に分類できるらしい。[9]ただし、これらのアプリの有効性については第三者による科学的な研究は行なわれておらず、メーカー自身もそれが役に立つのは生後六カ月くらいまでだとしている。アプリが親の耳や認識力におよばないのは当然だ。だから親は自分の子どもの泣き声に正しく反応できていると自信をもつべきである。

泣き声は苦痛のシグナルにすぎないと片づけるのは簡単だが、次に赤ん坊がかんしゃくを起こしている場に遭遇したら、無理をしてでもその音響特性を堪能すべきだ。長い叫び声のように聞こえるものはばらばらの単純な泣き声が連なったものであり、メロディーラインのようなものがある。そのような抑揚は感情を容易に伝えるので、どの言語でも見られる。赤ん坊が泣いている最中に声門を一時的に閉じてわざと休止しているなら、その赤ん坊は音を塊に分解する能力があるということだ。これはのちに子どもが言葉を発し始めるときに必要となる大事な能力だ。

赤ん坊はどのように話し始めるか

赤ん坊にとって最初の言語コミュニケーションは泣き声だが、幸いにも彼らはすぐに甘え声や片言のような声を出し始める。これらは言語の上達に欠かせない大切な音である。というのは、幼児は自分の聞いた音をまねしようとするからだ。話すためには、音を聞いて解読する能力に加えて、呼吸をコントロールする一〇〇個ほどの筋肉の細かい動きを調整できる神経系、それに喉頭の声帯と声道が必要となる。当然ながら、聞く力は話す力より先に発達する必要がある。この順番を逆にするのは、音楽の楽しみ方を知る前に楽器をマスターしようとするのと同じだ。しかし、幼児が話そうとする未熟な試みは、他者の言葉の解読を習得する助けにもなる。話すときに出せる音は、発声器官の構造によって制限される。そのわかりやすい例が、「She sells seashells on the seashore」のような早口言葉だ。早口言葉は声道が形状を変える速さに限界があることを教えてくれる。したがって、聞き手は話すことによって自分の発声器官の限界を知り、それがほかの人の話すことを理解する助けとなる。

人の話を聞いて解読する初期の能力が「先天的」に脳に組み込まれているのか、それとも経験から生じるのかを突き止めるのは不可能だ。新生児は生まれたときすでに八〇〇個ほどの音素を認識することができる。音素とは語の構成要素で、「a」や「wh」や「ng」といった断片的な音のことだ。[10] 聴覚は胎児が子宮内にいるときに発達し始めるということを考えると、あらかじめ決まっている脳内の情報処理構造と、母親の声を聞いて出生前に発達した神経経路を区別するのは難しい。しかし、出生時には話し声に似た音を好むことがわかっている。

アシーナ・ヴルマノスとジャネット・ワーカーという二人のカナダ人研究者が、生後一日から四日の新生児二二人を対象とした実験を行ない(11)、無意味な言葉や幼児番組『ザ・クランガーズ』のキャラクターが話す言葉に似た楽音を新生児に聞かせた(12)。赤ん坊におしゃぶりをくわえさせ、それをコンピューターに接続して、赤ん坊がおしゃぶりを吸うペースを観察した。強く吸うと音が流れるように設定したところ、赤ん坊はおしゃぶりを吸うと報酬として音が聞こえることをすぐに学習した。聞こえる音がおもしろければ、赤ん坊はもっと音を聞こうとおしゃぶりを吸う。一方、同じ音が続くと退屈し、おしゃぶりを熱心に吸わなくなる。新生児に話し声を聞かせると、楽音を聞かせたときより長時間にわたって強くおしゃぶりを吸うこともわかった(13)。話し声のほうがおもしろいと感じたのは明らかだ。別の実験では、赤ん坊が生後三カ月まで話し声でない音よりもある種のサルの鳴き声を好むことが判明した。これは、胎児が子宮にいるあいだに母親の話すこもった声の特徴をとらえる準備ができていて、その音が霊長類の鳴き声にも含まれているからかもしれない。赤ん坊がサルの鳴き声と人間の話し声を区別できるようになるのは、生後数カ月が過ぎて脳で話し声を処理する能力がもっと発達してからだ。

生後数カ月の赤ん坊が出す甘え声は楽しさや親しみを感じているときに出す声だと、親は直感的に解釈する。私が取材先で好きな音について質問すると、赤ん坊の甘え声がしばしば挙がる。親がその声によく反応すればするほど、赤ん坊の出す声が質量ともに向上することが研究で確かめられている。したがって、子どもの声と言語、社会的スキルと認知能力の発達を促進するには、親子でデュエットするのが理想的だ。当然ながら、幼児は他者の注意を引きつけて自分の学習を助けてもらうために、相手をじっと見たり片言を使ったりすることをすぐに学習する。聞き手をまねして片言の言い方を変えたりもする。ある研究は、赤ん坊が父親のいるときには母親のいるときよりも低い周波数の声を使うと報告している。[14] 子どもの世話をしながらスマートフォンを使うのが好きな人は要注意だ。生後四カ月以降、幼児は自分の世話をしてくれる人が自分に注意を払っていないときにはそれがわかるようになる。言語を習得するには、たとえば親が何かを指さしてその名前を言ってくれるといった適切な情報が必要なので、幼児はさりげなく人の行動を操作しているのだ。

このように相互作用が必要だということは、生後九カ月のアメリカ人の幼児について調べたワシントン大学のパトリシア・クールの研究で証明された。[15] 一部の幼児には教師からじかに学習させ、それ以外の幼児には同じ教師の動画を見せるか録音を聞かせるかした。物語を読み聞かせるときには未知の言語を使うことにして、北京語を選んだ。これは、科学実験の最中に聞いて学習したことと、実験室から離れた日常の経験の中で覚えたことが区別できるようにするためである。クールは幼児が物語を一カ月聞かされたあと、北京語の音素をどのくらいよく覚えているか調べた。すると、子どもと物語の語り手が同じ部屋にいるときのほうがよく覚えていることがわかった。録音や録画では同じ効果が得られなかったのだ。では、ロボットならビデオよりうまくいくだろうか。答えはおそらくイエスだ。というのは、社交的なロボットが言語習得の支援に役立つことがすでに判明しているからだ。マサチューセッツ工科大学（ＭＩＴ）のポスドク研究員、ヘ・ウォンパクは、見た目がペットロボットのファービーに似たロボット「テガ」の研究に取り組んでいる。顔の部分にはめ込まれたスマートフォンの画面に眼が表示され、内部装置の働きで全体が上下に揺れ動く。このロボットに子どもが物語を聞かせるという実験が行なわれた。テガが身を乗り出し、適切なタイミングでうなずいたり微笑んだりして聞き上手な友人のようにふるまうと、子どもの語る物語は複雑で長くなった。[16]

わが家の息子たちは、私と妻が彼らの初めて口にした言葉といった大事な節目を覚えていないといってよくからかう。そんなとき私は、双子を育てていたのだから生きていくだけで精いっぱいだったのだと釈明する。初めて話した日は子どもの発達において重要な節目となるが、じつはもっと注目すべき学習はそれよりずっと前に始まっている。母語で必要とされる四〇個ほどの音素を覚えていくにつれて、幼児が認識できる単語の数は急激に増えていく。生まれて最初の一年間というのは、言葉を一つも発していないうちから驚異的な言語発達を遂げる時期なのだ。

二〇〇五年、ある変わった実験が始まった。ＭＩＴメディアラボの研究員デブ・ロイが、自分の息子が目を覚ましているあいだのありとあらゆることを記録し始めたのだ。言語の発現をとらえるのが目的だった。カメラとマイクで家中をモニターし、生後九カ月から二四カ月までに息子が聞いたことや言ったことをほぼもれなく録音して文字化したところ、全部で八〇〇万語に達した。[17] 初めて「ママ」と言ったときから、単語の組み合わせを安定して使えるようになる時期まで記録することができたのだ。長期にわたった音声記録を高速で再生すると、「ウォーター」という言葉が六カ月かけて出現するまでのドラマティックな流れがわかる。生後一二カ月のとき、ロイの息子は水を「ガガ」と呼んでいたが、それがしだいに変化していった。その進展を記録した次のリストには、だいたい毎週二語ずつ記載されている。

ガガ　グガ　グガ　グガ　グガ　グガ　グガ　ゲガ　ググ　グガ　グガ　グガ　ワワ　グガ　グ
ガ　ググ　ワワ　ガウ　ガオウ　イェヤ　ゴゴ　ワワ　ガガ　ガガ　グガ　グガ　ガガ　ワワト
ググ　ガガ　グガ　グワト　ガガ　ウォダ　ウォーター　ガガ　グガ　グガ　ワキ　ウーキ　ワ

チュー　ワクリ　ウ　ドズ　ヴ　チャーク　ワア　ワ　チュー　ウォーター(18)

実験が終わるまでに、二歳児となった息子の発した言葉は七〇〇種類近くに達していた。家中の部屋をすべてモニターしていたので、言葉がいつどこで現れたかを詳しく分析することができた。当然ながら、言語学的に単純な語が先に現れた。たとえば「fish」のほうが「breakfast」より早く現れる。また、子どもの世話をしている人がよく口にする語も早く現れた。さらに、場所や特定の活動と結びついた語は早く覚えられ、「bath」は一一カ月のときに覚えたが、「head」と言い始めたのは二〇カ月のときだった。

ロイは自分やほかの人が息子にどう話しかけるかを調べることもできた。これについては、多くの人が熱心に研究している。赤ん坊に話しかけるときの歌うような話し方を「マザリーズ」(母親語)というが、これを使うのは母親だけではないので、この名前は不適切だ。現に私も自分の子どもに向かってその話し方をした記憶がある。* 私たちは、ペットや(もっと厄介なことに)外国人にもこのわざとらしい話し方をよくする。マザリーズでは言葉のメロディーラインが誇張され、ふだんよりも高い音がたくさん使われて音域が広くなる。このようにイントネーションが強調されると、幼児にとって言われている言葉に込められた感情が理解しやすくなる。

生後三カ月までのあいだ、マザリーズでは幼児を心地よく落ち着かせるように高い声が徐々に下がっていくメロディーラインが優勢である。この時期を過ぎると、もっと複雑なメロディーラインが使われ始める。注意を引きつけるためにフレーズの終わりを上昇調にすることがあるかもしれない。また、承認や励ましを与えるときにはいったん上昇してから下降する傾向がある。コネティカット大学のナイラン・ラミレス＝エスパルサは、音声レコーダーを使って成人が生後一一カ月から一四カ月の幼児に話しかけるようすをモニターし、のちに幼児が二歳になった時点で話す能力を測定した。マザリーズを最も多く使った親の子どもは、最も使用の少なかった親の子どもと比べて習得語数が二・五倍に達していた(19)。

マザリーズには、声の高さが激しく変動する以外にも特筆すべき点がある。ふつうの話し方と比べて、マザリーズは言葉を発する回数が少なく、声が大きくスピードはゆっくりで、音素と休止の持続時間が引き伸ばされる傾向がある。使われる語は単純で、同じ語が反復され、「ドギー」（ワンちゃん）や「ホーシー」（おうまさん）といった「赤ちゃん的」な語尾が使われる。幼児が習得すべき最も重要な聞き取りスキルの一つは、人の言葉を分析して語や音節の始まりと終わりを特定できることだ。育児者が大げさでゆったりしたリズムで単純な話し方をすれば、それは幼児が音の流れを短い断片に分割して脳が完全に分析できるようにする方法を習得する助けとなる。マザリーズは、「モーショニーズ」（対乳幼児動作）で補完される。モーショニーズとは、何度も熱心に繰り返される単純で大げさなジェスチャーのことだ。親がカップ重ねなどの玩具の遊び方を教えるときによく使われる。うまくタイミングが合えば、モーショニーズとマザリーズは話す能力の習得の助けとなる。

ほかの人が話すのを聞かずに育ったら、幼児はどうなるのか。長年のあいだ、言語習得には臨界期があるのかをめぐって活発な議論が展開している。言語習得の臨界期説とは、思春期までに言語に触れなければ言語習得は永久に阻害され、それ以降にどれほど集中的に指導しても問題を解消すること

---

*学術論文では、この話し方は「対乳幼児発話」と呼ばれることが多い。

はできないという考え方である。かつては、人間社会から隔離されて言語にほとんど触れずに育った「野生児」を研究すれば、このテーマに関する知見が得られると考えられていた。症例記録でジーニーと呼ばれている少女の悲惨な例もあった。一九七〇年、彼女はロサンゼルスで監禁されていたところを救出された[20]。一三歳だった彼女は狭い部屋に閉じ込められ、しばしば椅子に拘束され、言葉はほとんど聞いたことがなかった。救出後に集中的な言語療法が行なわれたが、ジーニーはごく基本的なコミュニケーションしか習得できず、文法を使って文をつなぐ能力は欠如していた。しかしこのような事例を根拠として臨界期が存在すると考えるのは、今では問題だと考えられている。交絡因子が存在するからだ。ジーニーの場合、問題は言語に触れる機会がなかったことだけではない。ひどい虐待も受けていた。さらに、虐待が始まる前から学習能力に問題があったとしたらどうだろう。人が話すのを聞く機会がなかったことだけが、彼女の言語能力を阻害した要因だったのかどうか、断定するのは不可能だ[21]。

愛情深い親をもつ子でも、言語に触れる時期が遅れることがある。たとえば、生まれつき耳の聞こえない子どもが手話を習い始めるまでに時間がかかることがある。耳の聞こえる親が子どもに手話を教えるには、まず親が手話を覚える必要があるからだ。この場合、もっと早く手話に触れた子どもと同等の流暢さや文法的正確さを達成することはできないかもしれない。これには第二言語の習得と似たところがある。英語の非ネイティブスピーカーの場合、七歳を過ぎてから英語を学習し始めた人はそれより早く英語に触れた人よりも文法や語彙の力が劣る。同じことが聞き取りにも言える。成人の日本語話者は英語の「r」と「l」を聞き分けるのが苦手だが、これは日本語ではその区別が重要でないからだ。それに対し、生後六カ月の日本人の赤ん坊にはそんな問題はない[22]。私たちは世界中のど

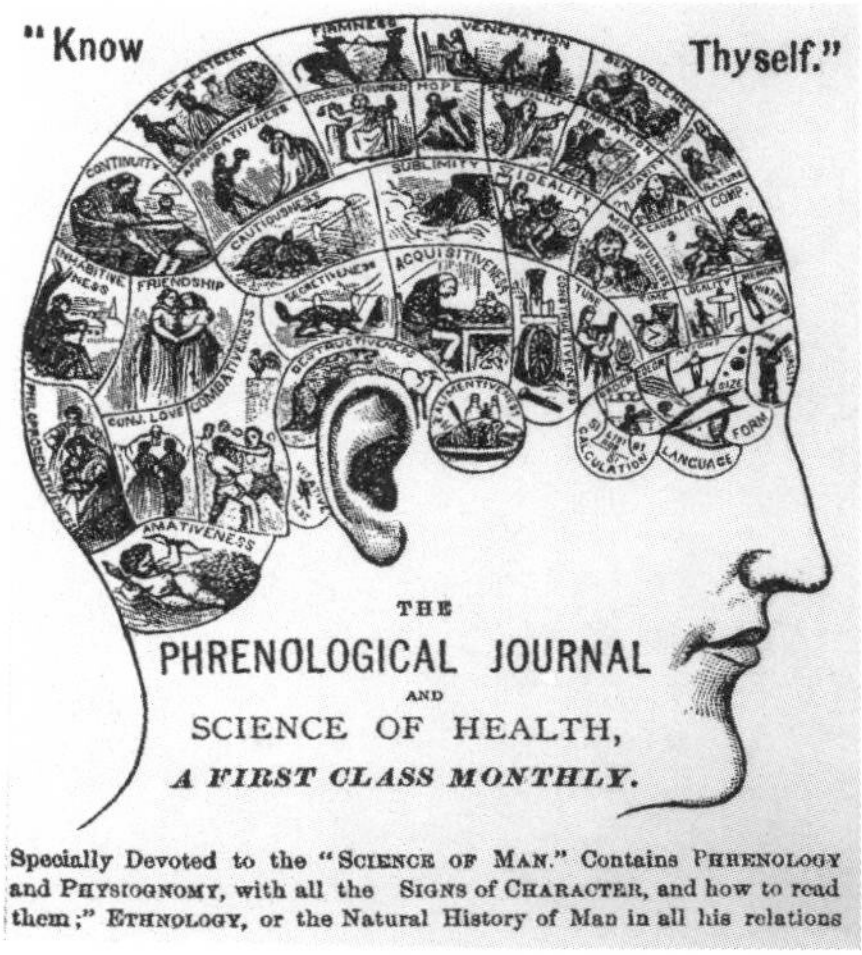

脳が別個の領域に分かれ、各領域がそれぞれ異なる形質を扱うとする、昔の脳のとらえ方
（作成時期は不詳だが、おそらく19世紀）

結合性に重きを置いている、現在の脳のとらえ方
（Laboratory of Neuro Imaging and Martinos Center for Biomedical Imaging, Consortium of the Human Connectome Project – www.humanconnectomeproject.orgの厚意により掲載）

の言語も扱える能力をもって生まれるが、生後六カ月ごろから脳は日常的に聞こえる言語音に特化し始めるらしい。幼児は特定の言語で必要とされる四〇個前後の音素に注意を向ける必要があり、そのため最も頻繁に聞こえる言語音に集中することになる。

ケンジ・ハクタらがこの分野で最大規模の研究を行なっている[23]。その研究では、アメリカに移住したスペイン語または中国語を母語とする二三〇万人の移民を対象として、英語の習熟度を調査した。データは一九九〇年のアメリカの国勢調査から得た。調査項目として言語の習熟度に関する設問があったからだ。調査の結果、幼いうちに第二言語に触れると習熟度が上がることが判明した。この結果は、言語発達に臨界期が存在するという証拠になるのだろうか[24]。いや、ならないかもしれない。というのは、成人になっても神経の可塑性はなくならないので、脳には適応能力が存在し続けるからだ。しかし、記憶力や既存の神経構造によって学習は制限されるし、脳の特定領域は母語に合わせて最適化される。脳を変化させる可能性はあるが、神経ネットワークがほかのタスクに充てられるようになるので、時間とともに脳の柔軟性は衰えていく。

左脳を損傷した人たちの気の毒な事例を見ると、このことがよくわかる。たいていの人ではごく幼い時期に左脳が言語を専門に司るようになり、言語にかかわるさまざまなことがらを扱う[25]。一方、右脳は話す際のイントネーションや強勢、会話の展開を扱うのがふつうだ。脳卒中による限局性病変、腫瘍、外傷などで左脳が損傷すると、脳は自らを再編成しなくてはならない。それがどのように行なわれるかは人によって異なるが、幼児の場合はしばしば神経の可塑性を利用し、通常は左脳が担当する言語機能を右脳が代わりに受け持つようになる。やがてそのような子どもたちはかなりうまく話せるようになる。しかし成人の場合には、そうした全面的な再編成はできないので、脳卒中を起こした人によく見られる後遺症など、話す能力にさまざまな障害が生じる。

脳が異なる働きをもつ多数の領域に分かれているという考え方は、何世紀も前から存在してきた。しかし近年では神経科学の発展によって、それらの機能と脳の特定領域との結びつきが不変であるという考え方が過去のものとなった。「FV」の名で知られる男性の症例を見ると、それがよくわかる。耳のすぐ上の前側から頭蓋骨を触れると、軽くへこんだ部分が感じられるはずだ。左側のへこみの奥には、話す能力にとって大事な下前頭回がある。この脳領域には、言語を理解し話すことにおいて通常きわめて重要な役割を果たすブローカ野がある。ところが、FVのブローカ野から腫瘍を切除したあと、言語障害がきわめて軽度だったことに医師らは驚いた。[26] 腫瘍の増殖速度が遅かったので、脳が適応してほかの領域を言語のために使えるようになったらしい。

話すことと吃音

私たちは人の話し方を聞いて即座にその人について判断を下すが、話すことに問題を抱える人に関しては不当な扱いとなるかもしれない。とりわけほかの人と違う話し方をする人は、特に対人関係で気づまりな思いをすることがある。学校でいじめに遭いやすく、心の問題が起きるかもしれない。「吃音」は治療で治る純然たる心の問題とされることが多い。だが、それは間違っている。現在では、根本原因は神経発達障害にあると考えられており、しばしば遺伝的な要因が絡んでいる。そして吃音(「どもり」ともいう)は、話すという作業を脳がどう処理するかについての知見をもたらしてくれるのだ。小児期の吃音はさほどまれではなく、二歳から四歳の子どもの場合、二〇人に一人がいずれかの時点で吃音を経験している。これが起きるのは、言語発達において新しい単語を一日に四個ほど覚える急激な学習期だ。幸い、たいていの子どもは吃音を卒業できるので、親は騒ぎ立てないのが一番だ。しかし家族のなかに成人で吃音の人がいるなど、吃音が治らない可能性を考えるべき理由がある場合には、早期の介入によって改善される場合もある。成人期までに、一〇〇人につき一人ほどがこの問題にぶつかる。* これについてもっとよく知ろうと、私は二〇一六年にマンチェスター大学で開かれた英国吃音協会の会議に参加した。

この障害を調べる一つの方法として、脳画像を使って吃音のある人とない人を比べるというやり方がある。ある研究では、吃音のある人は話している最中に右脳のほうが活発に活動することが判明している。これはふつうなら左脳が担当する仕事を右脳が実行しようとしているからかもしれない。(27) 話し方の流暢さを変える実験をすると、さらなる知見が得られる。吃音のもつ驚くべき特徴の一つは、一時的に流暢さを高める「トリック」が存在することだ。そのめざましい効果はインターネット上の多数の動画で確かめられる。その手法の一つが、人前での演説を苦手とした英国王ジョージ六世がそれを克服する映画『英国王のスピーチ』で扱われている。あるシーンで言語療法士のライオネル・ローグが、国王にヘッドフォンでモーツァルトの『フィガロの結婚』を聞かせながらシェイクスピアを朗読させる。音楽のせいで、国王は自分の声を聞くことができない。すると驚いたことに、ハムレットの独白「生きるべきか死ぬべきか」がすらすらと言えたのだ。

ユニヴァーシティー・カレッジ・ロンドンの博士課程学生のソフィー・ミーキングズは、別の方法で実験を行なっている。用いるのは、一人が読む声にほかの人も合わせて文章を朗読する「唱和」という方法だ。この方法を使えば話し方の流暢さを変えることができ、fMRIを使って脳内で起きていることを観察することもできる。fMRI装置は、強力な磁石を使って脳内のさまざまな部位の血中酸素濃度を測定する。ある領域で神経活動が高まると、そこに流れ込む血流が増えて酸素の供給量が増える。この性質を利用して、fMRI装置は人が話しているときに最も活発化する脳領域を特定することができる。[28]

言葉を発するには、聴覚、運動、認知、情動にかかわる脳のさまざまな領域を正確かつ協調的に相互作用させる必要がある。どもると、言葉を発するのに時間がかかり、話を進めるのが難しくなる。この問題が起きるのは、話すことについて計画する脳領域と発声器官をコントロールする脳領域との連結が不完全だからだ。fMRIで調べると、吃音のある人は、眉から脳の奥行きを三分の一ほど進んだあたりにある運動前野腹側がほかの人と違っている。これは、手足や口を動かすといった動作を理解し、計画し、実行するのに重要な領域である。この領域の活動が低下すると、話すことの計画と実行を同調させるのが難しくなるのかもしれない。たとえば、言うべきことをきちんと考える前に言葉を発してしまったりする。神経活動の低下とともに、吃音者の脳にはほかの人と比べて構造的な違いもある。運動前野腹側と、たとえば聞いた音の処理にあたる部位とのあいだの連結が不良な場合がある。しかし、皮質のこの一領域だけに着目すると、実態が単純化されてしまう。ある研究では、吃音のある人とない人のあいだで違いの見られる脳領域が六〇個も特定されている。[29]

ソフィー・ミーキングズは、聴覚のフィードバックが吃音の一因なのかを調べており、次のような仮説を立てている。吃音のある人は自分の話す言葉に過剰な注意を払うので、言葉を発した直後にお

*この数字はいささか大きすぎだと思う人もいるだろうが、桁数が間違っていないのは確かだ。特に男性については間違いない。男性は女性よりもこの問題が起こりやすい。

のずと届く聴覚フィードバックに邪魔されて、次の言葉を流暢に発することができなくなるというものだ。この仮説は、『英国王のスピーチ』でシェイクスピアの独白を語る国王の声が大音量の音楽のせいで聞こえなくなった一幕で裏づけられるように思われる。聴覚フィードバックを妨げる方法としては、ヘッドフォンを使って本人の言葉を少し遅らせて聞かせるという手もある。吃音のない人の場合、こうすると言葉を言い間違え、やがて話すのをやめるのがふつうだ。しかし逆説的な話だが、吃音のある人はこうすると驚くほど流暢に話せるようになることがある。それでもなお、これらの仕掛けは数カ月間はとても有効かもしれないが、長期的な解決策とはならない。というのは、脳がやがて適応し、フィードバックの問題が再び生じるからだ。

映画では、ジョージ国王は言語療法士のやり方をいやがるが、大昔の吃音治療法が試されなかったことに感謝すべきだ。古代ギリシャの政治家デモステネスは、口に小石を入れて話し、息切れしているときに詩を朗唱するというやり方で問題を克服したとされている。吃音の根底にある神経科学的作用について今までにわかっていることから考えると、デモステネスのやり方で吃音が治ったとは考えにくい。現代的でもっと人道的かつ有効な治療法について教えてもらおうと、私は発話の専門家、クリステラ・アントーニに話を聞いた。クリステラを初めて知ったのは、BBCテレビのドキュメンタリー番組ですばらしい声帯模写をしているのを見たときだった。ケイティー・メルア、バーブラ・ストライサンド、エラ・フィッツジェラルドの歌まねをして、これらの多様な声を出せるようにプロとして発声器官を鍛え上げる方法を解説していた。彼女は言語療法士でもあり、多数の吃音者の治療にあたってきた。吃音を治す魔法のような治療法はありません、と彼女は私に説明した。吃音に生活を支配されることからの脱却を目指すアプローチをとっているとのことだった。

吃音者の場合、言いにくい言葉を避けようとするのが自然で一般的な反応だ。「difficult」と言うのが難しければ、代わりに「hard」を使えばいい。しかし、しだいに避けるべき言葉が増えてくる。そうなると、この回避戦略を続けるのが難しくなっていく。なぜなら人の名前など、言わないわけにいかない言葉が必ず存在するからだ。作家のルイス・キャロルは、自分の本名「ドジソン」を発音するのに苦労したと言われている。この状態に対する助けの一つが、そのような回避戦略を減らすことだ。クリステラは吃音者に対し、吃音が起きるのは仕方がないということを認めるよう促す。これによってストレスレベルが下がり、吃音の起きる可能性も下がる。ある著名な学者が重要な発表に登壇することになり、当然ながら話し方で失敗しないかと心配していたという事例について、彼女は話してくれた。彼女はこの学者に、ストレスをいくらか解消して吃音を抑えるために、発表の冒頭で吃音について話させることにした。

私の参加した会議では、多くの人がこのアプローチに賛同した。吃音について深く考えたことのない部外者である私は、吃音があってもなんとか話そうとする人たちに出会って多くの見識を得た。私は初め、彼らが早く話し終えてくれないかとやきもきしたが、やがて彼らが思考の最後にたどり着くのをゆったりと待つようになった。さらに、英国吃音協会で理事を務めるパトリック・キャンベルと語り合ったことで、新たな見地を得た。彼は自身の生涯について語ってくれた。そのなかには幼いころに「徹底的に治療された」話も含まれていた。医学部の一年目には苦労したという。「しゃべらないように努めていました。でも、しゃべらない医師というのはありえませんからね」と、彼は楽しげに笑いながら話した。今や彼は成功した若手医師であり、もう悩みの種ではなくなった自身の話し方についてオープンに語る。

実際、パトリックは、吃音とは治すべき「欠陥」と見なすべきなのかと疑念を示し、メディアにありがちな風潮に不満をこぼした。その典型的な例が『エデュケーティング・ヨークシャー』というテレビ番組だ。あるシーンで、吃音のあるムシャラフ・アスガーという生徒に『英国王のスピーチ』と同じくヘッドフォンで音楽を聴かせたところ、流暢に話すことができた。『ガーディアン』紙は周囲の反応をこう描いている。「友人と教師はむせび泣いた。視聴者はうれし涙の海に浸った。輝かしき勝利、まぎれもない高揚の瞬間。二〇一三年のテレビ界における決定的瞬間である」。だが、パトリックは勝利に酔う気にはなれなかった。彼はこう説明する。「しかしヘッドフォンを着けなければどもってしまい、視聴者の期待はしぼみました。問題を解決するのではなく、ただ回避しただけだったのです」

パトリックは「吃音プライド」という考えを生み出し、世に問うている。彼はブログにこんな記事を書いた。

社会の要求をかわすために吃音を隠すのではなく、どもる権利のために闘うというのはどうだろう。……吃音プライドは、世論に疑義を唱え、吃音者の話し方にもっと大きな可能性を認めてくれる人を求めている。吃音者に吃音を受け入れさせることを目指すセラピーはすでにいろいろ行なわれているが、吃音プライドは吃音のある人が活躍することを求める。われわれが立ち上がり、流暢さを重んじる現代の風潮に疑義を呈し、誇りをもって声高にどもり、自分たちの話し方を社会に見せつけることを吃音プライドは求めている。(30)

パトリックと話した私は、最後に一つ質問した。私が魔法の杖を振ってあげられるなら、それで吃音を消してほしいかと。答える前の沈黙がすべてを物語っていた。ずいぶん考えてから、こんな答えが返ってきた。「今のままのほうがいいかなと思います。でも、微妙ですね」。よくも悪くも、吃音が彼の人格を形成してきたのだから、それは当然だ。吃音があるのは厳然たる事実で、なめらかに話せるようにしてくれる魔法のような治療法は今のところ存在しない。このことを考えると、社会が姿勢を変えるべきとする意見に私も同感だ。

吃音は、話すという行為がいかに複雑かを教えてくれる。ほとんどの人は特に何もしなくてもおのずと流暢に話せるので、話すためには脳の力をどれほど要するのか、その能力の獲得がいかに奇跡的なことなのか、忘れてしまいがちだ。吃音が示すとおり、ほんの小さなきっかけで声の発達が妨げられ、話し方が変わることもある。吃音が原因となって、学校でいじめられたり、電話に出ることを禁じられたり、パーティーに出られなかったりすることも少なくない。ということは、吃音は単に話し方を変えるだけでなく、人生を根本から変えてしまうのだ。

声に対して遺伝子はどのくらい大きな役割を果たすのだろう。遺伝が吃音に関与するのは確かだ。ルイス・キャロルは自身の吃音を「ためらい」と呼んだ(31)。彼の両親はいとこどうしで、一一人の子どものほとんどが幼年期にも成人後にも吃音に悩まされた(32)。現在では、吃音者の三〇％から八〇％に遺伝的要因が関与すると推定されており、神経結合の欠損を引き起こすと考えられる遺伝子変異がこれまでに四つ見つかっている。

吃音以外にも、話し方に対する遺伝の影響を明らかにするものはいろいろある。二〇〇一年には、「KE家」という一族の抱える障害を研究して「文法遺伝子」が発見されたとメディアが派手に騒ぎ立てた。このイギリス人一族が関心を集めたのは、彼らが言語障害を遺伝的に受け継いでいたからだ。一族のおよそ半数が、話すのに必要な口、舌、唇、軟口蓋の動きを微調整できないために、深刻な発話障害と言語障害を抱えていた。その原因は、七番染色体にあるFOX2遺伝子の変異だと考えられた。現在では、このFOX2遺伝子は言語発達に不可欠な脳領域の神経可塑性で重要な役割をもつと考えられているが、これを「文法遺伝子」と呼ぶのはあまりにも短絡的だ。話すという複雑な行為と遺伝との関係を解き明かすのは、科学者にとって依然として難題である。

DNAが人間の発達を決定づける最初の設計図であることを考えると、声に対して遺伝子が重要な意味をもつのは当然だ。たとえば私の遺伝子は妻の遺伝子とともに、うちの子どもたちの発声器官のサイズや形状に影響を与えている。私の家族は背が高い。ということは、おそらく私たちはみな平均より長い声道をもち、そのせいで息子たちはフォルマント周波数が平均より低いと考えられる。だが、環境因子も存在する。私たちは息子たちにDNAを渡したが、親子でたくさん言葉も交わしてきた。脳は聞こえた音に適応するので、親が日々話す言葉が子どもの声に影響する。[33] それでも、こうした親からの影響には限界がある。私の声は私が南イングランド出身であることを示し、「baahth」（バース）のような単語の母音を引き伸ばすのに対し、息子たちは「manchestahhh」（マンチェスター）訛りで話すのもそれで説明がつく（訛りについては第4章で詳しく扱う）。声道のサイズと形状は自分で調節できるが、性別は遺伝が支配する。思春期になると、男女の声に差が現れる。声の第二の時期にあたる「成年期」の声が現れるのはこのときだ。

思春期と声変わり

思春期になると、テストステロンの働きで男性の声帯は厚みと長さを増す。これによって、声は一般に一オクターブほど低くなる。〈虹の彼方に〉の出だし(Somewhere over the rainbow)で音の高さが一気に上がるが、あれが一オクターブだ。ただし思春期の男性の場合は向きが逆で、「where」の音から「some」の音に向かって下がることになる。同時に、声道が成長することによってフォルマント周波数が下がり、声の質がさらに変化する。一方、女性の声がどう変化するかについてはあまり論じられていない。一般的に、一〇代のあいだに女性の声帯は長さが三割ほど伸び、厚みも増す。この変化によって、成人するまでに声の基本周波数は半音三つ分ほど下がる。これは〈スウィング・ロー・スウィート・チャリオット〉の出だしの二音間に相当する。しかし変化する特性は声の高さだけではない。若い女性の三分の一ほどは声帯が常時完全に閉じているわけではなく、そのせいで空気が漏れる。[34] その結果として、マリリン・モンローがジョン・F・ケネディに「ハッピー・バースデー・ミスター・プレジデント」を歌ったときのような、ささやき声になる。モンローは吃音を抑えるためにわざとこの声を身につけたのだが、ほとんどの女性は意識せずにこのような声になる。

ユニヴァーシティー・カレッジ・ロンドンのシュー・イーらは、女性のどんな声が男性にとって魅力的に聞こえるかについて調べ、女性の声の録音を被験者の男性に聞かせて、魅力の度合いを評価させた。[35] ある実験では「試験がんばってね」という、いささか妙なフレーズが使われた。人工音声を使った二度目の実験では、さらに奇妙な文が選ばれた。「私はあなたにヨーヨーの借りがある」という文だったのだ。実験の結果、全体として男性が好む女性の声は、高さが比較的高く、フォルマントの間隔が広く、ささやくような声であることが判明した。これらはすべて、小柄な体と若さを示唆する特徴である。要するに、声は進化上の適応度を示す「正直なシグナル」なのか。しかし、文化的な影響も否定することはできない。たとえば本章でのちほど見るとおり、現代では女性の声が徐々に低くなっている。

男性の場合、喉の前側に軟骨が突起して喉仏ができる。これは喉頭の解剖学的構造が変化したことを外部に示すしるしとなる。これらの変化によって声帯の動きが変わり、声がさらに低く力強く、そして豊かな響きの音となる。思春期に発声器官が変化するせいで、一〇代の男子は自分の声を操るのにてこずることもある。この現象は一般に「voice break」(声変わり)と呼ばれるが、何かが永続的に壊れるわけではない。実際には、構造の変わった喉頭をコントロールする筋肉の動かし方を一〇代の脳が学習しなおしているだけだ。脳がやり方を間違えて、声の高さが飛び跳ねたりすることもある。

女性にはバリー・ホワイトの声のほうがジェイムズ・ブラントより魅惑的に聞こえる。[36] そう言われても、別に驚きはしないだろう。女性はフォルマントの間隔が狭い低音の声をもつ男性を好むということが、いくつかの研究で示されている。これは体格がよいことを示す声だ。声の高い男性よりも低い男性のほうが信頼できないと見なされているにもかかわらず、である。[37] 一般に低い声は、男性的な顔と体、広い顎、濃い眉、広い肩幅、高い身長と同じく、女性にとって男性の魅力を高める要素だ。女性が生涯の伴侶ではなく短期的なパートナーを探しているときには、とりわけこの傾向が強くなる。実際、より男性的な特徴を好ましく感じるタイミングは、月経周期で妊娠する可能性が最も高い時期に対応する。[38] 声が体格を表す指標になるのなら、男性と女性で声の高さが異なる理由がそれで説明できる。声は適応度のシグナルとして働くのだ。ただし、これは研究で見られた平均的な女性の反応であることを忘れてはいけない。デイヴィッド・ボウイのようにひょろりとした男性や、デイヴィッド・ベッカムのように高い声の男性を好む女性がいないわけではない。

同じ性別の中では、声は体格を表す指標としてはあまり役に立たない。発声器官は柔軟だからだ。その極端な例が、「思春期発声障害」というまれな機能障害である。この障害の男性は、思春期後も声が低くならない。喉頭が下降しないで高い位置に保たれ、声帯の振動を変える筋肉が緊張を維持するからだ。これによって、モンティ・パイソンによる女性の声まねのような声になることがある。この思春期発声障害の根底には、成人の声を受け入れるのを妨げる心理的な問題が存在することが多い。しかし幸いにも、患者に低い声を見つけさせる発声訓練で簡単に治すことができる。実際、言語療法を一回受けただけで本来の声が出現する例も多い。ほんの数週間の訓練で、それまでの甲高い声がすっかり消えてなくなるので、奇跡の治療のように思われることもある。

だが、声が体格のすぐれた指標とならないなら、女性が低い声を好むということは別の何かを表しているのかもしれない。声が低くなるのは男性ホルモンのテストステロンの作用によるものなので、声の高さは思春期のこのホルモンの血中量と関係しているといえる。テストステロンは体内で産生される精子の質と量にも影響する。ということは、声の低さは生殖能力の高さを示す「正直なシグナル」なのだろうか。その答えはノーのようだ。なぜなら、過剰なテストステロンは精子に害をもたらすからだ。精子の質と、低い声で女性に対して魅力をアピールする必要性とのあいだには、興味深いトレードオフがあるらしい。同様のトレードオフは、コオロギ、フサエリショウノガン、ゴキブリにも見られる。(39)

テストステロンをもたない成人男性の声がどんなものか知りたければ、一八世紀に頂点を極めた野蛮な伝統に目を向けるとよい。バロック時代のイタリアオペラのスーパースターは、カストラートと呼ばれる男性歌手だった。彼らは思春期にテストステロンの作用で声帯が厚みを増すのを防ぐために、八歳か九歳のころに去勢され、一〇代の時期に集中的な発声訓練を受けた。カストラートはボーイソプラノと同じ高さで歌うことができるが、肺気量、持久力、声量は成人並みだ。彼らの得意技の一つは、一分間も息継ぎなしで歌い続けることだった。ファリネッリのような一流のカストラートが歌うと、聴衆は「ブラヴォー」ではなく「エッヴィヴァ・イル・コルテッロ」――ナイフ万歳――と叫んだものだ。(40)

カストラートが増えたのは、ローマ教皇インノケンティウス一一世が一七世紀終盤に女性が舞台に上がるのを禁じたことに端を発していた。(41)女性に歌わせられないとなれば、楽曲の最高音部は少年かファルセットを出す男性が歌うしかない。しかしその一方で、ファルセットの声は力強さを欠く。ふつうの歌い方をするときには、声帯全体がしっかりと振動し、開閉することによって肺からの空気の流れを分断して音を発生させる。ファルセットで歌うときには、喉頭の筋肉の一部が弛緩し、声帯が伸びてかなり長くなる。これによって声帯の厚みが薄くなり、動くのは端だけになる。振動する部分が少なくなれば、声はおのずと高くなる。なぜなら、軽い物体のほうが高い周波数で振動するからだ。ギターで高音の弦が細いのも同じ理由だ。

ふつうの歌声とファルセットのときで声帯に起きる変化がオンライン動画で見られる。とりわけおもしろいのは、柔軟な内視鏡を鼻から入れて、軟口蓋の奥の開口部から声門をのぞき込んで撮影したものだ。自分の経験から言って、内視鏡を鼻に突っ込まれるのは気持ちよくはないが、声帯が動いているのを見られるなら、やる価値はある。声帯は真珠のような光沢のある白色で、一対のカーテンのの合わせ目がはためいているように見える。ふつうの歌い方をするときには、左右の白いカーテン全体が大きく動いているように見えるのに対し、ファルセットのときには端だけが小さく波打つように見える。ファルセットで歌っているときに声量を上げようとして肺からの空気圧を強めると、ある一定の声量に達したところで、おだやかに波打っていた声帯がぱっくりと開き、それ以上の大きな声は出せなくなる。最高音部を歌わせるのにカストラートが使われたのはこのためだ。

カストラートになるのは、貧しい家の息子が財をなすチャンスと見られていた。そこで毎年、何千件もの手術が行なわれた。しかし、ファリネッリのような一流のカストラートは大いなる名声と富を得たが、カストラートのほとんどはそんな幸運に恵まれることはなく、まともな暮らしをするにも苦労が絶えなかった。教会が禁止していたので、手術は田舎のもぐりの医師によってひそかに行なわれた。麻酔などなく、感染症にかかって命を落とす危険も小さくなかった。それでもなお、カストラートが教会の聖歌隊で歌う慣習は続いた。子どもの精索や精巣全体を切除したあとで、たとえばイノシシの牙で突かれたなど、知恵を絞った釈明がなされた。

最後期のカストラートの一人、アレッサンドロ・モレスキ（一八五八〜一九二二年）はシスティーナ礼拝堂の聖歌隊で歌っていた。しかし一九一二年、ローマ教皇ピウス一〇世が実態に気づき、野蛮な慣習に対する禁止令を厳格に施行すると、モレスキは引退した。彼の活躍した時期は、蓄音機の発明と重なっていた。そのおかげで、一九〇二年と一九〇四年の歌唱を雑音混じりで録音した蝋管がいくつか残っている。カストラートの歌声の録音はこれだけだが、聞きたければインターネット上で簡単に見つけられる。(42) モレスキの声の音域は女性と同じだが、私たちの耳には異様に響く。ときおり女性のソプラノのようにも聞こえるが、そうかと思うと声を張り上げるボーイソプラノに変わったりする。バロック時代の聴衆はこの天使のような歌声をあがめたのかもしれないが、現代の感覚で聞いた私は

2人のカストラート（両端）が出演するオペラを描いた18世紀の漫画

まっさきに嫌悪を覚えた。

ファリネッリなどの有名なカストラートを描いた絵画も、私の困惑を深めるばかりだ。テストステロンは思春期の急激な成長の終了も制御する。カストラートの声は子どもと女性の中間のように聞こえたかもしれないが、体は巨大だった。ファリネッリは当時の男性の平均身長を二五センチ上回っていた。彼の姿の描かれた絵を見ると、洋梨型の胴体から異様に長い手足が伸び、胸は膨れている。

現代の科学者はカストラートの声を再現しようと試みているが、発声器官がどうなっていたのか正確にわからないことが障害となっている。声道の共鳴は成人男性と同じだったのか。そうだとしたら、声の音色に大きく影響したはずだ。声帯のすぐ上の管は、成人男性と比べてカストラートのほうが細かったに違いない。この管の太さは声帯のサイズによって決まるからだ。

ストックホルムにあるスウェーデン王立工科大

学のヨハン・スンドベリは、BBCのテレビ番組でカストラートの声の再現に挑み、ボーイソプラノの声帯が発する音を、成人バリトンの声道の共鳴と組み合わせた[43]。彼によると、高い音については残念ながら「かなり滑稽な音になった」。少年の声帯は、基音とその倍音を含む音を自然に発生させる。音域の中心の典型的な基音は五〇〇ヘルツあたりのはずなので、これに加えてその倍数にあたる一〇〇〇ヘルツや一五〇〇ヘルツなどの音も同時に生じると思われる。一部の音については、倍音の一つが成人の声道の共鳴と協調し、その結果として非常に鮮やかで金属的な音が生じるだろう。一方でそれ以外の音については、倍音と共鳴が協調しないので声帯の音が増幅されず、地味な響きになる。カストラートの声が本当にそんなものだったなら、音階上の音ごとに声量が変わるので、単純な音階でも奇妙な音色になってしまう。カストラートの声がその性質ゆえにあがめられていたことから考えて、ヨハンが愉快そうに笑いながら「妙な実験だったよ。結果が正しかったとは自分でも思っていない」と私に言ったのも理解できる。低音については、もっと満足のいくシミュレーションができた。低音のほうが、倍音が声道の共鳴とうまく協調するからだ[44]。

このように成人男性の共鳴とソプラノの声の高さを兼ね備えていたということで、カストラートが現代の歌手とは違う音色をもつ理由が説明できる。一八世紀に書かれたある文章では、カストラートの声が「聖歌隊で歌う少年の声のように澄んでよく通るが、それよりはるかに声量に富み、耳障りで調子外れなところがあるが、鮮烈で軽やかでもあり、衝撃に満ちている」と描写されている[45]。現代の歌手は、非常に高い声の持ち主であってもこのような声を出すことはできない。たとえば、二〇一四年のユーロヴィジョン・ソング・コンテストで優勝した女装歌手のコンチータ・ヴルストはどうだろう。彼は細かい髭を生やしてゴールドのドレスをまとい、〈不死鳥のようによみがえれ〉を歌った。

ファルセットで歌うので、成人男性である彼の声帯の動きはカストラートの未成熟な声帯とは異なり、そのために音色も異なる。ヴルストは確かに高い声を出すが、その声は彼が思春期に成人となるなかでテストステロンの働きによって変わったのだ。

成年期と加齢による声の変化

第二の時期である成年期に入ると、それから何十年間も非常に力強い声が続く。ただし、大きな痛手を与える職業がいくつかある。たとえば教師の場合、声を張り上げるせいで声が出なくなったりかすれたりして欠勤する人が、五人に一人の割合にのぼる[46]。しかし長さがわずか一、二センチの声帯が一年間になんと二億回も開閉するという事実を考えれば、成年期に発声障害がめったに起こらないことに驚くべきだ[47]。しかし六〇歳を過ぎたあたりから加齢の影響が蓄積し、声の質が低下していく。話をするには精密な生理機能をコントロールする複雑な神経作用が必要なので、声は加齢プロセスを観察する手段となる。

アリステア・クックは声の長寿の見本のような存在だった。ほぼ六〇年にわたりラジオの『アメリカからの手紙』に出演しておよそ三〇〇〇回の録音をし、最終回が放送されてからほんの数週間後に九五歳で亡くなった。一九四六年から二〇〇四年にBBCで毎週放送された彼の「炉辺談話」は、アメリカ人の生活について独自の見方を示した。その録音はまた、一人の男性の声が年齢とともにどう変わっていくかを明らかにしてくれる貴重な資料でもある。

録音の残っているなかで最も古い『アメリカからの手紙』は一九四七年に放送されたもので、カリカリ、キーキーという雑音が混ざっている。これを二〇〇四年の最終回と比べると、じつにいろいろなことがわかる。一九四七年の番組が録音されたのはクックが三八歳のときで、「原子爆弾が初めて投下されてから一年が経ち……」という言葉で始まっている。最終回は、第二次イラク戦争を振り返っている。このときクックは九五歳だったが、頭脳の明晰さと洞察の深さは変わっていない。とはいえこの偉大なブロードキャスターも、声に現れる加齢の影響を完全に隠すことはできなかった。歳をとると筋肉が弱くなるので、声帯がたわみ、完全に閉じられなくなる。こうなると、たわんだ声帯のあいだにできた隙間から空気が漏れるので、声がしわがれるようになる。これは男性によく起きる。空気が漏れると、一回の呼吸で言える語数が少なくなる。多くの高齢者が話すときに言葉を短く切るのはこのせいだ。クックの番組の最終回をよく聞くと、心地よい声音のあいだに短い息継ぎが頻繁に差し挟まれるのがわかる。頻繁に呼吸が必要なのは、高齢になると肋軟骨が骨化して胸郭が硬化するのに伴って、肺気量が大幅に減少するせいでもある。(48) 高齢者は話すペースが遅くなるが、クックの録音でもそれを聞き取ることができる。一九四七年の放送では毎秒三音節ほどだが、これが二〇〇四年には二・六音節に減っている。これはわずかではあるが無視できない変化で、クックのトレードマークである思慮深げでゆったりした話し方がさらにゆっくりになっている。

加齢によって発声器官に変化が生じるだけでなく、話す声の高さといった特性も変化する。一般に男性の場合、二〇歳から五〇歳にかけて声の高さは半音二個分ほど下がるが、それから再び上がり始め、九〇歳までに二〇歳のときと比べて半音二個分ほど高くなる(半音二個の音程とは、「ハッピー・バースデー」の出だしの音程に相当する)。このような上昇が起きるのは、声帯が薄くなり、声帯の線維が変性することで弾力に変化が生じるためである。数年前、ミュンヘン大学のウルリヒ・ロイボルトらが、BBCのアーカイブに収められている著名人を対象として詳細な長期研究を行なった。(49)

クックの声の高さを表したグラフは、ホッケーのスティックのようなJ字形になっている。八〇代の終盤までゆるやかな下り坂を描き、その後は年齢とともに急上昇しているのだ。番組が最終回に近づいたころには、三〇代後半で初登場したころと同じ高さの声で話していた。研究者らはまた、クックの英語の発音がキャリアを通じて徐々に変わったことにも気づいた。最初の数十年間は一般アメリカ語に最も近かったが、のちにイギリスの標準英語に近づいていった。

ロイボルトらはクリスマス恒例の女王のメッセージも調べ、分析した五〇年間で一〇年ごとにおよそ半音ずつ声が低くなっているのを発見した。これは女性全般に見られる傾向で、女性は二〇歳から八〇歳のあいだで半音二個分ほど声が下がる。しかし一般人については、成人してから長期にわたって同一人物の録音が多数残っているというケースは少ないので、結果は慎重に解釈する必要がある。したがって、さまざまな年齢の女性の単発的な録音に頼らざるをえないが、ここで問題が生じる。文化の影響で、世代によって声が変わる可能性があるのだ。そのよい例が、二〇世紀後半に女性の声が全体的に低くなったことである。フリンダース大学のセシリア・ペンバートンらの研究で、一九九〇年代に録音した若い女性の声と、アーカイブに収められていた一九四五年の録音を比較した。[50] 各集団の喫煙者数など、交絡因子の影響を考慮して慎重に両集団を補正した。一九四五年の録音で女性たちは「スコットランド方言は冬の風をののしる言葉が豊富です。それらを聞くと震えが走ります」という文を読んでいたので、一九九〇年代の録音でも女性たちに同じ文を読ませた。平均すると、一九九〇年代の女性は一九四五年の女性よりも半音二個分ほど声が低かった。身体的および医学的に明らかな原因が見当たらないので、最もそれらしい原因は文化による変化である。第4章で扱うが、声の低い女性のほうが威厳に満ちていると受け止められるので、このような声の変化は社会における女性の役割の変化を反映している可能性が高い。

話すときには、多数のすばやく動く筋肉を神経で精密にコントロールする必要がある。歳をとると、喉頭をコントロールする神経線維の数が減り、径が細くなる。このような神経の変化によって、声の精密な制御に影響が生じる。クックの最後の放送だけを取り出して聞く限りは、すべてが明瞭に話されているので、これらの影響にはおそらく気づかないだろう。しかし最初の録音と比較して分析すると、話し方が昔ほど明快でなく、言葉がきちんと発音されていないことがわかるはずだ。

二〇世紀で指折りの人気歌手、フランク・シナトラにも同様の変化が認められる。私がそれに気づいたのは、〈マイ・ウェイ〉の録音を分析したときだった。この曲を選んだ理由は言うまでもなく、彼の自伝的要素がふんだんに盛り込まれているからだ。ジョー・クイーナンが『ガーディアン』紙に寄稿した記事の言葉を借りれば「〈マイ・ウェイ〉がこれほど感動的なのは、フランク・シナトラがこの曲を歌うのにふさわしい心意気を実際にもっていたからである。チンピラ、ボクサー、スター歌手、過去の人、返り咲きの人、大御所、再び過去の人、そして最後には復活を遂げて生ける伝説となったシナトラは、まさにあの歌に描かれているように、ひどい目に遭いながらもマイ・ウェイを貫いた(51)」

私の見つけた最後の録音は一九九四年、シナトラが八〇歳に近かったときのものだ。彼の歌声はまさに歌詞にあるとおり「終わりが近い」ことを示し、かつてはあれほどすばらしかった声が酷使と加齢のせいで荒れていた。とぎれとぎれの歌い方をしているのは、おそらく息継ぎを頻繁にする必要からだろう。それでもシナトラのトレードマークと言える魅惑的なフレージングとタイミングは変わっていない。相変わらず、効果的に一部の言葉をあとにずらす、あの歌い方をしているのだ。言葉の発せられるタイミングに対する聞き手の期待をもてあそぶことによって、シナトラは感情を揺さぶった。(52)歌唱の質について言えば五〇代半ばの古い録音のほうがはるかにすぐれているが、私には一九九〇年代の録音のほうが偽りのない心がこもっているように感じられる。声がまさに「充実した人生を生きた」人を表現しているからだ。

声の老化を遅らせるために打つ手はあるのだろうか。近年、科学者はこの問いに注目している。高齢化社会を迎えて、イギリスでは六五歳以上の人口が二〇五〇年までにおよそ一九〇〇万人に達すると見込まれるからだ。(53)ある調査では、高齢者の八人に一人が声の問題で生活の質がある程度または深刻に影響を受けていると回答した。この影響の例としては、同じことを何度も言わなくてはならないせいで不安やいらだちを覚えることや、人づきあいを完全に避けるようになることなどが挙げられる。(54)

当然ながら、声の老化に対抗して「ボイスリフト」(声のしわ取り)と呼ばれる手術に頼る人もいるが、この手術には議論が多い。最もよく用いられるのは、腹部から脂肪を採取して声帯に注入するという方法だ。これで声帯の厚みが増せば声帯がしっかり閉鎖するので、声のしわがれが軽減される。(55)しかし効果が持続するのはせいぜいほんの数カ月なので、問題がよほど深刻でない限り、言語療法士を頼るほうがよいかもしれない。

高齢になっても健康な声を保つ手術以外の方法について、研究者は科学的根拠《エビデンス》を集め始めている。筋肉が関与することの常として、声の健康維持でも運動が大事だ。話し続けることによって、声帯と喉頭の筋緊張が維持できる。さらに、声をコントロールする神経の変性も遅らせることができると考えられている。「使わなければだめになる」という、よくある話だ。ただし声については、「酷使するな」という一言も加えたほうがよい。大声を張り上げるのは避け、タバコは吸わず、声帯の動きを潤滑にするために水分をこまめに摂る。[56] 発声機能訓練をするのもよい。これについては二〇人ほどの合唱団のメンバーを対象とした小規模な研究において、高齢者の声を改善する効果が確認されている。[57] 訓練の一例として、声が途切れないようにしながら、とても高い音からとても低い音まで「knoll《ノール》」という言葉をなめらかに言っていくという方法がある。[58] これは、ジムでウェイトトレーニングをするようなものだ。楽しいと思う人もいるかもしれないが、多くの人にとってそうした反復的で単調なトレーニングを続けるのは苦痛だ。このような訓練はむしろ、病後の治療や、仕事で声を使う人のケアなど、特定の目的で用いるほうに適しているだろう。

高齢者は晩年には孤立しがちで、声をあまり使わなくなる。社交グループに加わると、老年期の孤独への対策となるだけでなく、ほかの人と話すことは声の助けにもなる。合唱団に入るのは、声の健康に役立つ究極の社会的活動かもしれない。歳をとれば自然に声の安定性が低下するが、歌うことでこれが予防できるのだという。声の震えを抑える助けとなり、大きな声で話せるようになるといった効果があるのだ。[59] 歌えば正しい呼吸や喉頭および声道のコントロールがおのずと訓練され、その効果は話す声にも波及する。[60] ある研究によれば、合唱団に入るもう一つの利点として、歌を歌う高齢者は歌わない高齢者と比べて声が若く感じられるのだそうだ。合唱団に加わるのは、声にしわ取りクリームを塗るようなものだ。

しかし声が歳をとっても、その声の持ち主が何者でどんな性格の持ち主かは、声を聞けばわかる。話し声に個性を与えるのはどんな性質なのだろうか。

3 私の声は私

人が話すときには、単に言葉が交わされるだけではない。話し手が何者なのか、どこの出身か、今どんな気分かなど、話し方からわかることもある。言葉の発し方はコミュニケーションの大事な要素であり、声の特徴は話し手についてさまざまなことを明らかにする。

声がいきなり変わったら、ほかの人からの受け止められ方に重大な影響が生じる。ある不運なノルウェー人が、身をもってそれを経験した。第二次世界大戦のあいだ長期にわたってドイツ軍がノルウェーを占領し、連合軍がオスロを空爆した際、一人の住民が運悪く榴散弾に当たり、道路から吹き飛ばされて急な斜面を転落した。この住民、アストリッドはノルウェーで生まれ育ったが、この事故で頭部に重傷を負ったせいで声が変わり、外国人のような話し方になった。担当の神経科医によれば、「彼女は店でいつもドイツ人と間違われ、そのせいで店員が品物を売ってくれないと苦々しげに訴えた」[1]。アストリッドはノルウェー国外へ行ったことがなかったので、外国の訛りが現れたのは不可解だった。不幸なことに、店員はその訛りを聞いてアストリッドが敵国への協力者だと思い込んでしまった。アストリッドの症例を扱った研究論文は「彼女はいくらか涙ぐんでいた」と冷静に記述している。これはどう見ても控えめな言い方だ。声の特徴がいきなりこんなふうに変わったら相当なショックで、受け入れるのは難しいはずだ。

アストリッドは外国語様アクセント症候群（ＦＡＳ）という異常をきたしていた。幸い、これは頻繁に起きるものではない。頭部の外傷や脳卒中などの病気による脳損傷から生じる。患者はある特定の訛りがあると見なされる（アストリッドの場合は気の毒にもドイツ訛りとされた）ことが多いが、ふつうは話し手の声に訛りがはっきりと現れるというより、聞く側の印象で決まる。ドイツ語を母国語とする人と並んで話したなら、アストリッドがドイツ訛りだと言われることはおそらくなかっただろう。担当の神経科医は、フランス訛りと思われた可能性もあると考えている。この症候群では、脳損傷によって発声器官のコントロールを担当する脳領域が冒され、そのせいで話し方がたどたどしくイントネーションが不自然になる。話している内容は理解できなくはないかもしれないが、発音とリズムがおかしいせいで母国語ではない言語を話している印象を与える。そして聞き手はステレオタイプに頼って、話し手に特定の外国語訛りがあると見なす。これから見ていくとおり、声のアイデンティティーにおいてはステレオタイプがきわめて重要な役割を果たす。

ニューカッスル大学のニック・ミラーらは、ＦＡＳが生活に与える影響を詳しく調べるために一三人の患者と面談した[2]。ＦＡＳは脳損傷によって生じるので、患者はしばしば複数の問題を抱えている。とはいえ、患者の大多数にとって最大の問題は新しい訛りだった。患者は自己認識が変わってしまったと感じていた。ある患者は「以前の話し方を失った日に、以前の自分も死んでしまいました」と語った。同時に患者は自分のコミュニティーでよそ者になる。ある患者は、自分が新たに身につけたのと同じ東欧風の話し方をする人を求めて、はるばるポーランドの村まで足を運んでいた。

意外にも、FAS患者のなかにはプラスの影響を受ける人もいる。声の人格の変化は、失った声が体現していた「古い自分」の「悪い」人格から自分を変えるチャンスにもなるのだ。[3]またこれほどポジティブではないが、実際には声が変わっただけであっても、性格が変わったと人から思われることも少なくない。ある女性は強い地方訛りから洗練されたキングズイングリッシュに変わった。「入院中、お嬢様《ミス・ポッシー》と呼ばれていたんですよ」と彼女は言う。一方、身近な人間関係にひびが入ることもある。ある女性は新しい訛りが原因で夫と別れることになったという。「私はもう、夫が選んだ結婚相手とは別の人間になってしまいましたから。まさによそ者になってしまったのです」[4]。アストリッドが経験したように、ほかの人が示す反応は患者が新たに獲得した「民族性」に関する先入観にもとづくもので、そのせいで差別や嫌がらせが起きる場合もある。患者が気まずい思いをすることもある。イタリア訛りになった患者は、ピザ店に行かないようにしていると語った。ウェイターが「イタリア語で話しかけてくるんです。こちらがイタリア人だと思って。でも私は返事ができませんから、馬鹿にしていると思われるのがおちです」

FASの事例からわかるとおり、聞き手は話し手の声の音にたやすく惑わされてしまう。脳は常に学習に対して経験則的なアプローチをとっている。知覚が集める膨大な情報をすっきりと整理するために、脳は観察したものの中にパターンを見出そうとする。この単純化のおかげで、脳は情報をすばやく解釈して行動をとることができる。進化の歴史において、かつてこの作業が生存のために役立ったであろうことは容易に理解できる。初対面の人に出会ったときにも、私たちはステレオタイプを利用して相手が敵か味方かを判断しようとする。しかし意外にも、聞き手は声のステレオタイプについてしばしば誤った判断を下す。

たとえば性的指向について見てみよう[5]。ゲイのしるしと一般に思われている話し方がある。ゲイというと、私たちはアラン・カーやケネス・ウィリアムズ、ジュリアン・クラリーのように高い声で急降下するイントネーションを使う、オネエキャラの芸人のステレオタイプを思い起こしがちである。だが、すぐに確信がもてなくなる。ゲイでなくてもそういう話し方をする人はいるし、この話し方をしないゲイもたくさんいるではないか。人の声を聞いてその人の性的指向を判断する「ゲイ探知能力《ゲイダー》」なるものの研究が行なわれているが*、被験者が声を聞くだけで男性の性的指向を正しく判断できたのは六〇%ほどだった。この正答率は、動画を見て体の動きから判断する試験や、画像を見て外見から判断する試験での正答率と変わらない[6]。ランダムに答えたら正答率は五〇%になるはずだから、それよりはましだが、一〇回につき四回は外れたわけだ。

実際、私たちは思い違いのせいで、性的指向に関する判断を誤ってしまう。異性愛者と比べてゲイ男性は声が高く、レズビアン女性は声が低いと思われているが、それが実態からかけ離れていることを示す証拠がある。声の高さに関する聞き手の経験則はまったくの間違いだ。それでもなお、テレビで俳優がゲイの登場人物を演じるときにはその思い込みに沿った演技をすることが一般的となっている[7]。

男性の性的指向を判断するのにもっと役に立つサインがほかにある。科学的な研究はもっぱら「s」という子音の発音に着目してきた。ステレオタイプ的に言えば、ゲイ男性がこの歯擦音を発するときにはしばしばこの音を長く引き伸ばし、摩擦の多い「スー」という音を多く発生させる。[8] この効果を出すには、舌を前歯につけるか、あるいは上下の前歯のあいだに位置させる。「ステレオタイプ」という言葉の出だしの「s」音を出すときに舌を前に動かしてから戻すと、摩擦が強くなるのがわかるはずだ。コメディー映画『ブレージングサドル』のエンディングで、バスビー・バークレーへのオマージュとしてミュージカルシーンが演じられるが、そこでメル・ブルックスがこの「s」音のパロディーをやっている。シルクハットをかぶり燕尾服に白い蝶ネクタイをつけたキャストたち（全員男性）が舞台で「ザ・フレンチ・ミステイク」を踊ろうとがんばっている。ひどくオネエ的な振付師のバディー・ビザールが手本を見せて言う。「ほら、あたしを見て。簡単でしょ、オカマちゃん。あたしのまねをしてちょうだい。ほら、ちゃんと見て、ゲイの坊やたち」。するとキャストたちは「Yessssssssssssss!」と答える。バディーはこう言い返す。「お返事だけはいいのね」

ヘント大学のヨーン・ヴァン・ボルセルとアンネレーン・ヴァン・デ・ピュッテは、実際の性的指向がどうであれ、摩擦の強い「s」音を長く伸ばして発音する人がゲイと見なされやすいことを発見した。[9] ゲイでない男女と比べてゲイの男性はこの発音をする人の割合が二倍なので、この音を意識して聞くと性的指向を正しく推測できる確率が上がる。といっても、手がかりとしては非常に弱い。またそれゆえ、科学的な研究において声でゲイ男性を特定できる割合は、偶然の確率をわずかに上回るにすぎない。

＊ほとんどの研究が男性の声についてのみ報告している点で、研究文献にはバイアスが存在する。本節で女性についての情報をほとんど扱っていないのも、そのためである。

以上の事実から、声が示すアイデンティティーには解剖学的な特徴だけでなく、社会的な要素も含まれることがよくわかる。ゲイとそうでない人の声の差が、生物学的特性から生じるとは考えにくい。発声器官が性的指向を反映するという証拠や明白な理由は存在しない。ということは、話し方の違いは社会的な理由で生じるに違いない。[10] 人の声は環境に適応することができるので、自分の属する集団に合わせるため、あるいはほかの人と差をつけるために、話し方を変えることができる。言語学者としての教育を受けて現在は『ガーディアン』紙の記者をしているデイヴィッド・シャリーアトマダーリーは、ゲイの声のステレオタイプができあがるうえで、ゲイに対する歴史的な偏見がきわめて重要な役割を果たしたと考えている。敵意に満ちた世界で安全な避難所を与えてくれるのがゲイのコミュニティーであり、「特有の話し方」はそこに属するメンバーを見つける手立てとなったのだ。

現実として、ゲイは女性的な発音で話すものだという間違ったステレオタイプが存在する。ゲイに関する理解が進んでいなかった時代には、親や教師は子どもにもっと男性的と思われる話し方をさせようとした。アメリカのユーモア作家、デイヴィッド・セダリスは、自伝『すっぱだか』でそうしたエピソードを語っている。同性愛者ではないかと疑われたセダリスとほかの生徒が「学校のブロック校舎の一室で、年度が変わるたびに来ては去り、去ってはやって来るスピーチセラピストから発音矯正の指導を受けました。歩行矯正が専門の教師がもしいたら、僕らはその人たちの指導も受けていたかもしれません」(『すっぱだか』倉骨彰訳、草思社)。しかし、ゲイは女性的な発音をするという思い込みは間違っている。じつのところ、摩擦の多い「s」音は標準的な女性の話し方の特徴ではない。シャリーアトマダーリーの考えでは、このような誤解が生じたのは、おそらくゲイ男性がストレートの男性よりも女性的に違いないとする社会の偏見のせいである。「ゲイ男性がなぜだかストレートの男性よりも女性的だという社会の認識は、いくつかの言語的特徴と重なり合います」と彼は私に語った。「そのせいで、摩擦の多い『s』音などの発音が、女性の話し方の特徴だと誤って認められるようになったのです」。多くの人が誤解して、ゲイ男性の声のほうが高いと決め込んでいるのも、これで説明できるはずだ。なぜなら男女間で話し声を比べたとき、最も顕著な違いは声の高さだからだ。少なくとも欧米では同性愛に関する啓蒙が進んできたので、ゲイ男性の話し方の特徴が重視されなくなり、話し方のステレオタイプもしだいに用いられなくなってきた[11]。

女性の声をつくる

私たちは誰もが見た目をよくしようと、身だしなみや服選びに時間をかける。だが、自分の声に同じくらい力を注ぐ人がどれほどいるだろうか。たいていの人は、自然に備わった声のアイデンティティーをただ受け入れているのではないだろうか。対照的に、トランスセクシュアルの人は自分のジェンダーをよりよく表現できるように、自分の声を変えるという意識的な意思決定をしなくてはならない。しかしトランスセクシュアルの成人は、自分の認識しているジェンダーに合わない発声器官で声を出すという難題に直面する。近年、性転換について医師に相談する人が急激に増え、二〇一六年にはイギリス国内の性同一性障害患者は一万五〇〇〇人ほどに達した[12]。女性から男性に転換する場合、高用量のテストステロンを投与すると声帯が厚くなり、声を低くすることができる。[*]男性から女

＊あとで論じるとおり、声のジェンダー認識の違和感を緩和するには、声の高さ以外にも変えるべき点がある。そこで声のほかの面を変えるために、話し方の訓練も必要かもしれない。

性に転換する成人のほうが、状況は厳しい。思春期のテストステロンによって、すでに発声器官が著しく変化しているはずだからだ。エストロゲンを服用しても、この変化を戻すことはできない。物理的に女性の声帯に近いものを作るには手術をするしかないが、そのような手術の長期的な有効性に関する科学的なエビデンスは、肯定的なものと否定的なものが混在している。[13] 医師のアドバイスとしては、言語療法をまず試すというのが一般的だ。

前章で吃音を取り上げたときに登場した、クリステラ・アントーニは記憶にあるだろうか。彼女は性転換したクライアントが新しい性別を反映した声を身につけるのを助ける仕事もしている。彼女は私にこう語った。「性転換をした場合に最も大変なのは、おそらくこれでしょうね。声に効く薬はありませんから。……もっぱら本人が練習するしかなく、何をどうすべきかを私が教えます」。しかし話し方の癖を学習しなおすのは時間のかかるきついプロセスだ。新しい声で難なく話せるようになるまでには、ふつう半年から一年ほどかかる。車の運転を覚えるようなものです、とクリステラは言う。初めのうちはあらゆる細かい動作をいちいち意識するが、やがて考えなくてもできるようになる。

一八歳の時点で、男性の声の高さは一般に一二〇ヘルツ付近、女性は二二〇ヘルツ付近である。常に無理なく一オクターブ近くも高い声を出せるように訓練しなおすのは容易でない。クリステラが見たところ、彼女の担当する性転換クライアントのおよそ三分の一が初めは女性的な声を出そうと的外れな努力をして、喉頭を過度に緊張させるせいで振り絞るような声を出す。せっかくがんばっても、男性の喉頭から無理やり絞り出される甘い声は、すごくおかしく聞こえるだろう。声の高さを変える幅は、一オクターブより狭いほうがよい。そのほうが、喉頭をさほど緊張させずにすむからだ。これについては科学研究による裏づけもある。音声を使った試験で示されているとおり、男性から女性への性転換者の場合、一般的な男性の周波数と女性の周波数のあいだに位置する中間的な声域に到達するには、一オクターブ未満の変更でたいてい十分なのだ。[14] 女性らしくなるために大事なのは「とにかく声をそれらしくすることです。皮肉なことに、それには話し方を微妙に変えるのではなく、大幅に変えることが必要なのです」とクリステラは説明する。

ここで問題をややこしくする点の一つが「反応バイアス」だ。話し方がおおむね女性らしくても、女性的でないと感じさせる点が一つでもあれば、聞き手はその声を出している発声器官の正体に気づくことがある。咳や笑い声を一回発しただけで、女性としての人格が台無しになってしまうかもしれない。だから性転換者は話すとき以外の声の出し方も変えなくてはならない。咳をすれば、声道のサイズがたちどころに露呈する。男性の声道は女性より一〇%から二〇%ほど長いはずだ。[15] 声帯の出す声の高さを変えれば声は女性らしくなるが、声道の共鳴周波数も上げないと、やはり男性の声だとわかってしまう。ウェスタンミシガン大学のジェイムズ・ヒレンブランドとマイケル・クラークは、コンピューター処理により高さとフォルマント周波数を変えた男女の声のサンプルを被験者に聞かせる実験をした。[16] 男性の声の高さだけを上げた場合、被験者の三分の一はそれが男性の声だと感じた。一方、高さとフォルマント周波数の両方を上げると、被験者は男性の声の八〇%を女性の声だと感じた。

声を変えるにあたり、最も難しいのは声道の共鳴を変えることだろう。ある研究論文によると、舌を前に動かすか唇をできるだけ左右に引くことによって、口腔の形状が変えられるという。これで声がどう変わるか、母音の「a」音で確かめられる。ただしクリステラは、周波数を調べるという分析的なやり方をしない。クライアントの聴覚能力を鍛え、本人の耳を頼りにして新しい自分にふさわしい声を見つけさせるのだ。クライアントが話している声を録音し、それを使って自分の声がほかの人にどう聞こえるかを本人にわからせることが大事なのだ。話し手の声の一部は頭蓋骨の内部振動によって耳に届くので、おのずと低音の効いた音に聞こえやすい。そのため実際には、性転換者の声は本人が思っているよりも女性的に聞こえている可能性がある。

もちろん、声には周波数以外の要素もある。女性らしいコミュニケーションをするには、声のかすれ具合、強弱、抑揚、発音の仕方、音量、さらには頭部の動きや手ぶりなども、それなりに変える必要がある。ステレオタイプ的に言えば、女性のほうが男性よりも対象を描写するのが得意で、修飾語を多用し、声に感情のトーンが現れやすい。(17) 性転換患者が学習すべきことはたくさんあるのだ。

クリステラがやっているのは、新たな発声スキルを指導するだけでないことは明らかだ。声はクライアントのアイデンティティーにとってきわめて重要なので、クリステラはカウンセラーと言語療法士という二つの役割を果たす必要がある。とはいえ、自分の声が人にどう聞こえるかを気にするのは、性転換患者だけではない。

声とステレオタイプ

私たちはみな人の声を聞いて、その話し手がどんな人か即座に判断する。私は知らない相手から電話を受けたら、時間の無駄にしかならないセールスの電話かどうか判断する手がかりをただちに探す。ポッドキャストを聞けば、無意識のうちに話し手がどんな性格なのか想像し始める。実体のない声からそうした判断を下すのは昨今ではよくあることだが、蓄音機や電話やラジオが発明される以前にはそのようなことはめったになかった。(18) しかし一九二〇年代が終わるころには、多くの人が直接会ったことのない人の声を日常的にラジオで聞くようになっていた。一九二七年にはこの状況を受けて、マンチェスター大学の心理学教授トム・ハザリー・ペアーが先駆的な実験を行なった。彼はBBCを説得して、九人の話し手にラジオで散文の一節を朗読させた。『ラジオ・タイムズ』誌にアンケートを掲載すると、四〇〇〇人以上からそれぞれの話し手についての印象を記した回答が寄せられた。ペアーは著書『声と性格』において、この実験を発案した経緯を説明している。[19] それによると、ある日、彼は暖炉の炎が照らすだけの薄暗い部屋でヘッドフォンを使ってラジオドラマを聞いていた。ドラマに心を奪われた彼は、登場人物たちの容貌を思い描いた。そして、ほかのリスナーもこんなことをするのだろうかと考え始めた。声のステレオタイプに対する彼の関心は、彼自身の経験からも刺激された。彼はこう記している。「身近にじつはとても人柄のいい男性がいたのだが、砂利道を進む馬車を思わせる声のせいで、私は数年にわたり親密な関係になるのを避けていた。このことが悔やまれてならない」

彼の実験で朗読した九人はバラエティーに富んでいて、まるでアガサ・クリスティーの推理小説に登場する面々のようだった。F・R・ウィリアムズ部長刑事、マデリン・リー嬢、ヴィクター・ダムズ牧師などがいた。九人はディケンズの小説『ピクウィック・ペーパーズ』でウィンクル氏がスケートに挑戦するコミカルな場面の短縮版を朗読した。ペアーによると、これは「当たり障りのない文学作品……『教養のない人』は悪く言わないだろうし、『教養のある人』もあえて悪くは言わない一節」だそうだ。リスナーは『ラジオ・タイムズ』誌に掲載された簡単なアンケートに回答するように求められたが、詳細な手紙を送ってきた人もたくさんいた。

それぞれの声からリスナーは驚くほどいろいろなことを読み取っていた。部長刑事について最も多かったのは、落ち着いて信頼できる男性という回答だった。たくましくがっしりした体格で無骨な人物との感想が多かったが、対照的な印象をもった人もいた。

「口やかましくけんか好きで、ひどい弱い者いじめをする不愉快な人物に違いない」

「地味で頼りがいがあって実直な人間味のある人……男の子によい影響を与える人だと思う」

「読書をする趣味も時間もほとんどもたず、なんらかの肉体労働に従事している男性。体格がよくて力持ちで健康だが洗練されていない」

すでに見たとおり、ステレオタイプを用いると、社会的状況を解釈して対応するのが容易になる。しかし認知的過負荷を軽減し迅速な判断を可能にしてくれる一方で、人種差別や性差別による偏見を生み出すこともある。ある有名な心理学実験で、それが証明されている。マーザリン・バナージらが開発した「潜在連合テスト」では、被験者の反応時間を測定して、無意識のバイアスを調べる。[20]実験室にコンピューターが普及した一九九〇年代には正確な測定が可能になり、のちにはこの種のテストがオンラインでも実施され、何十万人もの人が参加できるようになった。このテストでは、人の写真と言葉が画面上に表示される。テストの参加者は、言葉が「良い」もの（「愛」「笑い声」「平和」など）か「悪い」もの（「戦争」「がん」「失敗」など）かをすばやく判断する。ほとんどの人は（多数のアフリカ系アメリカ人を含めて）、「良い」言葉が白人の顔の写真とともに表示されたときのほうが、同じ言葉が黒人の写真とともに表示されたときよりも反応が数百ミリ秒速くなる傾向を示した。[21]なぜ反応時間にこのような差が生じるのか。言葉と写真の組み合わせが私たちのもつ無意識的なバイアスをそのまま反映している場合、すべてが予想どおりなので、脳はすばやく反応を処理できる。逆に、

Speakers on the first day (*from left to right*): 1. Detective-Sergeant WILLIAMS; 2. Miss MADELEINE RÉE; 3. The Rev. VICTOR DAMS.

The mystery voices of the second day: 4. MISS A. L. ROBINSON; 5. Captain HUMPHREY; 6. Miss MARJORIE PEAR.

The third and last day: 7. Judge McCLEARY; 8. Mr. H. COBDEN TURNER; 9. Mr. GEORGE GROSSMITH.

Acknowledgments are hereby made to the following photographers:
Speaker 3, Birtles, Warrington. Speakers 4 and 7, Lafayette, Manchester. Speaker 9, Central News.

ペアーのラジオ実験で朗読した9人

上段：第1日の朗読者（左から）1. ウィリアムズ部長刑事、2. マデリン・リー嬢、ヴィクター・ダムズ牧師

中段：第2日の謎の語り手　4. A・L・ロビンソン嬢、5. ハンフリー大尉、6. マージョリー・ペアー嬢

下段：第3日（最終日）　7. マクリアリー判事、8. H・コブデン・ターナー氏、9. ジョージ・グロスミス氏

黒人の顔と「平和」という言葉のように無意識的なバイアスに合わない「ミスマッチ」な組み合わせだと、反応するまでに考える時間がいくらか余分にかかる。

ステレオタイプは認知プロセスを単純化するのに役立つだけではない。自分の「仲間」以外の人をおとしめることによって自分がすぐれた人間であるような気分になり、集団としてのアイデンティティーを形成することができる。たとえばサッカー場で対戦するチームのファンのあいだで起こるのがこれだ。しかしステレオタイプは偏見につながるおそれがあるとはいえ、これがなければ小説を読んだり劇場に行ったりテレビを見たりする経験が著しく薄っぺらなものになってしまう。作家や役者はステレオタイプを利用する。それによって、多くの部分を読者や観客の想像で満たしてもらいながら、きめ細やかに物語を描き出すことができる。本を読むとき、私たちはページに実際に書いてあることをはるかに超えて、登場人物の姿を思い描く傾向がある。だからこそ、作品が映像化されて、お気に入りの登場人物が思っていたイメージと違ったりすると、ひどくがっかりするのだ。もちろんこれは役者にとってみれば無理な言いがかりだ。読者ごとに思い描いている姿が違うのだから、すべてに合うように演じるのは不可能というものだ。

しかしペアーの研究でわかったように、人が声を聞いて鮮明な人物像を思い描くのはなぜなのか。物語を聞くことは、私たち自身が社会的状況においてどうふるまうべきかを理解し予行演習する助けとなる。文学を読む際にも同じことが言える。科学的な研究によれば、フィクションを読むと共感能力が高まり、他者の信念や願望や行動を理解する能力が向上する。これは「心の理論」と呼ばれる能力だ。ある意味で、これは特段に驚くべきことではない。私たちは誰もがおそらく、小説を読んで考え方が変わったとか、本を閉じたあともその感動的な内容がしばらく心から消えないという経験をしたことがあるだろう。ウィリアム・スタイロンの小説『ソフィーの選択』で、収容所に入れられたポーランド人の母親が二人の子どものうちどちらを生かし、どちらをガス室に送るか決めさせられるくだりがある。私たちはこの悲痛な選択を迫られる場面を読みながら、自分だったらどうするかと考えずにはいられない。物語を理解しようとするときには、現実世界で他者を理解しようとするときと同じ脳領域が活性化することがわかっている。ある理論によれば、私たちは物語を読んだり聞いたりするとき、社会的なやりとりのシミュレーションをしているのだという。こうすることによって、私たちは他者のまわりで、とりわけ日常生活ではなじみのないシナリオにおいて、どうふるまうべきかを学習することができる。この点で、物語を語ることは、極端な（しかしありがたいことにめったに起きない）緊急事態に対処できるようにパイロットがフライトシミュレーターで訓練を受けるのと似ていなくもない。

このような現実のシミュレーションは、聞き手の心に鮮明なイメージが生み出される場合にいっそう効果をもつ。ワシントン・アンド・リー大学のダン・ジョンソンらが行なった研究では、フィクションを用いた感情知能の学習について調べた。(22) 参加者は、失業中でアルコール依存症の父親のせいで家庭生活に問題を抱える男子中学生、エリックに関する物語を読んだ。両親はけんかばかりしているが、対照的に担任のハワード先生は親代わりとなり、エリックに思いやりを示す。物語を読んだあと、参加者は登場人物への共感についての質問に答えた。読みながら多くのイメージを生み出せるように訓練を受けていた参加者は、訓練を受けていない参加者よりも著しく強い共感を覚えた。また、テストの直後に他者を手助けするように求められた場合、求めに応じる率が高かった。鮮明なイメージは、より強く共感したり立派なふるまいをしたりする助けとなり、それゆえ学習を強化するのだ。(23)

このことがわかると、ペアーの実験でBBC放送のリスナーからあれほど詳細な回答が得られた理由も説明がつく。読み手の性格や容姿が朗読に直接現れることは皆無かほぼゼロのはずなのに、リスナーは声を聞いただけですぐに、朗読者の姿を細かく思い描くことができたのだ。あるリスナーは警察官が日焼けした肌をしていると思い、別のリスナーは判事の身なりが立派だと思い、さらに別のリスナーは女学生が青い瞳だと思った。これらの想像は、リスナーが実際に会ったことのある特定の人物にもとづくものだとペアーは推測した。実際、私たちは幼いうちに声のステレオタイプを学習し始める。四歳から七歳までの子どものごっこ遊びを調べた研究によると、父親役の子どもは声を低くして大声で話すという。役になりきって、怒り狂う父親のようにどなる子どもさえいた。[24] しかし、ペアーの説は時代に合わせてアップデートする必要がある。私たちに影響を与えるのは、もはや直接会う相手だけではない。メディアを通じて触れる声や人物も、声のステレオタイプを形成するのだ。

声に影響する身体的な特性が存在するのなら、ペアーの実験の回答者による性格の推測には実際に当たっている部分もあったのだろうか。前章で見たように、加齢は声の響きに影響するが、視覚的な手がかりがない場合、話し手の年齢を聞き手はどのくらい正確に推測できるのか。じつを言うと、大したことはない。成年期の大半にわたり、声はほんのわずかしか変化しないので、加齢の影響を感知するのは難しい。聞き手は人の年齢を推測するのにさまざまな手がかりを探すが、そのなかでは話す速度の低下がおそらく最も役に立つだろう。しかしそれ以外には、よく当てにされる手がかりはほとんどがあまり役に立たない。年齢が高い人ほど声が低いと思われているが、実際には男性の声は中年を過ぎるとむしろ高くなることが多い。[25] しわがれ声、ガラガラ声、不明瞭な発音といった特徴も、年齢の指標としては当てにならない。とはいえ、そうした誤解も、声にこれらの特徴が見られない年配の話し手にとっては、実際より若く思ってもらえるという点でありがたい話かもしれない。コンディションのよい声を聞くと、私たちは若い人が話していると思うものだ。(26)

ペアーの実験の回答者は、身長と体重にも触れていた。リー嬢は、数人の回答者が彼女のことを細身だと思ったと聞いて喜んだに違いない。声の高さから身長はわかるのだろうか。成人と子ども、あるいは男性と女性を比べるなら、明らかに答えはイエスだ。しかし特定の集団内、たとえば成人男性ばかりでは、声は身長を推測する手がかりとして当てにならない。ヴィクター・ダムズ牧師について「背が高い」と答えた回答者と「背は高くない」とした回答者がいた理由も、これで説明がつくかもしれない。

身長と声の高さとのあいだに、ありもしない相関性が作り出されたのはなぜなのか。ヒト以外の動物を見ると、小型の動物のほうが声が高く、大型の動物は声が低いという一般的な傾向がある。ネズミは金切り声を上げ、ライオンは吠える。これは当然だ。小さい物体は大きい物体よりも高い音を発する傾向があるものだ。たとえば、バイオリンはコントラバスより小さい。この関係は、子どもと大人、男性と女性を比べる場合にも成り立つ。しかし繰り返すが、成人男性といった集団内ではそのような相関は成立しない。喉頭は舌骨からぶら下がっているので、そのサイズは周囲の骨組織によっておおまかに決まるだけだ。ということは、成人男性というくくりの中では、声帯の運動で決まる声の高さが身長と強く相関することはない。サッカー選手のデイヴィッド・ベッカムや総合格闘技チャンピオンのアンデウソン・シウバなど、長身のスポーツマンタイプで高い声の男性がいるなど、矛盾した例はあるのだが、私たちの脳は単純な経験則を作るのに熱心で、そうした例外は往々にして頭から消し去られてしまう。矛盾した例があるのに、相関が成り立っているという錯覚が破られないのは、ほかの多くの音源ではサイズと周波数とのあいだに強い関連が存在するからだ[27]。

人に会ったとき、その人の声が外見にそぐわないという違和感を覚えたことはないだろうか。私はジャーナリストで小説家のジュリー・バーチルが話すのを初めて聞いたとき、その子どものような高い声にびっくりした。当時、彼女はきわめて挑発的なコラムニストとして活躍し、その言葉で世間に衝撃を与えていた。著者名の上に掲載された彼女の写真も、声とはなんら関係がないように見えた。人が顔と声をどれだけ正しく結びつけられるかを調べた研究では、正答率は六割程度という結果が出ている。あてずっぽうよりはましだが、それでもかなりひどい。ステレオタイプが正確な判断を妨げるだけではない。外見と声のアイデンティティーは、主に体のさまざまなパーツやプロセスによって決まるので、話がさらにややこしくなるのだ。

知らない人の声を思い出せるか？

声のステレオタイプは、一度だけ聞いた声を思い出すときにも影響する。次のような実験に参加するとしよう。まず、それまでに聞いたことのない声を聞かされ、次に一週間後に複数の声を聞かされて、一週間前に聞いた声がどれだったか答えるというものだ。未知の声を聞くと、私たちは無意識的に頭の中にあるさまざまな典型のどれかと結びつけようとする[28]。私の声を聞かされた人は、イングランド南部出身、中年、中産階級の平均的な白人男性の声とはこういうものというイメージと比較するかもしれない。短期的には、特定の声を平均と比べて、平均から逸脱している微細な差異を記憶することもある。しかし時間が経つにつれてそうした微妙な記憶は薄れ、思い出せるのは典型だけとなる。進化の観点から言うと、格別に親しくない人の声を同定したり記憶したりできるような、効果的な方法を編み出す必要はない。敵か味方かを区別できればよいのだ。しかし、声のアイデンティティーが犯罪捜査で重大な意味をもつ場合、この性質が問題を引き起こす。

ドウェイン・ジョージはマンチェスターで一八歳のダニエル・デールを射殺したとして、二〇〇二年に無期懲役刑で収監された。デールが殺害されたのは、ある殺人事件について証言することになっていたからだと思われる。一方、デールが殺害された事件でジョージに有罪判決を下すに至った重要な証拠の一つが、目撃者による声の同一性識別証言だった。事件の際、犯人は「殺してやる」と叫んでいたという。目撃者はそれが「有色人種の声」だったと思うと警察に告げた。[29] これは明らかにステレオタイプを持ち出しているのであり、目撃者がジョージを犯人だと認めたのはずっとあとになってからだった。しかも、声の識別のもとになった目撃者の記憶は、過去四年間のいつかに店の外でジョージが話しているのを聞いたというものだった。この証拠がきわめて脆弱なのは明白だ。声を識別する場合、短い言葉の記憶は当てにならない。[30] そのうえ店の外でジョージが話しているのを聞いてから殺人犯の叫び声を聞くまでにはずいぶん時間が経っているので、正しく識別できる可能性は相当に下がっていただろう。さらに重大な問題として、殺人犯の叫び声のような怒号と店の外でのちょっとしたやりとりのような通常の会話とでは声のトーンが異なるので、そのせいで識別率は著しく下がる。[31] ジョージにとって気の毒なことに、声の同一性識別証言は採用され、射撃残渣という不確かな物的証拠を補強するのに使われた。二〇一四年にようやく判決が破棄されたが、このときまでにジョージの服役期間は一二年間におよんでいた。ジョージが釈放されたのは、カーディフ大学の「イノセンス・プロジェクト」に参加した学生たちのおかげだ。彼らは声の同一性識別証言およびその他の証拠がジョージに殺人の有罪判決を下すには不十分であることを反論の余地なく証明した。

赤の他人の声を識別するのが難しいのなら、知っている人の声についてはどうだろう。わが家の息子たちが大きくなると、うちに電話をしてきた親戚には私の声と声変わりした息子たちの声が聞き分けられなくなった。息子たちが幼かったころには、声の高さによって、わが家で唯一の成人男性である私の声が区別できた。ところが息子たちの声変わり後は、もっといい区別の仕方を編み出さなければならなくなったのだが、いまだにあまり正確に区別できずにいる。[32] 通常、知っている人からの電話なら、ほんの数語だけ聞けば相手が誰かわかる。トム・ウルフの小説『虚栄の篝火』で、登場人物のシャーマン・マッコイが愛人のマリアに電話するつもりで間違って自宅の番号をダイヤルすると、妻のジュディが電話に出る。


三回鳴って、女の声が、「もしもし」と言った。

しかしそれはマリアの声ではなかった。……「マリアをお願いします」女は言った。「シャーマン？　あなたなの？」

しまった。ジュディだ。彼はうっかり自分のアパートの番号をまわしたのだ。彼は仰天する
——金縛りにあったようになる。

「シャーマン？」

彼は受話器をおく。[33]〔『虚栄の篝火』中野圭二訳、文藝春秋〕

知っている人の声を識別する能力は、ごく幼い時期に習得される。[34] 胎児の心拍数は母親の声を聞くと上がるが、他人の声だと下がる。生後四カ月になると、知らない女性の声より母親の声を速く処理

するということが脳の活動からわかる。父親の声でも母親にはかなわず、赤ん坊の脳はまだこの段階では確実にその声を識別することができない。なじみのある声については、私たちはその人に特有のいくつかの特徴を記憶する。したがって、声の典型を使うだけのなじみのない声の場合と比べて、なじみのある声に対してはもっと高度な神経処理がなされる。親しい人の場合、もっと正確に相手を特定する必要がある。新生児が話し声のどんな部分から母親だと識別するのかはわからないが、胎内で羊水ごしに聞こえる母親の声を聞いて覚えただけなのだから、細かい特徴には頼れないはずだ。どうやら声の高さ（平均的な高さと、文を言うときに変動する幅）と声を出すタイミングが重要らしい。

母子が互いの声を識別する能力のいくらかは、話し言葉が誕生する前から存在したに違いない。というのは、ヒト以外の多くの種にも存在しているからだ。一羽の雄ペンギンが餌探しから戻り、広大な繁殖地でつがいの雌ペンギンや子ペンギンを探しているところを想像してほしい。ペンギンは外見やにおいが互いによく似ているので、血のつながりのあるペンギンを見つけ出すには鳴き声を手がかりにすることが多い。しかし南極の風が吹きすさび、群れの中で互いに競い合うほかのペンギンたちが騒ぐという厳しい状況の中で、声を聞き分けなくてはならない。

コウテイペンギンの鳴き声のパターンはとりわけ複雑で、喧噪の中でも際立って聞こえる。コウテイペンギンは巣を作らずに足の上で卵を温めるので、繁殖地の中を動き回ることができる。このためつがいの相手のいる場所を見つけるのが難しい。子ペンギンが生まれて歩き回るようになると、いっそう大変になる。コウテイペンギンは群れの中で自分を見つけてもらえるように、いくつかの特徴を複雑に組み合わせて利用する。鳴き声を出すとき、鳥は気管支と気管との接合部にある鳴管を使う。鳴管には二本の管があるが、たいていの鳥は一度に一本だけ使って鳴き声を出す。しかしコウテイペンギンは例外で、二本を同時に鳴らして一羽二役のデュエットを奏でる。周波数がわずかに異なる二つの音を出すため、音がぶつかり合って耳障りな響きとなる。実際、成鳥の鳴き声はハーモニカを朗々と吹き鳴らしているように聞こえる。コウテイペンギンは自分のつがいの相手や子どもに気づいてもらえるように、ありとあらゆるタイミングや周波数や音色を利用することが実験で確認されている。ジェンツーペンギンなど、コウテイペンギン以外のペンギンは巣を作ってあまり動き回らないので、これほど大変な仕事をする必要はない。このため、ジェンツーペンギンの鳴き声はもっとシンプルで、おもちゃのラッパの音に似ている。音声の録音に対する反応を観察した再生実験では、ジェンツーペンギンの場合は鳴き声の高さだけが相手を識別するのに必要であることがわかっている。(35)

人間でも同じような実験をすることができる。ある研究では、デイヴィッド・フロストやレナード・ニモイといった著名人の声を使った。ニモイの話す声を逆再生しても、その特徴的な音色で彼の声だとわかる。しかしフロストの場合、逆再生すると識別しにくく、まるで『ツイン・ピークス』の登場人物がしゃべっているように聞こえる。(36)フロストの声は、その特徴的な間の取り方で識別できるが、逆再生するとそれがゆがんでしまう。これらの例からもやはり、私たちの脳がなじみのある声を識別するには、それぞれ異なる特徴を使っていることがわかる。さまざまな特性を利用して各人の特徴をとらえることによって、私たちは声を識別するのに驚くほど頑健な能力を発揮する。身近な人なら、ひどい風邪をひいていても声でわかるのだ。ヒトにおいて、話す能力よりも声を識別する能力のほうが先に生じたのは間違いないが、私たちは今や声の識別にさらに熟達している。記憶すべき親しい人の数は、ヒト以外のどんな動物よりもはるかに多い。社会集団の中で暮らすほかの霊長類と比べても、やはりまさっている。

頑健性が必要ということが、かつては音声認識技術の妨げとなっていたが、もはやその問題はなくなった。ＨＳＢＣなどの銀行は、顧客がパスワードなどのデータを覚える必要をなくして口座へのアクセスを簡単にするために、二〇一六年に音声認識を利用し始めた。人間の脳の処理機構と同様、コンピューターのソフトウェアは声のもつさまざまな特徴をもとにして、指紋と同じように個人を識別できる声紋を生成する。声から抽出する一〇〇個ほどの特徴のなかには、声道のサイズや形状のような発声器官の物理的特徴と関係するものもあれば、話す速度、声の高さ、発音といった行動にかかわる特質もある。[37] これらのなかには、たとえば風邪をひいても変化しないものを入れておかなくてはならない。そうしないと、病気になったときにシステムが機能しなくなってしまう。また、他人の声をまねする者にだまされてはならない。『ワイアード』誌は、ケヴィン・スペイシーら声帯模写芸人が映画『ディア・ハンター』に出演した俳優クリストファー・ウォーケンなどの物まねで音声認識システムをだますことができるか試す実験をした。[38] しかし人間の耳には見事に聞こえる物まねも、コンピューターをだますことはできなかった。芸人たちは話す速度や発音といった行動上の特徴をまねすることはできるが、発声器官によって決まる特性すべてをまねするのはどうがんばっても無理なのだ。それでもなお、音声認識システムをだませる声のドッペルゲンガーは存在する。二〇一七年、ＢＢＣ記者で二卵性双生児の兄弟がいるダン・シモンズは、自分の利用している銀行の音声認識システムを双生児の片割れであるジョーがだますのに成功するようすを伝えた。[39]

心の中の声を音声化する

私たちの生涯に連れ添い、アイデンティティーを形成するが、ほかの人には聞こえない声がある。

それは当人には最もなじみのある声、すなわち心の中の言葉の多くを語る内なる声《インナーボイス》である。今この文を読んでいる瞬間にも、読者はその声を使っているだろう。私はその文を書いていたとき、心の中で独り語りをしていたに違いない。小説家はしばしば、登場人物をうまく表現するためにはその人物の声に耳を傾けなくてはならないと語る。二〇一四年のエディンバラ・ブックフェスティバルに登場した作家九〇人を取り上げた研究で、およそ七割が自分の作品に登場する人物の声をかなりはっきりと聞いていることがわかった。しかしそのほとんどは作家に直接語りかけるのではなく、作家が会話を盗み聞きするようなかたちであることが多い。作家のデイヴィッド・ミッチェルがフィクションの執筆プロセスについて語ったとおり、それは「コントロールされた人格障害」のようなものであり、「それを機能させるには、頭の中の声たちに意識を集中し、それらが互いに言葉を交わすようにしなくてはならない[40]」

頭の中の声は読むときや書くときに役立つだけでなく、さまざまな認知的用途もある。覚醒して意識のある時間のうち、四分の一にはなんらかのかたちの内的発話《インナースピーチ》が伴うと推定されている。* たとえば内的発話は作業記憶（ワーキングメモリ）において重要な役割を果たす。電話番号を渡されて、それを覚えなくてはならない場合、おそらく作業記憶の「音韻ループ」を使って、声に出さずに頭の中で番号を読み上げるだろう。音韻ループは、聴覚情報を数秒間保持できる「音韻ストア」と、その記憶を更新する「構音リハーサル」過程という二つから構成されている。このシステムは、話すこと（内なる声が数字を読む）と聞くこと（内なる耳が数字を聞き取る）のユニークな組み合わせを利用する。内的発話は動機づけにおいても大事な役割を担う。たとえば、プレゼンテーションや採用面接の前に心の準備をしてくれる。さらに、問題解決においても重要な役割を果たす。ある実験で、内的発話を抑えて運動をさせると、パフォーマンスに悪影響が生じた。以上の例はすべて意図的な内的発話だが、ぼんやりしているときに語る声もある。この内なる独り語りは特定の作業を助けるのではなく、思考を言語化する。実際、内的発話というのは、じつは「意図的な言語化」と「白昼夢」という二つの異なる現象をひとくくりにした名称だと考える科学者もいる。(41)

内的発話が自己認識にとってどれほど重要かについては、アメリカの神経解剖学者、ジル・ボルト・テイラーの劇的な経験を見ればよくわかる。テイラーは重篤な脳卒中を起こし、脳の主たる言語中枢の機能を失った。彼女は自分の内的発話が崩壊し始めた瞬間をこう説明している。「その瞬間、左脳のおしゃべりが完全に止みました。誰かがリモコンのミュートボタンを押したみたいでした。完全な沈黙です。初めのうち、私は自分が静まり返った心の内側にいるのに気づいてショックを覚えました」。内的発話の完全な喪失は五週間続き、アイデンティティーの喪失も伴った。「あの朝、ジル・ボルト・テイラー博士は死んで、もう存在しなくなったのです」(42)

ただし、内的発話はたった一つの声で構成されているわけではない。しばし自分の頭の中で語る声について考え、それと戯れてみてほしい。その声はどんなことができるだろうか。何かを尋ねるときには、文末でイントネーションが上がるのではないだろうか。その声に『スター・トレック』のオープニングで流れるあの有名な一節を言わせてみてもいいかもしれない。「宇宙。そこは最後のフロンティア。これは宇宙船エンタープライズ号の航海の物語である」。ウィリアム・シャトナーの悠然と

＊声に出さずに思考できるということには、生存上の明白なメリットがある。敵に忍び寄ろうとしているのに、心に浮かんだ思いがすべて声になってしまったらどうなるか、想像してみてほしい。

した語り口に似せて、ゆったりとしたイントネーションになったのではないだろうか。あるいは特徴的な口調でしゃべる人物を選ぶのもいいだろう。内なる話し手はどれほど巧みな物まね名人だろうか。
内的発話は柔軟性と創意に富んでいる。ドナルド・ダックの声を実際に出して上手に物まねできない人でも、内なる声はあのおなじみのけたたましい声の特徴をいくらかまねすることができる。心の中ではいろいろな訛りで話すこともできる。ノッティンガム大学のルース・フィリクとエマ・バーバーという二人の心理学者が行なった研究では、参加者に五行戯詩《リメリック》を声に出さず頭の中で読ませた。[43]二人は、特定の地方訛りで読んだときにのみ脚韻が成立する巧妙な詩を用意した。例として次の二つを見てみよう。

There was a young runner from Bath,
Who stumbled and fell on the path;
She didn't get picked,
As the coach was quite strict,
So he gave the position to Kath.

バース出身の若いランナーがいた
彼女は路上でつまずいて転んだ
彼女は選ばれなかった
それはコーチがとても厳しかったから
コーチは代わりにキャスを選んだ

There was an old lady from Bath,
Who waved to her son down the path;
He opened the gates,
And bumped into his mates,

バース出身の老婦人がいた
彼女は道路の先にいる息子に手を振った
彼は門を開いた
そして仲間と出くわした

Who were Gerry, and Simon, and Garth.　　ゲリー、サイモン、ガースの三人に

私の出身地であるイングランド南西部のブリストルでは、「Bath」と「path」の「a」は「ａｒ」と同じく「アー」と伸ばして発音する。よってブリストル市民のように発音する場合、あとの詩では脚韻が成立するが、先の詩では最後の語の脚韻が成立しない。「a」を「アー」と伸ばさず、私にとって第二の故郷である北部のマンチェスターの訛りで発音するなら、先の詩では脚韻が成立するが、あとの詩では成立しない。フィリクとバーバーが被験者の眼の動きを観察した結果、内なる声の訛りのせいで脚韻が成立しないと被験者は詩の前のほうを見直して、何がいけなかったのか突き止めようとすることが判明した。このことから、黙って心の中で詩を読んでいるとき、内なる声は本人のふだんの訛りを使うことがわかる。

私の内なる声が、音として発せられる「外なる声」となんらかの関係をもっているのは明らかだが、内なる独り語りは単に外的発話から発声器官の動きを除いたものとは違う[44]。このことは、声に出して話している人と内的発話をしている人の脳を観察した実験で裏づけられる。当然ながら、心の中で独り語りをするときにも、声に出して話すときにも、ブローカ野やウェルニッケ野といった脳の典型的な言語野が関与する。これらほど明白ではないが、ほかにも活動を示す脳領域がある。最近の研究で、内的発話が会話になると、右脳の「心の理論」を支える部位が関与することが明らかになっている。これらの部位はネットワークとなって、他者の視点を理解することにかかわる。これはあたかも自分自身と会話をしているようなものだ。

すでにおわかりかもしれないが、外的発話をするときと内的発話をするときとでは、脳の運動野の

活動が異なる。これは、一方は発声器官の運動を伴うのに対し、他方は伴わないためである。内的発話の場合、脳の運動野を抑制して発声器官が動かないようにするために、心の領域がさらに必要となる。[45] 脳が内的発話を生み出すときには、それを生み出すのが本人であって、話している相手ではないことを理解する必要がある。その仕組みを説明した説の一つは、私たちが自分をくすぐって笑わせられないことを引き合いに出している。自分の指に自分をくすぐって笑わせろと命じるとき、脳は手に命令の信号を送るだけでなく、命令の「遠心性コピー」も生成する。心はこの遠心性コピーを利用して、くすぐる指によってもたらされる感覚を予測する。したがって、脳はくすぐられている皮膚から送られてくる実際の感覚フィードバックだけでなく、くすぐったいという予測感覚も得ているのだ。この二つがうまく合致すれば、脳はその感覚が自分のもたらしたものだとわかり、それゆえくすぐったいという感覚が阻害される。同様のプロセスは、内的発話について説明する助けにもなる。発声器官を動かせという運動指令は阻害されるが、その指令の遠心性コピーはそれでもなお生成される。脳はこの遠心性コピーを使って、仮に発声器官を動かせるなら声が何を語るか予測する。これが内的発話として聞こえる。つまり、脳の予測を音声化したものを聞いているというわけだ。

これはうまくできたモデルだが、あまりに単純化されている。多くの内的発話は声を出す発話と密接につながっているように思われるだろうが、心の中で夢想した言葉をいちいち声に出して語ることはまずない。あえて例を挙げるなら、幼児が遊びながら思ったことを口にするくらいだろう。また、内的発話というのは、声に出して言うかもしれないことの簡略版である。完全な発話というよりメモ書きに近いものと思われる。

ダラム大学のチャールズ・ファーニーホウ教授は、著書『内なる声』に記しているとおり、内的発話に関する理解を深めることに研究者生活を捧げている。私は二〇一六年のダラム文学フェスティバルで彼と話した。そこで同僚とともに共同研究の発表をしていた彼に、内的発話がアイデンティティーにどんな影響を与える可能性があるのかと私は尋ねた。すると彼はこう答えた。「それは非常に強く自己と結びついています。しかしその一方で、自己に話しかけてきます。いったいどんな仕組みになっているのやら。……自己認識にとって、これは何を意味するのでしょうね」。研究によれば、内的発話をたくさんする人ほど明確な自己認識をもっている。そして私たちは内的発話を使って、自己のとらえ方を確実に変えられる。まさにこれが認知行動療法などのトークセラピー（セラピストと患者の対話を重視する療法）の土台となっている。

チャールズは、本人の意に反して内なる声を聞く人についても研究している。これは医学の専門用語で「言語性幻聴」と呼ばれるものだ。幻聴はしばしばメンタルヘルスの問題を抱える人と結びつけられる（一般的なイメージは「内なる声にさいなまれて頭を抱える人」というもので、チャールズもそうした人物像を鮮やかに描写している）が、これはあまりにも雑な単純化だ。幻聴は特定の精神疾患の人だけに起きるわけではない。人口全体の一％にそうした幻聴があると推定されている。この現象の根底には何があるのか。幻聴は内なる声を脳が監視する仕組みに欠陥があることを示すという見方がある。遠心性のメッセージが消えてしまったか、破損したか、あるいは遅延していて、脳が内的発話を心の中で生じたものだと認識できなくなっているのかもしれない。そのせいで幻の声が生じ、当人の自己認識に壊滅的な影響を与えている可能性がある。

チャールズのプロジェクトではオンラインアンケートを行ない、幻聴のある人から寄せられた一五〇通以上の回答を調べた。複数の声が聞こえると答えた人が多数にのぼっていた。ある回答者はこう記している。「明確に異なる複数の声が聞こえる。それぞれの声に人格があり、しょっちゅう私に何かをしろと命じてきたり、ある特定のテーマについてその声独自の考えや気持ちを押しつけてきたりする。……声の年齢や成熟の度合いはいろいろ。声の多くはそれぞれ自分が何者であるかを明らかにし、自分に名前をつけている(46)」

頭の中の声にあれこれ命令されて苦しめられる人物というのは文学ではおなじみだが、これを実際に経験する人もいる。しかしそのような場合でも、たとえば守護天使のようにふるまってポジティブな経験をさせてくれる別の声も存在していることが多い。「内なる声から愉快な話を聞かされて、大笑いする人を見たことがあります」とチャールズは言う。これらの事例からわかるのは、一見すると単独の症状のように思われるものが、じつは幅広い経験を内包しているということだ。別の極端な例として、音の伴わない声を聞く人もいる。ある回答者はこう説明している。「音のない声を私がどのように『聞く』のかはうまく説明できないが、その声の使う言葉や声に含まれる感情（憎悪や嫌悪）はまぎれようもなく明らかで、はっきりと認識でき、誤解の余地などなかった」

一方、本物の音のように感じられる声を経験する人もいる。

たいていの場合、隣に立っている人が話している声のように聞こえる。頭の中で言葉を考えるときとは違う感じである。頭の中で考えるときに聞こえる声は、実際に話すときの声ほど明瞭ではなく、声の調子ではなく言葉が頭に浮かぶ。ところがこの声には、はっきり識別できる調子と、正体不明な個性が存在する。

言語化された内なる思考は自分が生み出したものだと脳が認識できないことが幻聴の原因なのだとしたら、豊かで多様な人格をもつ複数の声がしばしば存在するのはなぜなのか。これを経験する人のほとんどにとって、これらの声は単に現実離れした幻聴ではない。なぜならその声は、皮肉で批判的な性格をもつ独立した主体性と感覚を十分に備えているからだ。その声は心の中で生じるかもしれないが、それでも本人とはまったく別の人格を示すのだ。昔の知り合いや有名人といった、かなり具体的な人物（ある研究ではミュージシャンのプリンスの声が聞こえるという人がいた）のこともあるが、多くの場合は、たとえば警官にありがちな声とか「大口をたたくエリート」などのステレオタイプで声の主を表現する。[47]

内なる声がなぜそれ自体の主体性を獲得できるのか。科学者はこの問いに取り組んでいる。[*]外なる声が話し手にコントロールされるのと同じように、内なる声を聞く人はその声も誰かほかの人にコントロールされているのだと無意識のうちに考えるのかもしれない。脳画像化研究により、話し手に耳を傾けると発声器官の運動に関係する脳領域が活性化することが判明している。したがって、脳にとって話し手から切り離された主体性のない声というものを考えるのは難しい。よかれ悪しかれ、聞き手はステレオタイプを利用して、こうした独立した声に特徴をもたせるのだ。

チャールズらが行なった最近の研究では、一五〇〇人以上の読書家を対象として、読書中の内的発話について調べた。[48]フィクションを読んでいるときには、参加者の七人に一人ほどに内なる声が聞こ

＊このような主体性が生じるのは統合失調症患者の妄想のせいだとする単純な説明では、その種の疾患のない人に幻聴が起きる事例が説明できない。

え、それは「自分と同じ部屋にいる誰かの声かと思えるほど鮮明だ」と報告された。ある参加者は、フィリップ・プルマンの『ライラの冒険』でライラがウィルに向かってささやく瞬間をこう描写した。「ライラがすぐそばで強くたたみかけるようにささやいたとウィルが語ったとき、私はそのささやき声を聞き、首に感じることができた」。しかし経験の鮮明さには大きな差があり、参加者のおよそ三割は声がまったく聞こえないか、ぼんやりとしか聞こえないと答えた。一方、本から声が出てきて現実の生活に入り込むという人も五人に一人ほどいた。ある参加者はこう回答している。「一人称で書かれた本を読むと、その本の文体、トーン、ボキャブラリーに私の日常的な思考はしばしば影響される。登場人物が私の世界について語り始めたような感じになる」。先に見たとおり、フィクションを読んでいるときに浮かぶ鮮やかなイメージは社会的学習を助けるらしい。

これらの声はどんな響きなのだろう。多くの場合、読者は声のステレオタイプと自分の知っている声を混ぜ合わせる。チャールズはこう説明する。「もし七〇代の女性について読んでいて、その女性についての描写があれば、私はそれを自分の母親の声と混ぜ合わせるかもしれませんね」。ここではなじみのある声に加えて、ステレオタイプも利用される。なぜなら、なじみのない外なる声に対する私たちの反応を形づくるのは、そうしたステレオタイプだからだ。気の毒なアストリッドをドイツ人だと思い込んだノルウェーの商店主はその一例だし、ペアーのラジオ実験への回答で多数の間違った想像が寄せられたのもまたその一例である。

4 声のカリスマ性

二〇一六年、『オックスフォード英語辞典』の「今年の言葉」に選ばれたのは「post-truth」（ポスト真実）だった。この年には何を主張するにしても、それが真実であるかどうかより、それを語る人物のカリスマ性の方が意味をもつようだった。イギリスのEU離脱の推進派として活動していたボリス・ジョンソンは厚かましくも、太い文字で嘘が大書された選挙カーに乗って全国を回った。専門家たちはいきりたった。「イギリス国家統計局は、イギリスが毎週EUに三億五〇〇〇万ポンド寄付していると示唆する声が相変わらず存在することに失望している。……これは誤解を招きかねない」。

ドナルド・トランプはあまりにもたくさんの嘘を重ねてアメリカ大統領になったので、『ワシントン・ポスト』紙が調べた彼の声明のうち三分の二は「四ピノキオ」の評価が下された[1]。彼は「自分はイラク戦争に全面的に反対していた」とも主張していたが、じつは以前の取材でこれと逆の発言をしており、その録音が残っている。

カリスマ性を生み出す要素の一つは、話し手の声の魅力だ。これから見ていくが、唯一無二のカリスマ的な声というものは存在しないので、うまい話し手は聞き手に合わせているのである。政治家がこの技の達人なのは、大規模な集会で演説するのか、戸別訪問先で有権者とくだけた会話を交わすのか、それともテレビのまじめなインタビューに出演するのかによって、話し方を調節する必要があるからだ。カリスマ的な声に関する研究は政治家に着目することが多いが、私たちは誰もが似たような手を使う。わがままな幼児におもちゃをほかの子にも使わせてあげなさいと言い聞かせる親や、憧れの仕事に就くための採用面接に臨むナーバスな応募者、あるいは激昂して企業に返金を要求する顧客など、私たちはみな声のカリスマ性を利用する。

古代ギリシャの哲学者アリストテレスは、説得の三要素、すなわち「エトス」「パトス」「ロゴス」を規定した。エトスとは話し手の信頼性を生み出す要素で、包括性、明晰性、勇敢さといった特性を含む。パトスとは、話し手が聞き手の感情を理解し共感しているように見えるかどうかにかかわる要素だ。そしてロゴスとは理性的な論証である。ポスト真実の政治においては、説得の三要素のうち三つ目が必須ではなくなり、代わりに虚勢が優勢となっている。しかし、卓越した雄弁が民衆をあざむくのではないかという懸念は、最近になって生まれた問題ではない。おそらく共和制ローマで最高の演説家であり政治家であったキケロはこう記している。

雄弁は最高の徳の一つ……である。……この弁論の力は、大きければ大きいほど、なおさら人格の立派さと賢明さに結びついていなければならない。そうした徳を欠いた者に弁論の豊かな能力を授けたりすれば、けっして弁論家を創り出すことにはならず、それこそ狂人に刃物を与えることになってしまう。(2)〔『弁論家について』大西英文訳、岩波文庫〕

現代の説得術においては、個人の体験談やキャッチフレーズやジョークなどによってエトスを伝えるのに対し、パトスは心の琴線に響く感動的な物語というかたちをとる。バラク・オバマのような卓越した雄弁家でさえ、ときおりロゴスを置き去りにしてスローガンに頼る。「イエス・ウィー・キャン」はもともと子ども向けのテレビ番組『ボブとはたらくブーブーズ』で使われて広まったキャッチフレーズだった。この空疎な言葉が威力をもったのは、有権者がそこに好きな願いを込めることができたからだ。

動物が鳴いたり、叫んだり、うなったりするとき、通常その目的はほかの動物の行動に影響を与えることである。ザトウクジラが鳴くのは配偶相手を惹きつけるためであり、雄猫が叫ぶのはライバルを遠ざけるためであり、ナイチンゲールがさえずるのはなわばりの境界を示すためである。人間も似たようなものだ。政治家、親、大学教授はみな、自分の声を使って他者の行動を操作しようとする。大事なのは言葉の選択だけでない。話すときのリズム、強勢の置き方、イントネーション、すなわち専門家が「韻律」と呼ぶものからも、話し手の感情の状態や性格や出自など、さまざまな情報が伝わる。

発音の仕方は韻律の重要な構成要素だ。育った環境が表れるし、特定の言語を話す集団に属していることが明らかになる。政治家は聴衆に合わせて発音を変えているとして批判されることがよくある。アメリカ大統領選挙に向けた二〇一五年の共和党予備選挙で、ウィスコンシン州知事のスコット・

ウォーカーは彼本来の典型的な北中西部訛りを消したことで非難された。全国の聴衆にアピールしようと、彼はウィスコンシン訛りを故郷に置いていったのだ。[3] このように訛りを抑えるのはめずらしいことではなく、アメリカでは政治家が多くのニュースキャスターのように訛りの少ない「一般アメリカ語」を話すように指導を受けるのかもしれない。それでも、政治家の話し方が意図せず変わることもあるかもしれない。なにしろ、私たちはみな声のカメレオンなのだ。私は大学生のときサウス・ヨークシャー州のバーンズリー出身のブライアンという学生と同じ家に住んでいた。今でも覚えているが、故郷の友人が訪ねてくると彼のヨークシャー訛りが強くなり、南部出身の私には何を話しているのだかほとんどわからなくなった。だが政治家が訛りを変えると、その人物が信頼できない証拠だと受け取られることが多いのである。

歴史的に、イギリスの政治家の多くは、自身の訛りと「容認発音」を混ぜ合わせようとしてきたらしい。容認発音はイギリスの典型的な話し方と見なされているが、実際に使っているのは人口の二%ほどにすぎず、スコットランドや北アイルランドで耳にすることはほぼない。[4] 容認発音の主たる特徴としては、すべての子音を完全に発音してゆっくり話すこと、*唇を丸めて「o」音を豊かに響かせること、広母音の「a」を使う（たとえば「path」を「パス」ではなく「パース」と発音する）ことなどが挙げられる。言語学的に言えば、容認発音はそんなに古くからあるわけではない。サミュエル・ジョンソン博士が一八世紀半ばに編纂した名高い『英語辞典』には、発音に関する注意書きは載っていない。知識階級の中でも発音にはばらつきがあったからだ。発音が統一されるようになったのは、一九世紀にロンドンの上流階級のあいだで、「高い」社会階層のメンバーであることを示すために容認発音が生まれてからだった。強い田舎訛りやロンドンの労働者階級の話すコックニーとは異なり、容認発音はイギリス英語の発音としては異色の存在である。というのは、社会階級や教養の高さを示しはするが、話し手の出身地については漠然とした地理的手がかりしか与えないのだ。

容認発音は、名門私立学校や大学、法廷や舞台で都会のエリートたちが使う発音となった。ローレンス・オリヴィエやジョン・ギールグッドといった名優が、シェイクスピアを上演するときに容認発音を使った。地方の訛りが出てしまう者には、『真夏の夜の夢』に登場するボトムのような喜劇の端役しか回ってこなかった。(5) BBCは開局当初から容認発音を採用し、二〇世紀の大半にわたってそれを社の標準とした。(6) BBCの初代会長を務めたジョン・リースが容認発音を支持したのは、それが国の内外で広く通じるからだった。多様な発音がBBCのラジオやテレビでよく聞かれるようになったのは、つい最近のことだ。

大英帝国のエリートの周辺に普及した容認発音は「クイーンズイングリッシュ」となった。現在では、第二言語や外国語として英語を学ぶ人はこの発音を習うことが多い。意外なことに、ハリウッドでもこの発音は支持を得た。「イギリス人は冷淡である」というステレオタイプのイメージがあるため、容認発音は冷酷無慈悲な殺人者を演じるのにうってつけの発音となるのだ。たとえばオリジナルの『ジャングル・ブック』でトラのシア・カーンの声を演じたジョージ・サンダーズを思い出してほしい。容認発音はまた、平凡な男が権力機構と闘う映画に登場する悪役にもぴったりだ。上流階級風のイギリス式発音ほどはっきりと権力機構を象徴するものはない。アルフレッド・ヒッチコック監督

＊子音の前の「r」を除く。容認発音は不変であるかのように言われることが多いが、実際にはバリエーションがあり、時間とともに変化している。

の『北北西に進路を取れ』にその好例が見られる。この映画では、間違って国際スパイ組織につかまってしまった主役の広告会社役員を演じるのが、ケーリー・グラントである。グラントはアメリカ式の発音で話すが、悪役のヴァンダムを演じるジェイムズ・メイソンは容認発音を使っている。[7]

私の母ジェニーは、はっきりした容認発音で話す。彼女に会った人は、とても上品な人だと思うかもしれない。じつはリヴァプール生まれで、第二次世界大戦後にイングランド南部に移ったのだが、そう思う人はいないだろう。リヴァプール訛りがまったく感じられないのだ。実際、母の発音を聞けばイギリスの階級制度がどれほど支配的かがわかる。母の両親はイングランド南部出身だったが、母の母は自分の娘に地元の労働者階級の訛りを身につけさせまいと決めていた。母から聞いたところによると、「あのころは誰もが社会階級を意識していたから、あなたのおばあちゃんは私に庶民の話し方をさせたくなかったの」だそうだ。母はリヴァプールにいたころに発声法のレッスンを受け、単語の出だしと終わりの子音をきちんと発音する訓練をさせられた。[8]「Five plump peas in a pea pod pressed. One grew, two grew, and so did all the rest」(五つの丸々としたえんどう豆がさやの中で押し合いへし合い。一つ目が大きくなり、二つ目も大きくなり、最後にはみんな大きくなりました)という詩の文句などを言わされたらしい。子どものころにしっかり叩き込まれたおかげで、母は今でも完璧な発音でこの詩を暗唱できる。

ジョージ・バーナード・ショーは戯曲『ピグマリオン』の序文で、「イギリス人は口を開けば必ず他のイギリス人の失笑を買うことになる」(『ピグマリオン』小田島恒志訳、光文社古典新訳文庫)と述べている。ショーはイライザ・ドゥーリトルの発音をこの作品のラブストーリーにおける重要な仕掛けとして使っている。イライザのコックニー訛りが発音レッスンのおかげで変化すると、彼女は中産階級的な上品さを身につけることができる。(9) しかし私の母は、容認発音を身につけていることが必ずしもプラスにはならないことを知っている。しばしば上品ぶった高慢な人間だと思われてしまうからだ。この印象を打ち消すために、母は「ずいぶん元気のいい言葉」なるものも使う。要するに下品なののしりの言葉である。

他人の思い込みで迷惑をこうむっているのは母だけでない。ジェン・キャンベルの本『本屋の客が語る奇妙なこと』ではこんな会話が交わされる。

本屋　袋は要りますか。プラスチックのと紙のがございますが。
客　もらうつもりだったけど、今おたくは「プラースチック」じゃなくて「プラスチック」って言っただろう。それでもらう気が失せた。
本屋　ふつうは「プラースチック」と言うとは存じませんで。それから、私はニューカッスル出身なので、風呂のことは「バース」ではなく「バス」と言いますよ。
客　おたくがまともな教育を受けてないのは間違いないね。

教育によって訛りが弱まる傾向があるのは事実だが、だからといって、この客の意見が許されるわけではない。

私たちは自分と同じような話し方をする人のほうが理解しやすいと感じる。さらに研究によれば、自分と似た話し方を好むことが多いらしい。発音の仕方がかつては生存において重要な役割を担っていたということも容易に考えられる。新石器時代、闇の中を誰かが自分の居住地に近づいてきた場面を想像しよう。その人物が敵か味方かを知る手がかりは、話し方しかないかもしれない。また、発音と方言は進化のうえでさらなるメリットをもたらす。協力と利他行動を促し、集団の結束を強めてくれるのだ。私たちが自国語以外の話し方の多様性にはどちらかというと鈍感な理由も、これで説明がつく。生存のためには、相手が自分と同じ集団に属するかどうかを知ることが大事なのであって、どこの出身かという細かい情報はそれほど重要ではない。

訛りや方言がどんな音になるのかは、もっぱら偶然によって決まるに違いない。というのは、人間以外の動物でもそうだからだ。訛りをもつ動物は少なくない。たとえばアメリカのタラが浮袋を使って出す短い音はヨーロッパのタラの音より低く、ヨーロッパのタラは長く伸びるうなり声のような音を出すという特徴をもっている。[10] このように生息地による違いが生じるのは、同じ種の群れどうしが互いにやりとりできないほど遠く離れたときである。やがてそれぞれの出す音が徐々に違っていく。[11] 人間でも同じことが起きる。言語と発音は常に変化している。部族間が分断してあまり交流がない場合(たとえば山脈で隔てられている場合)、互いに異なる方言や訛りが確立する。

かなり最近まで、私たちが名詞、動詞、形容詞を表すのに使う単語はほとんどが偶然によって生まれたと考えられていた。実際、動物の鳴き声を表すのに私たちが使う単語を調べてみると、各言語の言語学的パターンはかなり恣意的であることが確認できる。英語で豚の鳴き声を表す言葉は「オインク、オインク」だが、日本語では「ブーブーブーブー」であり、フランス語では「グロワン、グロワン」になる。どの言語でも動物の声を表すのに擬音語を使うのだから、世界中で音の似た単語が生まれるはずではないだろうか。ところが実際にはそうならない。その理由の一つは、各言語のもつ音素の個数は限られているので、動物によってはその鳴き声を正確に模倣する単語を作るのは難しいということだ。

一般に、単語の音が意味と直接的な関係をもつのはまれである。類像性のある単語は例外で、その明白な例が鐘の鳴る音を表す「ガーン」や「ゴーン」のような擬音語だ。[12] 意外にも、類像性のない言語のほうが情報伝達手段として著しく効率的で頑健だ。しかし大量のデータをもとにした最近の研究では、予想以上に多くの類像性が見出されている。チューリヒ大学のダミアン・ブラーシらは、代名詞や色、身体部位といった人間にとってきわめて大事なものを指すのに使われる語彙に着目し、それらの根底にはいくつかの規則があることを明らかにした。六〇〇〇種類の言語から集めた単語のリストを調べた結果、同族でない複数の言語が特定の概念を表すのにしばしば一定の音を使ったり、あるいは使うのを避けたりすることが判明したのだ。[13] たとえば、顔の中心から突き出ている物体について考えてみよう。これはアイスランドでは「nev」、日本では「hana」（鼻）と呼ばれ、チャド南部のサラ語話者は「kon」と呼ぶ。言うまでもなく英語では「nose」だ。すべてに「n」の音が含まれている。[14] これには理由があるかもしれない。「mmm」（ンー）と言いながら鼻をつまんでみてほしい。舌が口をふさいでいるので、音が完全に鼻腔から出ていることがわかるだろう。

この研究では、特定の概念を表す際に通常は使われない音があることも明らかになった。「あなた」を表す代名詞はふつう「o」や「u」の音を含まない。英語圏の読者は今の文を読んで、もう一度読み直したのではないだろうか。確かにこれは英語などいくつかの広く使われている言語にはあてはまらない。しかし、思いがけない例外が見つかるのも当然である。なにしろこの研究では何千もの言語のもつ一般的な傾向を見出そうとしているのだ。この研究で、英語は多くの点で標準から逸脱した言語であることがわかった。それでも、私たちの誰もが必要とする基本的な単語は言語間で想像以上に多くの共通点をもっているらしい。言語学的な祖先を共有していない言語どうしでもそうなのだ。このように多くの共通点が見つかったのは、おそらくこの研究が幼児期に覚える単語などの基本的な語彙にフォーカスしたからだろう。この種の単語はほかの単語よりも類像性をもちやすい。類像性が最良のやり方でなくなるのは、もっとあとになり、語彙が増え、言語を表現するのにもっと効率的な方法を脳が探し出す必要に迫られてからのことだ。

イギリスのさまざまな訛りとスラング

イギリスは国土の面積の割に非常に多くの訛りがある点で際立っている。推定によれば、平均三二キロメートルごとに異なる訛りに遭遇するらしい(15)。私の住むマンチェスターは、リヴァプールからほんの五〇キロほどのところにあるが、それでも二つの町では話し方がまったく異なる。この場合、言語の独自性が保たれてきたのは、両者のあいだに激しいライバル関係があったおかげという可能性が高い。ロックバンドのオアシスで活動したマンチェスター出身のギャラガー兄弟と、彼らの憧れの的だったリヴァプール出身のビートルズのメンバーを比べてみよう。楽曲のサウンドは明らかに似かよっているが、メンバーの話し方はかなり違う。出身地の名前を発音してもらうだけでも違いがわかる。一方は「リヴァピウル」、他方は「マンチェスタアア」だ。

最近の研究で、イギリス国内の発音と方言の地勢図が変わりつつあることが注目されている。人の移動が容易になるにつれ、私たちは徐々に言語の雑種となり、話し方を聞いただけで出身地を当てるのが難しくなってきた。ランカスター大学の言語学および音声学の専門家、エイドリアン・リーマンは、共同研究者たちとともにスマートフォンのアプリを使って、さまざまな国の発音と方言の地図を作成している。エイドリアンが語ってくれたところによると、彼は人による発音の違いにずっと関心があり、「スマホアプリによるクラウドソーシングといった新しいアプローチを方言研究というきわめて伝統的な学問分野と結びつけたい」と思った。そしてゆくゆくはこれらの方法を使って、言語の普遍的なパターンが国によってどのように異なるかを突き止められればと考えた。

彼の作ったイギリス用のアプリは、ユーザーに「scone」の発音を尋ねた。「gone」（ゴーン）と「stone」（ストウン）のどちらと同じ韻を踏むか。パブで発音について話すとき、この単語ほど議論を招きそうなものはほかにないかもしれない。この焼き菓子の名前の発音がそのような議論の種となり、どの社会階級に属するかを示すのに最適な言語的指標と見なされるのはなぜか。その理由は歴史の中に埋もれてしまった。富裕層がアフタヌーンティーを楽しむことと関係があるのだろうか。ともあれ、エイドリアンらはイギリス諸島の「スコーン地図」を作成した。これを見ると、北部では「gone」と韻を踏む発音が好まれ、中部地方とアイルランド共和国の大半では「stone」と韻を踏む発音が圧倒的に好まれることがわかる。これ以外の地域では、支持が分かれている。エイドリアンの地図からは社会階級による発音の違いはわからないが、リサーチ会社ユーガヴの行なった調査の結果を見ればそのあたりの情報が得られる[16]。しかしABC1層とC2DE層、すなわち中流階級と労働者階級を比べてみると〔中流上位の区分Aから中流下位の区分C1までが中流階級、下流上位の区分C2から下流下位の区分Eまでが労働者階級に相当する〕、同じ社会経済的集団の中でも意見が完全に分かれているのがわかる。つまり「scone」の発音は、社会階級を表すすごく弱い指標にすぎない。それでもどうやら私たちの脳は経験則に従い、この指標がとても当てになると考えるらしい。どちらの発音をする人も、自分と違う発音は間違っていると思い、好ましくない社会階級に属している（上流すぎるか、あるいは下

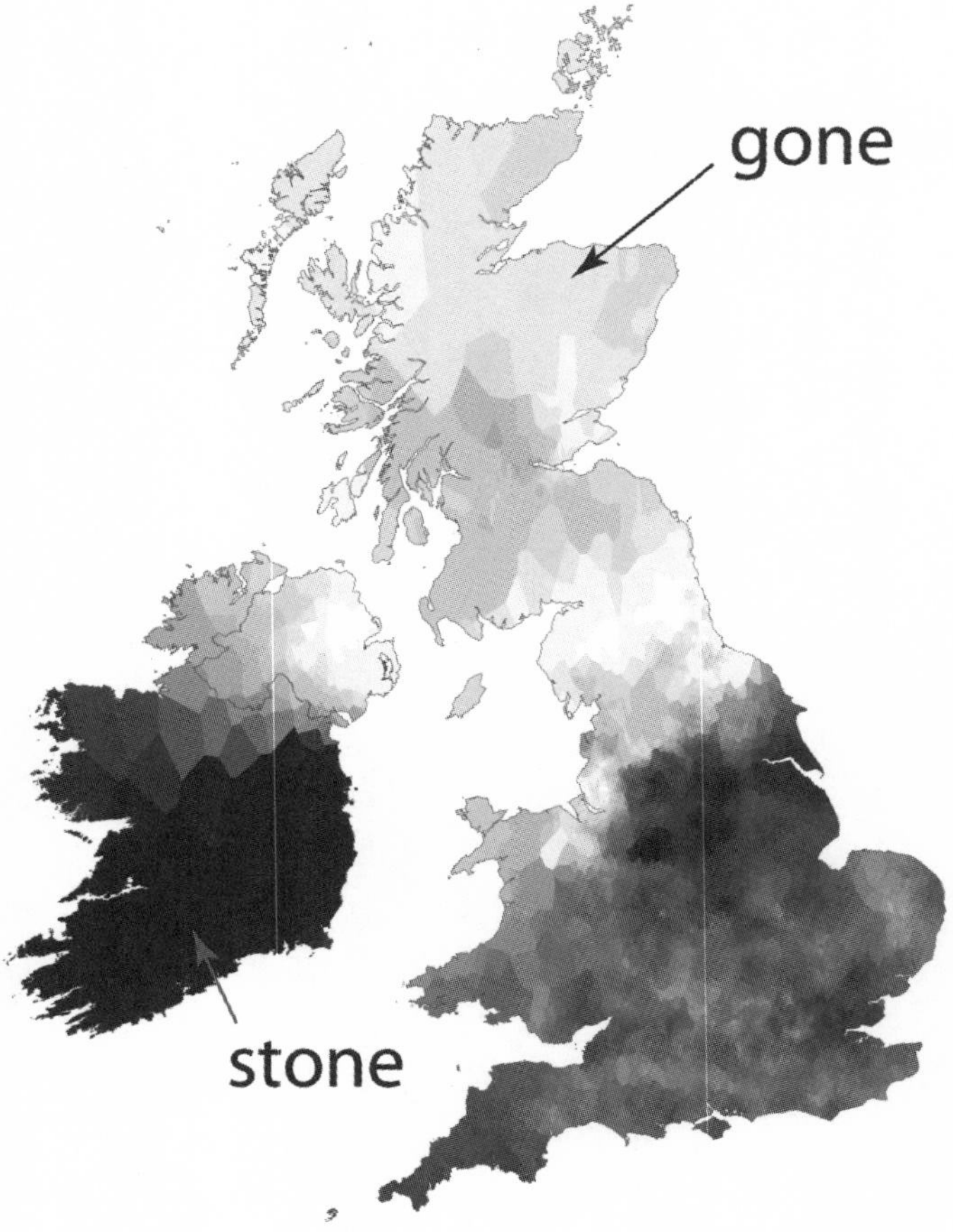

イギリス諸島のスコーン地図。黒く塗られている部分はほぼ全員が「stone」と同じ韻で「scone」を発音する地域、色の薄い部分はほぼ全員が「gone」と同じ韻で「scone」を発音する地域。中間のグレーの部分はどちらの発音も一般的である地域。（地図提供：エイドリアン・リーマン、デイヴィッド・ブリテン、タム・ブラクスター）

流すぎる）ことを示す目印だと考えるらしい。

エイドリアンらはアプリの中で、「scone」などの単語をどう発音するか、どんな日常的な語彙を使うかなど、二六個の質問をする。[17] 日常的な語彙について質問するのは、話し方の違いは発音にとどまらず、方言、つまり特定地域に固有の語彙にもおよぶからだ。たとえばイギリス諸島の住民はほぼ全員が、皮膚の下に入り込んだ小さな木片を「splinter」（とげ）と呼ぶ。しかし北東部で最もよく使われるのは「spelk」という呼び方だ。回答が終わると、アプリはユーザーの出身地を当てようとする。私が試すと、ファイブアッシズ、ブルフォードキャンプ、アーチロンデルの三つが示された。それぞれ南東部、南西部、ジャージー島の地名だが、どれも行ったことのない場所だ。人間でも私の発音がどこのものか当てるのが難しいことを思えば、アプリが苦労したのも当然かもしれない。人に当ててもらったら、おそらくたいていの人が私はイングランド南部の話し方をすると言うだろう。私がじつは南西部のブリストルで生まれ育ったとわかる人はめったにいない。ブリストルにはとても強く特徴的な訛りがあるのだが。

エイドリアンの研究で得られた初期の結果から、地域的な差異の多くが残念ながら消滅に向かっていることがわかる。方言は訛りよりも急速に変化しやすい。故郷を離れた人は、故郷で使っていた言葉が通じないとわかると、その言葉を使うのをやめる。私が道案内を求められて、「ginnel」を進んでいってくださいと言ったら、この言葉がマンチェスターやヨークシャーの一部地域で「路地」を意味すると知らない人は、私の言っていることを理解するのに苦労するかもしれない。その一方で、私が北部式に母音を短く発音して「path」と言った場合には、相手がふだんは南部式の長い母音を使う人であっても行くべき場所はわかるだろう。[18]

イングランドの北部と南部の発音の違いは現在ではほとんど残っていないが、この「長い」母音と「短い」母音の発音は、その数少ない差異の一つだ。それ以外の発音の多くは、ロンドンや南東部の英語に移行する傾向がある。[19] エイドリアンらは自分たちの研究結果を一九五〇年代にイングランドで実施された調査の結果と比較した。* おそらく当然ながら、一九五〇年代には地方のあいだの差異は今よりもはるかにはっきりしていた。伝統的に、英語には「r音発音」というものがあった。この発音では、「arm」に含まれる「r」のような、子音の前にある「r」を発音する。[20] 一九五〇年代の地図によれば、南西部では「r」がまだ明確に発音されていた。一方、「arm」の発音を表す二一世紀の地図では、イングランド全域が一様に緑色に塗られ、r音発音が消滅したことがわかる。[21]

発音が大きな意味をもつのは、それにもとづいて聞き手が話し手についてさまざまな想定をするからだ。二〇一一年にロンドンで暴動が起きた直後にBBCテレビに出演した歴史学者のデイヴィッド・スターキーは、次の発言で批判の嵐を巻き起こした。

白人が黒人化しています。暴力的で破壊的で虚無的なギャング文化が流行し、黒人と白人の男女が同じ言語を使ってともに行動しています。この言語はまったくいい加減で、ジャマイカ訛りが英語に入り込んだものであり、だからこそわれわれの多くがまさに異国にいるように感じさせられているのです。[22]

一〇代から二〇代の白人の若者が黒人の話し方を取り入れるという現象については、二〇年近くも前に、コメディアンのサシャ・バロン・コーエンがアリ・Gというキャラクターに扮しておちょくっていた。しかしメディアの中でも無知な人たちは、若いロンドン市民がコックニーを捨てて「ジャファイカン」をしゃべっていることに不満を表明し続けている。移民の流入によって伝統とアイデンティティーが失われたり破壊されたりしていることを示す一例として、話し方は格好のターゲットとなる。しかしこの姿勢は、話し方というものがもともと流動的で絶えず変化するという事実を見過ごしている。新たな話し方を「白人の若者が粋がっているだけだ」と批判するのは簡単だが、その真の起源は複雑で、大都市内部でどんな変動が起きているかを教えてくれる。

スー・フォックスはロンドンで育ち、現在はベルン大学で現代英語学の上級講師を務めている。博士論文のテーマは、コックニーが昔から話されているイーストエンドで話し方が変化しているのに気づいたことからアイディアを得たものだった。[23] 彼女は特に若者の話し方に着目した。「社会言語学では、イノベーションと言語の変化が起きている現場では『若者が変化を促し、影響をおよぼす』ことがよく知られている」[24] からだ。彼女の研究では、クラブなどで若者の話を録音し、丹念に分析している。

エスチュアリー・イングリッシュ〔テムズ川河口周辺で話される英語〕などのロンドン訛りでは、伝統的に単語の「h」音（「house」の出だしの音など）が脱落していたが、スーの研究により、現代の若者がこの「h」音を明確に発音していることが判明した（この発音が容認発音に近いことをスターキーは喜ぶべきだ）。母音（特に同一音節内で、ある母音から別の母音へとなめらかに移行する二重

＊一九五〇年代の調査はイングランドしか対象としていない。イギリス諸島のそれ以外の地域についてコメントがないのはそのせいである。

母音）の変化など、発音の変化はほかにもいろいろある。[25] スーは「face」という単語を使って二重母音のデモンストレーションをしてくれた。「a－e－i－o－u」の母音を一つずつ順番に発音すると、各母音で異なる周波数を出すために口の形が著しく変わるのがわかる。これらの母音のうち二つを組み合わせると二重母音になる。コックニーでは「face」と言うときに母音の移行がはっきりと聞き取れるが、若者の新しい発音ではほぼ純然たる単母音のように聞こえる。新しい発音がコックニーよりすぐれているというわけではない。理想的な発音というものは存在せず、単にそれぞれが互いに異なるだけだ。

スーの詳細な言語学的分析によって、白人の若者の発音が単にアフリカ系カリブ人の話し方をまねしているにすぎないというスターキーの見方は裏づけられたのか。答えはノーだ。彼の見方が間違っていることは、この地の英語にほかの変化も並行して起きていることで裏づけられる。ジャマイカの言葉による影響は、広く使われているスラングに数多く見られる（たとえば「blood」〔ブラザー〕、「yout」〔若者〕、「mandem」〔仲間のグループ〕）が、ほかの文化に由来するものもたくさんある。さらに、地元で育ったスラングもある。たとえばロンドン市民は「近所」のことを「my ends」と言う。スターキーは自分の議論に都合がいいように新しい話し方のうちカリブ文化に由来する部分を攻撃する一方で、自説に合わない不都合なデータは無視したのだ。

ロンドンのインナーシティで使われるようになった新しい発音を生み出したのは、黒人のまねをする白人ではなく、イングランド、アフリカ、カリブ、アジアといった地域の話し方の影響を受けて、さまざまな発音が融合した結果なのだ。そしてこの発音は、複数の人種集団にまたがって使われている。スーが最初に調査したのは、ロンドン市内のタワーハムレッツと呼ばれる地区である。ここで彼女が気づいたのは、バングラデシュ人が母国語に影響された英語を話し、彼らから白人のイギリス人の若者が新しい話し方を覚えて身につけていることだった。これは双方向のプロセスで、バングラデシュ人も伝統的なコックニーからいろいろな要素を吸収している。

この新しい発音は、英語を第二言語として話す人の割合が高い、さまざまな言語の話し言葉が飛び交う極端な混交状態から生まれた。その発祥の地はロンドン市内でとりわけ貧窮した地域であり、住宅が密集し、人種集団を超えてつきあうネットワークがあるために、インナーシティの住民のさまざまな話し方が融合し、新しい一つの発音になったということに大きな意味がある。世界各地の都市で同様の現象が起きている。オスロ、コペンハーゲン、ストックホルムでは、この現象について調べる研究プロジェクトが進行中である。グローバリゼーションと民族多様性の急激な変化のおかげで、私たちは幸運にも、本来ならごくゆるやかにしか進展しないであろう発音と方言の進化を、今まさに目の当たりにしているのだ。

スーはこうした新しい発音をめぐる偏見を解消しようとがんばっている。「これはきわめて情緒的なテーマです。そして常に存在するのが、『現在、言語は退廃しつつある』という考え方です」と彼女は私に語った。彼女が言っていたのは、保守党右派の大物、ノーマン・テビットによる以下の発言だ。

よい英語も悪い英語も大差なくなり、学校で生徒が下品な言葉を使うようになる……そんな段階にまで標準英語が堕落するのを許してしまえば、標準英語などというものはなくなる。そうなってしまったら、犯罪にかかわるなという命令も通じなくなる。(26)

スーはこの新しい話し方の研究によって、特定の発音をする人は劣った存在であり知能が低いと決めつける偏見を論駁しようとしている。実際、テビットのような人たちも新しい話し方に慣れていくしかないように思われる。なぜなら、この発音はただの短期的な流行ではなく、成人になっても保たれるらしいという十分な証拠があるのだ。[27] いずれはロンドン市長もこのアクセントを使うことになりそうだ。

皮肉にも、自分にとって耳慣れぬ発音で話す者は知能が低いと思い込む頑迷な人こそ、発話の解読能力に欠陥があるのかもしれない。心理学の研究では、言葉を聞いたときにそれが脳で処理しやすいかどうかによって判断に影響が生じることが示されている。「woes unite foes」と「woes unite enemies」の意味するところは基本的に同じだ〔どちらも「災厄は敵どうしを融和させる」という意味〕。しかし一つ目のほうが正しいと判断されやすい。韻を踏んでいるおかげで、脳内ですばやく処理できるからだ。ラファイエット大学のマシュー・マグローンとジェシカ・トフィバシュはこの点について研究を行ない、「美は真理であり、真理は美である」〔「ギリシア古壺のオード」『キーツ詩集』中村健二訳、岩波文庫〕という有名な一節を残した詩人キーツにちなんで「キーツの経験則」という論文を書いた。[28] ほかに判断の基準がない場合には、言葉の美的性質が違いをもたらすらしい。脚韻や頭韻を踏んだり、簡潔に反復したりする言い回しは箴言《しんげん》と見なされ、それゆえ真実であると思われやすい。政治家など、他者を説得しようとする人が単純なキャッチフレーズを使うのはこのためである。キャッチフレーズというのは、本当に正しいかどうかとは無関係に、真実らしい響きをもつようにできているのだ。広告に携わる人は、この性質をよく利用する。「一日一本のマースで、仕事も休みも遊びもばっちり」

というマースチョコレートバーの宣伝文句は、すばらしいキャッチフレーズだ。「一日一本のチョコレートバーで、肥満と二型糖尿病のリスクがアップ」のほうが真実には近いかもしれないが。

キャッチフレーズには、脚韻、頭韻、音素の反復がしばしば使われる。コンピューター科学者はこの性質を利用して、映画情報データベースのＩＭＤｂの「印象的なセリフのリスト」にどの言葉が採用されるか、あるいはどんなキャッチコピーが心に残るかを予測するソフトウェアを作ることができる。[29] また、フレーズに含まれる破裂音が多いほど説得力が増すことも発見されている。[30] 破裂音とは、肺からの空気の流れを口で遮断してから不意に空気を解放することで生じる音であり、「ｐ」「ｔ」「ｋ」の音が無声の破裂音、「ｂ」「ｄ」「ｇ」が有声の破裂音だ。無声と有声の違いは、声帯の振動を伴うかどうかによる。キャッチコピーに破裂音を使うとリズム感が出て、印象に残りやすい。プリングルズの広告で使われた「Once you pop, you can't stop」（食べ始めたら止まらない）がよい例だ。研究では、破裂音を使うとリツイート率が上がることも判明した。

理解しやすい話し方のほうが真実である可能性が高いと私たちの脳が思うのならば、このことから母国語でない言語を強い訛りで話す人についてどんなことが言えるだろう。政界で、あるいはもっと一般的な就職面接や人前でのスピーチの際に、こうした訛りは話し手の成功する可能性にどう影響するのか。少数派《マイノリティー》に対する排外的な態度を脇に置いたとしても、強い訛りで話す人はそうでない人よりも、話している内容が真実であると信じてもらうのに苦労する。このことは、シカゴ大学のシリ・レヴ゠アリとボアズ・キーザーによる二〇一〇年の研究で証明されている。[31] 二人は「キリンはラクダよりも長く水を飲まずに生きられる」などの雑学的な文を母語話者と非母語話者に読み上げさせ、「絶対に間違っている」から「絶対に正しい」までのスケールを使って、聞き手にその正しさを判断させた。すると、強い訛りで非母国語を話す人のほうが、読み上げた内容の正しさを低く評価された(32)(正解に関心のある方へ。キリンのほうがラクダより少し長く生きられる。その理由はアカシアの葉から水分を摂取できるからだ)。この研究の結果から、強い訛りのある人の話を聞いて処理するほうが困難なので、私たちはその人の話が間違っている可能性が高いと思う傾向があることがうかがわれる。同様に、母語話者でも地方訛りが強いと信頼されにくいということが別の研究で確認されている。

しかし地方訛りへの反応は、聞き手が話し方にもとづいて話し手の社会的地位、魅力、知性を推測するステレオタイプによっていっそう影響される。しかもすでに見たとおり、経験則に頼るため、そうした推測は怪しげなものになる。イギリスでは、「ブラミー」と呼ばれるバーミンガム訛りがしばしば好ましくないものとして取り沙汰される。二〇〇二年に行なわれた研究で、裁判の被告にバーミンガム訛りがある場合、もっとニュートラルな発音の被告と比べて有罪になる率が高いことが判明した。この関連づけが学習されたものであることを示す状況証拠が、このうえもなく思いがけない場所で見つかった。その場所とは、イスラエルのハイファにあるアバコＮＲＧというナイトクラブだ。このクラブではブラミーの平板な発音が常連客に大人気だとして、バーミンガムの新聞にスタッフの求人広告が掲載された。中東では、バーミンガム訛りと愚かさとを結びつける不当な連想は存在しないらしい。

しかしありがたいことに、訛りの受け止め方に全般的な変化も起きている。多くの地方訛りはネガティブなイメージを失い、今では温かみがあり気さくで親しみやすく感じられるという理由からコールセンターでよく使われる。アメリカでは今や、イギリスの容認発音の話し方がしばしばとりわけ魅力的なもの（もはや悪漢のしるしではない）として描かれる。イギリス人旅行客をラスベガスに誘致することを狙った広告には「あなたの発音が媚薬になる街へようこそ」と書かれていた(33)。

私たちが声に対して示す反応には、生物学的な要素と文化的な要素が混ざっている。子どもっぽい声の持ち主が頼りなく感じられる理由は、生物学で説明できるかもしれない。年齢とともに身につくはずの分別を欠いているように思われるからだ。文化的な要素については、もっと特定しにくいかもしれない。アメリカ人がイギリス式の発音に惹かれるのは、遺伝子プールを広げてくれる配偶相手を見つけたいという願望のせいだとする仮説を立てた人もいるが、この説では、一部の非母語話者の訛りがイギリス式の発音より魅力的でないとされる理由が説明できない。生物の進化上の理由が存在したとしても、それはずっと昔に文化にかかわる理由に圧倒されてしまったらしい。話し方は人の出身地を知る手がかりとなり、私たちはその国のステレオタイプに従って、反応の仕方を決める。政治家が話し方をあれこれ変えるのを私たちが気に入らないのも無理はない。ステレオタイプや偏見に頼って判断することができなくなるからだ。もっとも、そうしたステレオタイプや偏見も当てにならないものなのだが。

演説とレトリック

政治家、聖職者、教師は、人前で話すのが得意でなくては務まらない。さらにこれらの職種では、巧みな話し方やすぐれた原稿だけでなく、カリスマ性のある声も大事だ。政治家がすばらしい演説をするのに必要な要素は、今から二〇〇〇年以上昔にアリストテレスの著書『弁論術』にまとめられている。この本には、現代の政治においても嘆きの種となっている邪《よこしま》な情報操作の手練手管が数多く紹介されている。一九八一年にイギリスの党大会で行なわれた五〇〇件近い演説を扱った研究で、政治家がレトリックを利用して党員の反応を演出するやり方が検証された。[34] 演説の中で言うべきことを言い終えてから聴衆が拍手を始めるまでには、〇・五秒ほどの短い間しかない。演説者が聞き手にタイミングを明確に合図すれば、聴衆はいっせいに拍手を始める。しかしそのような合図には、ただの休止とは違う要素がある。言葉で聴衆を誘導する必要があるのだ。

この研究で最も有効だと判明したレトリックは「対比」であり、拍手喝采の四分の一は対比が用いられたときに起きていた。[35] 労働党大会で障碍者支援活動家のアルフ・モリスが行なった演説の例を見てみよう。「政府は障碍者支援のための財源がないと言うでしょう。しかし実際には、軍需品にはあまりにも巨額の資金が投入され、平時の必需品にはあまりにもわずかな資金しか投入されていないのです」

この文を言い終わるよりも前に、「あまりにもわずかな」というフレーズによって、拍手を促す合図が早々と出されている。有名な政治演説は、このような例が満載だ。特にすぐれた演説では二つの対比される語句が詩のような韻律を奏でるので、拍手を始めるべき箇所がはっきりとわかる。ジョン・F・ケネディの「国が諸君のために何をしてくれるかではなく、諸君が国のために何ができるかを問うてほしい」という呼びかけはまさに好例だ。

「三つの羅列」もレトリックとしてよく使われる。たとえばトニー・ブレアが一九九七年の総選挙に勝ったときのスローガンは「教育、教育、教育」だった。このテクニックを使うのは、政治家に限らない。ディケンズは「過去の幽霊、現在の幽霊、未来の幽霊」について書き、ビートルズは「She loves you, yeah, yeah, yeah」と歌い、映画『キャリー・オン・クレオ』でケネス・ウィリアムズは「汚名《インファミー》、汚名《インファミー》、やつらはよってたかって俺を辱め《イン・ファ・ミー》ようとしている」とジョークを飛ばした。説得力のある演説をする人にとって、この「三つの羅列」のルールは拍手すべきタイミングを示す明確な合図となるだけでなく、反復によって言葉を強調する効果ももたらす。ある研究で、二〇〇八年の大統領選でオバマが勝利した夜の演説を分析したところ、わずか一〇分間の演説で「三つの羅列」が二九回も使われていた。[36]

このレトリックが有効なのは、二回の反復くらいなら偶然の可能性があるが、三回の反復となるとそう頻繁には起きないので、そのフレーズは秘められた真実を明かしているのではないかと感じられるからだ。私たちの心は、パターンを見つけ出して世界を理解しようとする。たとえば脳画像研究により、脳の前頭前野は短期的な知覚パターンを調べ、次にどんな音が聞こえ、どんな像が見えるかを予測しようとしていることが判明した。[37] これはごく幼い時期に学習するスキルである。生後二カ月の子どもに左右交互に絵を見せていくと、子どもはパターンの展開を予想して、次に絵が現れるほうに目を向け始める。同様に、言語学習にも文の展開の予想という要素がある。「三つの羅列」には、脳が予想するのにぴったりな魔法のような力があるのだろうか。研究によると、「三つの羅列」は広告キャンペーン（「止まって、見て、聞いて」[38] という交通安全のキャッチフレーズなど）に最適だが、羅列が四つになると逆に怪しく思われてくる。しかし、これが「三つの羅列」によってもたらされる魔法のような完全性によるもので、これは経験則を形成するのにぴったりな長さであると脳が認めているからなのか、それとも誰もが「三つの羅列」に何度も触れることで学習した反応にすぎないのか、どちらかはわからない。

話し手は聞き手に合図を出すのにほかの方法も使う。[39] 最もわかりやすいのは手ぶりで、オーケストラの指揮者のごとく聞き手を誘導するように見える話し手もいる。イギリスの全国炭鉱労働組合で委員長を務めたアーサー・スカーギルはとりわけ巧みに手を扱い、聴衆に拍手をやめさせるときには手のひらを下に向けて手を突き出し、拍手をしてほしいときには手を小刻みに激しく動かして合図を送った。(40) しかし言うまでもなく、言葉の発し方、声の高さの変動、話すテンポ、イントネーションも喝采を引き出す重要な合図となる。特にこれらはカリスマ的な話し手に必須のスキルだ。

ソルボンヌ・ヌーヴェル（パリ第三大学）の発話音声学者のロザリオ・シニョレッロは、政治家の声にカリスマ性を与える要素の研究を専門としている。ブラジル、フランス、イタリアの有力な政治家について調べ、彼らの演説を被験者に聞かせて評価させた。政治的なバイアスをなくすために、評価対象は被験者の知らない言語を話す、なじみのない国の政治家とした。そうしないと「フランス人が『ああ、これはサルコジだな』と言ったりするからね。いくら声の主のカリスマ性を評価してくれと頼んでも、『こいつは最低の野郎だ』などと言われてしまう。それがサルコジだというだけで」とロザリオは私に説明した。予想どおり、この研究でも話し手が聞き手に合わせて話し方を調節していることが判明した。大規模な集会では、政治家は声の高さを大きく上げ下げして、熱のこもった力強い口調を演出する。インタビューでは、声の高さの変動はずっと控えめになる。集会での演説では声の大きさと高さをかなり変えるので、ふつうの会話のときよりも音響範囲が広くなる。シニョレッロの考えでは、政治家はこうすることによって演説の特定の部分が聴衆に混在するさまざまな人たちの心に響くことを狙っている。指導者に支配力と権威を期待する聞き手は低い声で語られる部分に反応し、親近感や思いやりを求める聞き手は高い声の部分に共感を覚える。

選挙戦中に支持を求めて遊説するときと、外交政策について政治家どうしで真剣に話し合うときでは、まったく別のトーンが必要なのは言うまでもない。シニョレッロが二〇一六年のアメリカ大統領選挙戦の有力候補について分析したところ、選挙戦の終盤になると候補者たちは声を低くして高さを変えないようにしていた。支配的な立場を見せつけたければ低い声を使えという、哺乳類の世界で最古の策に従っていたのだ。対照的に、大規模な政治集会では当然ながら話し手のほうが聴衆よりも社会的地位が高いので、高い声を使い、もっと広い範囲で声の高さを変えることができる。とはいえトーンは話し手のキャラクターにも合っている必要がある。労働党元党首のエド・ミリバンドは二〇一五年の総選挙中、政治家として必要な強硬さを疑う問いに対して「Hell yeah, I'm tough enough」(ああ、もちろん、私は十分にタフだ)とくだけた口調で答えたが、この言葉は長々と釈明した末にようやく出てきたので、多くの聞き手を納得させることはできなかった。

シニョレッロは、イタリア人政治家のウンベルト・ボッシについても調べた。ボッシは北イタリアの権益擁護を主張するポピュリスト政党「北部同盟」を創設した人物である。彼は政治家としてのキャリアに就いたばかりのころは剛腕で権威主義的で、ふるまいも言葉も威圧的だった。しかし二〇〇四年に脳卒中を患うと、それが一変した。声帯を損傷したせいで、話し方ががらりと変わった。声の高さは一気に六〇ヘルツも下がった。話し声をコントロールするのが難しくなり、声がかすれて平板なイントネーションとなった。実験で脳卒中の前と後の彼のスピーチを被験者に聞かせて比べさせたところ、有能さと博愛心についてのスコアはほぼ変わらなかったが、力強く威嚇的なトーンは消えていた。彼のカリスマ性は声によって変化し、現在の声を聞くと、賢明で穏やかなリーダー像が浮かぶようだ。[41]

ウンベルト・ボッシの声の高さが変わったのは不慮のできごとが原因だったが、政治家のなかにはわざとそうした者もいる。声の高さは声帯の振動の仕方と関係するので、訓練によって話す声の高さを上げたり下げたりすることができる。よく知られた話だが、マーガレット・サッチャーは威厳を強めるために声を低くする訓練を受け、話すときの周波数を四六ヘルツ下げた結果、その声は典型的な男性と女性の中間の高さとなった。[42]

女性の声に対するバイアス

サッチャーが特別だったわけではない。第2章で見たとおり、二〇世紀の後半のあいだに欧米諸国では女性の声が全般に低くなっている。ケンブリッジ大学の古典学教授、メアリー・ビアードは、女性が自分の声を聞いてもらうには「奇矯な両性具有者」にならざるをえないと嘆いた。[43] サッチャーが声の出し方を変えたのは甲高い響きを抑えるためだったが、ビアードが主張しているように、不当にも、女性が本来の声の高さで話したら、説得力のある話でも笑いものになる。同じ演説をしても、男性が女性よりも低い本来の声の高さで語るほうがはるかに高く評価される。ビアードの言葉を借りれば「私たちが聞き手として女性の声を聞くと、その声には権威が感じられません。というより、そこに権威を感じ取る方法を学習していないのです」

この言葉は、ピッツァー大学の言語学教授、カーメン・フォートの指摘と重なる。彼女は二〇一六年のアメリカ大統領選挙戦中にヒラリー・クリントンの話し方が激しく批判された理由を説明してほしいと依頼された。

男性と女性は違う話し方をするものだという考え方、つまり男性は火星のもとで生まれて女性は金星のもとで生まれたのだという考え方があります。しかしこれはひどい誤解です。最大の違いは男性と女性の受け取られ方にあり、また女性はどう話すべきで男性はどう話すべきかという私たちの考え方にあるのです。男性は断定的で声高で競争心をあらわにした話し方をすべきと思われ、女性は柔らかな口調で協調性に満ちた親切そうな話し方をすべきと思われているのです。(44)

最近の神経科学研究で、サッチャーのアプローチの正しさが裏づけられた。性別を問わず、声を低くするのは政治家にとって有効であることが判明したのだ。(45)実験では一般に、声を録音してから音声処理ツールを使って人工的に声の高さを変える。(46)現在ではこの種のツールは広く入手可能で、なかでも最もよく知られているのは音痴な人の音程を補正する「オートチューン」というソフトウェアだ。マクマスター大学のキャラ・ティーグらは、アメリカの歴代大統領九人の音声の録音データを使って音声加工実験を行ない、低くした声のほうが三分の二の確率で好まれることを発見した。(47)もちろん大統領は全員男性だったが、これとは別に女性の声について調べた実験でも同様の結果が得られている。(48)一〇人中六人が、もとの声から四〇ヘルツほど低くした声を支持したのだ。ちなみに四〇ヘルツとは、ディープ・パープルの〈スモーク・オン・ザ・ウォーター〉の出だしのギターリフの最初の二音の隔たりに等しい。

低い声は強そうな外見の人を連想させるだけでなく、高い身体能力、誠実さ、有能さも想起させる。第2章で見たとおり、男性の声は低いほうが魅力的だと見なされる。したがって、男性政治家は声を低くすると、支配的立場も魅力も得られるのでよいことずくめだ。一方、女性は声を高くしたほうが、概して性的魅力を感じさせることができる。声を低くすると支配的立場をより強く打ち出すことができ、それによってリーダーとしてのサッチャーの魅力が高まったはずだ。このように女性の場合、支配的立場（低い声）と性的魅力（高い声）とのあいだでトレードオフが生じる。

マイアミ大学のケイシー・クロフスタッドが二〇一二年のアメリカ下院議員選挙について調べたところ、男女とも声の低い候補者のほうが平均で四％得票数が多く、当選する確率が一三％高かった。接戦ならば、この差で勝敗が決まる可能性もある。(49) しかしこの研究では、政治的志向に伴う差異も確認された。保守的な有権者はリベラルな有権者と比べて声の低い男性有権者を支持する傾向が強いというもので、この傾向は二〇一六年の大統領選でも見られた。

女性が低い声を出す過激な方法として、ボーカルフライを使う手がある。これは「whatever」を「whatever-r-r-r-r」のように語尾を長く引き伸ばし、低くしわがれた音を響かせる発声法だ。人間の声にはモーダル（地声）、ファルセット（裏声）、フライという三つの音域があり、それぞれ異なる声帯の振動によって発せられる。ふつうの話し声の音域はモーダルで、すでに見たとおり、これより高いファルセットを出すときには声帯の端だけを振動させる。この二つの音域では、声帯は単純でリズミカルな動きで開閉する。フライのときには喉頭軟骨がきつく締まり、これによって声帯の緊張が著しく弱まり、弛緩してだらりとした状態になる。こうして緊張がなくなると、声帯がシンコペーションのリズムで開閉し、きしむようなしわがれた音が生じる。(50)

フライを使って話す女性を扱った初期の研究で、そのような女性は上昇志向の強い都会人と見なされることが判明した。しかし声の特徴の受け止め方は文化によって変わる場合があり、まさにフライにそれが起きている。この話し方はカーダシアン家の面々やブリトニー・スピアーズなどの歌手によって広く知られるようになった。〈ベイビー・ワン・モア・タイム〉は「oh baby baby」というフレーズで始まるが、その最初の音節がこの発声法の好例と言える。「oh」が引き伸ばされてきしむような音なのだ。今ではこの発声法が若い女性のあいだで非常に好まれ、特に文の終わりを示す方法としてよく使われる。著名人がフライを使い始めたのに伴って、上昇志向の都会人というニュアンスは消えた。実際、就職面接のシミュレーションを用いた研究で、フライを使う人は、仕事への適性、教育レベル、信頼性が低く、採用に適さないと判断されることがわかった[51]。このマイナスの影響は、男性よりも女性に強く現れていた。

メアリー・ビアードは、女性の声に対するバイアスに神経学的な理由はないと主張している。ボーカルフライはその主張の裏づけとなる。なぜならボーカルフライは男らしさのしるしとして男性に広く用いられているからだ。『ワイルド・スピード』シリーズのドミニク・トレットのようなアクション映画のヒーローは、しょっちゅう低いうなり声を上げている。つまり女性の声は、文化や言語や歴史を通じて学習された偏見と闘っている。性別を問わず声の低いリーダーを好むのは、世界のリーダーはたいてい男性だという事実に影響された経験則だ。このことから、女性リーダーに対する文化的および歴史的なバイアスの存在がうかがわれる、とビアードは訴える。確かにそのとおりだが、そのバイアスは偏見とは無縁なはずの生物学に由来する誤解から生じている。この点は指摘しておくべきだろう。声の高さは動物の体の大小を識別する助けとなることから、人の声を聞いた人はその声の高さが話し手の体格を推測する手がかりになると考える。しかしすでに見たとおり、同性の集団の中では、声の高さは身長や身体能力を推し量るのにすぐれた指標にはならない。それなのになぜ、声の低い人のほうが支配力をもつように感じられるか。テストステロンの量を表すマーカーとして、低い声が身体的な攻撃性と相関する可能性はある[52]。

もともと声の高い人でも、話している最中に一時的に声を低くすると支配的立場を示す助けとなる。

動物ではその例がいろいろ見つかる。たとえばある種のカエルは、別のカエルと遭遇して対決する状況になったとき、体を大きく感じさせるために鳴き声を低くする。二〇一六年、人間の場合はどんな行動をとるのかを調べる研究が行なわれた。研究を率いたのは、イリノイ大学の社会心理学者、ジョーイ・チェンである。研究では、月面で災害が起きた場合に生き延びるにはどんな道具が必要か、学生のグループにディベートさせた。[53] これは昔ながらの心理ゲームで、役に立たない一箱のマッチから命の綱となる酸素ボンベに至るまで、さまざまな選択肢が用意されていた。学生のやりとりを分析すると、自分の威圧感をひそかに誇張するために低い声で話し始めた学生が、グループとしての判断に最も影響を与えやすいことが明らかになった。

こうした男らしさと身体能力を求める願望が現在もなお存在しているのは、なかなか興味深い。世界のリーダーが甲冑を身につけて馬に飛び乗り、戦場に駆けつけることが期待される時代はとうの昔に過ぎ去った。声の高さがテストステロンによって生じる攻撃性を示すしるしならば、私たちのほとんどはそれが現代のリーダーにとって最も重要な性質なのだろうかと疑問を抱くだろう。

政治家の声の高さ以外の性質に注目した研究によると、早口で話すこと、声の高さにめりはりをつけること、声の大きさを変化させることが、話し手のカリスマ性を感じさせる要因となる。[54] これは別に驚くようなことではない。なぜなら、これらの特性は生き生きと熱のこもった話し方をする人にあてはまるからだ。テニス選手のアンディ・マリーのように単調で抑揚のない話し方は最も避けるべきである。話し声の強弱や抑揚は私たちが感情を伝える一つの手段であり、アリストテレスの言葉を借りれば、説得力のある話し手は聞き手の感情に訴えかけるためにパトスを示す必要がある。頭の回転の速さはカリスマ性と関係するので、速く話せばそれはおそらく有能さのしるしと見なされる。ただし、早口の政治家やセールスマンには要注意だ。早口でしゃべるのは、主張の根拠が薄弱なときになによりも有効な手となる。なぜなら、そうすれば、話の内容をきちんと分析する時間を相手に与えずにすむからだ。(55)

ソーシャルメディアの時代を迎え、効果的なコミュニケーションを成り立たせるには共感、親しみやすさ、信憑性がとりわけ重要な性質であることは間違いない。信憑性が声でどのように表現されるかを解明しようとしている神経科学と心理学の研究によると、文中での声の高さをどう変えるかが重要なのだという。ゲッティンゲン大学のレベッカ・ユルゲンスらの行なった研究では、ドイツのラジオ番組のインタビューから、怒りや恐怖、悲しみ、喜びといった強い感情の表現された八〇個の短いフレーズを集めて録音した。(56)そして俳優と俳優でない人にこれを聞かせ、同じ感情を込めて同じフレーズを言うように求めた。参加者は同じ感情をきちんと表現できたが、声の高低の変化が誇張され、オリジナルよりも抑揚をつけた話し方をしていた。(57)そして、俳優も俳優でない人も等しく、感情をうまく演技できることがわかった。これは間違いなくカリスマ性のある政治家が利用するスキルだ。では、このポスト真実の時代に、私たちは自分がだまされていないかを知るにはどうしたらよいだろう。嘘発見器というアイディアがとても魅力的に思われるかもしれない。第7章では、コンピューターが人間の声を聞いて嘘を発見できるか確かめてみる。しかしその前にまずは、テクノロジー全般がコミュニケーションに革命を起こし、人間の声を変えてきた経緯を見てみよう。

5 電気で声を変える

〈メリーさんのひつじ〉が初めて録音されてから四〇年後には蓄音機の改良が進み、エジソンは録音された声がどれほど忠実に再現されるかを誇示するために、試聴会を開いて聞き比べ実験をした(1)。会では蓄音機の横に歌手が立ち、実際に歌ったり、蓄音機の蝋管から出てくる音に合わせて口パクの演技をしたりした。聴衆は、生の声と蓄音機の違いを聞き分けることに挑戦した。こうした会が何千回も開かれて聴衆を大いに楽しませたが、なんらかのごまかしの手口も用いられていたに違いない。録音した音声の場合には蝋管から表面雑音が生じるので、生の声ではないとわかるのではないだろうか。録音音声を増幅するのに欠かせない大きなホーンで音が変わることについてはどうだろう。じつは歌手はちょっとしたいかさまをしており、蓄音機から出る不完全な音をまねしていたのだ。したがって皮肉にも、蓄音機の再現度を証明するための実験が、録音技術のせいで人の歌い方が変わった初期の例となった。

録音技術が登場した初期に声がどう変化したかを知るために、私はアル・ジョルソンとビング・クロスビーがデュエットした〈アレクサンダーズ・ラグタイム・バンド〉を聴いてみた。(2)* ビング・クロスビーは、「クルーニング唱法」と呼ばれるささやくような歌い方で知られる。マイクをうまく使った魅惑的で軽やかなトーンの歌唱で、とりわけ曲の後半で顕著に現れる。一方、アル・ジョルソンはマイクの扱いに慣れることがなく、録音技術が誕生する前からの歌い方を続けた。彼は劇場の後方まで届けようとするかのように声を張り上げる。これはミンストレル・ショーや寄席芸人の発声法だ。ジョルソンはトレードマークの鼻声を長く豊かに響かせる。彼のマネージャーはいささか詩的な誇張を加えてこう語っている。「この男は、これまでに私が知る限り誰よりもよく響く声の持ち主です。劇場の最後部で壁に手を当ててみると、レンガが震えているのが感じられました(3)」

録音技術の初期には蓄音機の感度が低かったので、明瞭な発声が必須だった。巨大なホーンに向かって歌声や叫び声を張り上げないと、十分な音量の録音ができなかった。しかしまもなく、ホーンの代わりにマイクが使われ始めた。そこでクロスビーのような歌い手は、広い劇場いっぱいに声を響かせるために生み出された発声法から解放されて、歌詞に最も合った歌い方ができるようになった。これがきっかけとなって、現在の音楽で使われているきわめて多様な発声法が生まれた。しかし現代の歌い手が、長らく使われていなかった自然な歌い方（大勢の聴衆に聞こえるように声を張り上げる必要がなかったころの歌い方）を再発見しただけだと考えるのは正しくないだろう。テクノロジーはすべてを変えてしまったからだ。シェールが〈ビリーヴ〉を歌うときのさえずるような声や、ロボットを思わせるダフト・パンクの歌声を聴けばよくわかるとおり、音楽の制作技術は声を著しく変えることができる。テクノロジーは、歌い手がマイクに吹き込んだ音声を加工するだけではない。歌声そのものを根本から変えるのだ。[4] この変化は歌唱にとどまらない。舞台や映画やラジオでの俳優の演技も大きく変わった。

ラジオ用に書き下ろされた最初のドラマは『危険』という劇だった。信じがたいことだが、一九二四年のこの作品は、依頼から脚本執筆、放送まで二四時間もかけずに完成した。脚本を執筆したリチャード・ヒューズが放送から三〇年後にこう説明している。「あのころは無声映画の時代で、私たちの作る『音の劇』(と私が名づけました)は無声映画のいわば失われた片割れであり、音声だけで物語をすべて伝えなくてはなりませんでした」[5]。近ごろではオーディオブックやポッドキャストが広く普及したせいで気づきにくいが、ヒューズの発想はきわめて革新的だった。

ヒューズは脚本家として、自分がリスナーを「目の見えない人の世界」に連れていこうとしていることを考慮し、「今回ばかりはリスナーにとってわかりやすいものにしよう」と決意した。そのために、真っ暗闇の中で展開するのが当然といえるストーリーを選んだ。さまざまなシナリオを考えたが、ベッドシーンは避けた。BBC幹部の反応が心配だったからだ。「初代リース男爵〔BBC初代会長〕に配慮しましてね」。そんなわけで、舞台は事故が起きた炭坑とした。だが、登場するのが炭坑夫ばかりだと、すべての人物の声が似すぎていてリスナーが混乱してしまう。そこで炭鉱を訪れていた男性二人と少女一人が巻き込まれる事故の話にした。

ヒューズは効果音を作品に取り入れたが、夜が明けるころに、その効果音をどうやって出すかとい

* YouTubeで多数の動画が簡単に見つけられる。

う問題にぶつかった。まず、格上の映画業界に助けを求めた。無声映画に音響を加えるのに慣れた技師がいるからだ。技師たちは豆粒をドラムに投げつけて雨音を演出したり、風の音を出す装置を操作したり、カウボーイが馬にまたがって登場するときにココナッツの殻をリズミカルに叩いたりしていた。技師を一人確保すると、次の問題はストーリーの要《かなめ》となる爆発だった。(6)大きな爆発音を使ったら、まだ性能の低かった当時のマイクやスタジオ機材はその負荷に耐えられない。幸運にも、担当プロデューサーは機転の利くナイジェル・プレイフェアーという人物だった。ヒューズはプレイフェアーを「天才で、まったく無節操」と評している。批評家たちはこの作品を聴くために記者室に集められていた。おかげでプレイフェアーは巧妙な手口を使うことができた。批評家たちは、爆発音がじつは隣の部屋で作られたものだと気づかなかった。音はラジオのスピーカーから流れてきたのではなく、部屋の壁の向こうから直接鳴り響いていたのだ。家庭で聞いている一般リスナーにはさほど強烈な音は届かなかったが、どうせ批評を書くのは批評家であってリスナーではない。

最後の問題は、主要登場人物の声だった。俳優が演技をするスタジオは完全防音で、炭坑らしいエコーや残響が起きない。音声がそれらしくないと、どうしても偽物のように聞こえてしまう。ヒューズはそれを危惧した。ここでまたしてもプレイフェアーが窮地を救った。俳優の「美形の頭にバケツをかぶせ」たのだ。こうすれば声が変わり、電話の向こうで話しているように聞こえただろう。炭坑で話す音声には程遠いが、作品の斬新さでそこはごまかせたに違いない。今では当時よりもはるかにたやすくこの作業ができる。無響スタジオで録音した声でも、簡単なソフトウェアを使って鉱坑の音響を加えることができるのだ。

この処理をするには、鉱坑かあるいはそれと同じ音響効果をもつ場所の音響指紋を取得する必要がある。音響指紋とは空間のインパルス応答のことで、空間内で短く鋭い音を発生させたときの周波数特性をマイクで拾うことで得られる(7)。スタジオで無響録音した音声と鉱坑のインパルス応答を「畳み込み」という数学的操作によって組み合わせると、俳優の声があたかも鉱坑の奥で話しているかのように聞こえる。こうした音響による空間の創出は、コンピューターゲームや仮想現実《バーチャルリアリティー》の根幹となる技術だ。また、建築物を実際に建てた場合の音響を事前に確かめることもできるので、このような聴覚化技術は音響設計では日常的に使われるツールとなりつつある。

ラジオドラマでは、音響デザイナーは聴覚化技術などのテクノロジーを使って登場人物の声を変えている。一方、マイクや電子機器といったテクノロジーは、現代のラジオドラマの演技をどう変えたのだろう。その答えを知るために、私は数々の受賞歴を誇るサウンドデザイナー、エロイーズ・ホイットモアに話を聞いた。彼女は私自身の研究プロジェクトできわめて重要な役割を果たしてくれた人物で、3D音響システムのデモ用に、説得力のある音響を生み出してくれた(これについてはあとで触れる)。サウンドデザイナーは、ラジオドラマの陰の主役だ。リスナーが没入する音の世界を裏から支える隠れたアーティストと言ってもいい。彼女はこう教えてくれた。「何も意識させないくらい音響がすばらしければ、誰からも何も言われない。逆に音響がまずければ、すぐさま何か言われてしまう。サウンドデザインは欠けている部分を満たして全体像を完成させなくてはいけないのだけど、そこで起きていることより目立つのは禁物。演技よりも地味な存在でなくてはだめなの」。音響をさりげなく使えば、役者が状況をいちいち説明する必要がなくなり、物語を語る助けとなる。エロイーズは『オイディプス王』で主人公が首を吊った妻を発見した場面を例に挙げて説明してくれた。長老たちがストーリーを語り、リスナーは音の断片を聞いて、背景で何が起きているのかを理解する。

「オイディプスが部屋に入る音が聞こえて、体のぶら下がっているロープのよじれる音が聞こえて、それから遺体を引き下ろす音が聞こえるの」。現代のデジタル技術を使えば、精密な音響が容易に構築できるので、以前よりもはるかに豊かな音響経験が可能となる。ラジオドラマ『危険』でこれをしたらどんなことになったか、想像してみよう。役者がマイクのまわりに立ち、音響技師がありあわせの材料を使って効果音を生み出していたはずだ。

話し方をラジオドラマに合ったものとするには、適切な発音でセリフを言える上手な俳優を使えばいいというものではない。リスナーは聞こえてくる音に頼るしかないので、出演者は声の演技に全力を注がねばならない。エロイーズは「笑顔を声で表現するにはどうすればいいか、役者といろいろ話すわね」と言う。感情を伝える手だては音声だけなので、小さなため息や忍び笑いを手がかりとして、リスナーは登場人物の気持ちを知る。登場人物がそこにいるということをリスナーに軽く意識させるために、出演者はいくらか大げさに呼吸する必要もある。もちろん、こうした小さな音を拾うことができるのは、現代のマイクの感度のおかげにほかならない。驚いたことに、呼吸音はストーリーを語る助けとしても利用できる。エロイーズは、マクシーン・ピークがスー・クレイヴン警部を演じた刑事ドラマシリーズに携わった。この急展開のドラマでは、クレイヴンがいつも警察署内を駆けずり回っているか、そうでなければ現場に急行している。ナレーターの語りの背後で聞こえるマクシーンの呼吸から、彼女の気持ちがわかる。落ち着いているのか、興奮しているのか、パニックに陥っているのか、聞き分けることができるのだ。ラジオドラマに出演する俳優には、動作を音で表現するスキルも必要だ。動き回っている感じを伝えるために、さまざまな歩き方や話し方を覚えなくてはならない。この程度の音は映画だったら通用しないが、ラジオではその音が声に命を与える。

マイクやテクノロジーのおかげで、リスナーはひそかに交わされる会話を漏れ聞くことができるし、登場人物の心のうちに分け入ることもできる。劇場では独白という手法が用いられるが、俳優が舞台で声を張り上げるというやり方は、細やかさに欠けるきらいがある。ラジオドラマなら、内なる思いをもっと心の声らしく響かせることができる。エロイーズは自身の手掛けた『禅とオートバイ修理技術』のラジオドラマを聞いてみてほしいと私に言った。この作品は、息子を連れて旅に出る父親を描いており、リスナーは、深淵な哲学的テーマと格闘しながら過去に折り合いをつけようとする父親のあがきを耳で聞くことができる。劇の大半は父親の内なる声による語りなので、この声は彼が息子と話すときの声と違って聞こえるようにしなくてはならない。声の区別は役者がセリフを言うときの演じ方による部分もあるが、録音の操作によってそれを補助する必要もあった。そこでエロイーズは内なる声のときには低音を強調し、息子と語るときのもっと軽やかな声とのコントラストを明確にした。(8)この処理は、自分の声はほかの人に聞こえているよりも本人には低く聞こえるという事実と合っている。

声を加工する

音楽プロデューサーも内なる声の感じを表現するために音声を操作する。ビョークの三作目のアルバム《ホモジェニック》(一九九七年)の一曲目に収められた〈ハンター〉では、電子的なビートをバックにしてシンセサイザー音が流れている。曲の大半で、ビョークの声はこのテクノ的な美意識に従った音質で、そこにエコーなどの音響効果が加えられている。だが、何度も繰り返される「I'm the hunter」(私はハンター)という一節だけは例外で、ここではビョークの声は自然な響きとなり、スタジオで近接マイクを使って拾った音をそのままつないだように聞こえる。こんな細部まで意識的に理解する人はめったにいないかもしれないが、楽曲に施された繊細なエフェクトがまるで熟達した画家の筆遣いのように、この作品の重要な要素をなしている。「I'm the hunter」と歌うときのシンプルな音響により、歌い手が聞き手にぐっと近づく。不意にビョークがすぐそばで何か個人的なことを打ち明けようとしているかのような印象が生じる。(9)

そんなわけで、プロデューサーは電子的な効果がたっぷり使われた楽曲であっても、知覚できるステレオタイプを利用して、リスナーの感情を刺激する。BBC初の仮想現実(VR)映画『ザ・ターニング・フォレスト』に登場するエレファント・キャメルというモンスターの声を作ったとき、エロイーズは声優にさまざまな感情を声で表現することを求めた。たとえば喜びを表すのに上昇調を使い、悲しみを表すのに下降調を使うといった具合だ(こうしたイントネーションによる暗示はかなり普遍的で、音楽でも下降するメロディーは悲しい気分を伝える)。言葉は使わず、「んー」とか「ああ」などと言うだけで十分だった。エレファント・キャメルが歩いているときには、それを表現するために、声優にリズミカルにあえぐようなうなり声を出させてから、のしのしと歩く足音を加えた。それからエロイーズは多様なデジタル技術を駆使して、このモンスターの声を作成した。たとえば声を低くして、巨大な獣にふさわしく太い声にした。完成した音を聴いたら、それがもともとは声優の発した声だったとは信じられないだろう。それでも人間の声を素材にして音を構築したことによって、人間的な性格をもつ怪物ができあがった。これもまた、俳優の技をテクノロジーが変えた一例だ。

エレファント・キャメルは友好的なモンスターだが、これより危険な怪物にはもっと声をひずませる加工が必要だろう。この目的でよく使われる加工法の一つが、音波のクリッピングだ。こんもりし

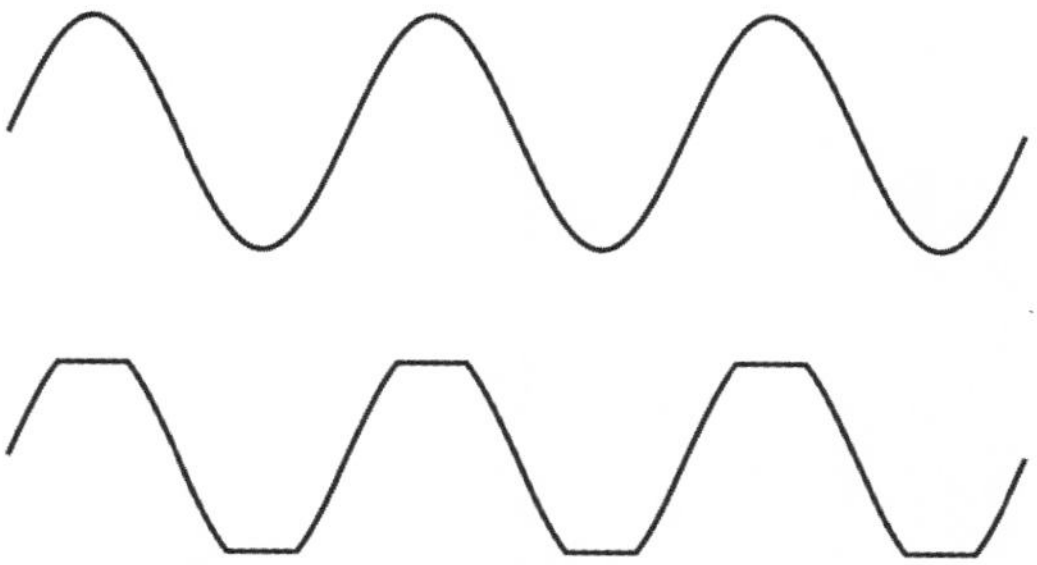

単純な音波とそれをハードクリッピングによりひずませた波形

た山となだらかに湾曲した谷が交互に現れてなめらかな曲線を描く典型的な波形を頭に浮かべてほしい。図に示したとおり、最も強力なクリッピングでは山頂を切り取り、谷底を平らにならす。波形の最高部には一つの周波数しかない。仮にこれを一〇〇ヘルツとしよう。クリッピングされた波形には、基本となる周波数を整数倍した倍音、たとえば二〇〇ヘルツ、三〇〇ヘルツ、四〇〇ヘルツなどの音も含まれる。声にはもともと倍音が含まれているが、ひずみ処理を加えると倍音が強調され、音色が変わる。

一九九〇年代、強くひずませたボーカルが流行となった。そのよい例が一九九一年にリリースされたU2のヒット曲〈ザ・フライ〉だ。ボノの声がロッド・スチュアートやボニー・タイラーのふだんの歌声を彷彿させるしわがれ声になっている。現在でもイールズなど、これをやっているバンドはあるが、九〇年代ほど強烈なひずみは加えずに倍音を追加することにより、耳障りな音にせず、声を力強く響かせる処理をしている。声が力強くなるのは、倍音を追加することによって、最も聞き取りやすい帯域の周波数の音響出力が強まるからだ。外耳道の残響が示すとおり、私たちの聴覚は三〇〇〇ヘルツ付近でとりわけよく反応する。U2が〈ザ・フライ〉でやったようにさらにひずみを加えると、声が割れて聞こえる。科学者はこれを「ラフネス」と呼ぶ。

内耳に入ると、音は基底膜で周波数に従って分解される。基底膜は蝸牛の長さ全体をカバーしており、平らに広げたら周波数の並んだピアノの鍵盤のようになる。高い周波数は卵円窓に近い側の基底膜を刺激し、低い周波数は反対側の基底膜を刺激する。音が聞こえると、基底膜はいくつかの特定の部分で同時に振動し、その音に含まれる周波数を脳に知らせる。低周波数の倍音については、基底膜の振動する部分は互いに遠く離れている。対照的に、高い周波数では倍音間の隔たりが小さいので、それぞれの倍音によって生じる基底膜の振動が互いに作用して複雑な動きが生じる。このとき、脳はそれをラフネスととらえる。

叫び声を出すと、ラフネスは自然に生じる。静かな「アー」という音から始めて、徐々に肺から出る空気の圧力を強くしていくところを想像しよう。最初は振動を発生させる声門下圧が増すにつれて、声帯の動きが活発になり、声が大きくなる。しかし激しく叫ぶと喉頭の物理的な限界に達し、声帯を単純なパターンで規則的に開閉することができなくなる。その結果、声がひずみ、甲高い「アー」という声がきしむようなラフネスを帯びる。

二〇〇九年、私はマンチェスター科学フェスティバルのために、参加者に一九種類の叫び声の「怖さ」を判定してもらうオンライン実験を行なった。実験で使う音声を編集するのはきわめて不愉快な作業だった。強烈な例では叫んでいる人がひどく苦しんでいるように聞こえるからだ。そんなふうに恐ろしく聞こえる原因はラフネスだった。これは人が邪魔されることなく最大限の力で叫ぶときにのみ起きる。二万件の判定を分析した結果、女性の叫び声のほうが怖く感じられる傾向があり、なかでも最も怖いと判定されたのは、最も甲高く、最も長く続く叫び声だった。当然ながら女性の叫び声のほうが男性よりも高いので、人間にとって最も聞き取りやすい周波数に近く、それゆえ大きく聞こえる。[10]

最もラフな叫び声では、七〇ヘルツ付近で音波が急激に変動する。おもしろいことに、これは通常の話し声では使われない「穴場」の周波数だ。この周波数は、口の調音器官が言葉を発するために動くときの周波数と、声帯の発する喉頭原音の周波数との中間に位置する。叫び声は救難信号として、危険を防ぐため迅速な行動を要求することが多いので、話し声から叫び声を区別して目立たせるラフネスが含まれていると効果的だ。ジュネーヴ大学のリュック・アルナルの研究チームは、この点について研究している。[11] 彼らはある実験で、音にラフネスを加えると恐怖感が増すだけでなく被験者の反応が速くなることを示した。被験者をｆＭＲＩ装置に入れて、脳の反応も調べたところ、不快な音はおもに扁桃体と一次聴覚野に作用していた。扁桃体とは神経細胞の集まったアーモンド形の器官で、脳の奥に位置し、脅威を検知して対処するのに重要な役割を果たすことが知られている。[12] 声を激しくひずませることで生じる割れた音は、救難信号をすばやく検知して反応できるように進化した私たちの認知機能を刺激するらしい。声のひずみ処理がヘビーメタルの歌手に好まれ、邪悪な怪物の声を作るのに役立つのも納得できる。

エロイーズの手がけたエレファント・キャメルが登場するＶＲ映画の『ザ・ターニング・フォレスト』は、変わった制作プロセスを経ており、映像より先にサウンドトラックが作られた。ふつうは音声のほうが映像に従属するものだ。そのサウンドトラックは、じつは家庭でオーディオを聴く新たな方法を開発する大規模な研究プロジェクトのために作成されたもので、私もそのプロジェクトにかかわっている。[13] 現行技術の限界を探るため、私たちは一連のドラマのシーンを作成してもらった。シナリオ作者には妙な指示を出した。すぐれたストーリーを作ることにはほとんど触れず、技術的な要件を記載した表を渡したのだ。一人称の視点を使い、音の発生源が移動し、さまざまな方向から音がやって来て、さまざまな距離から聞こえるようにすることを求めた。私たちがこうしたのは、現在のオーディオシステムはそうした多様な音を出すのが苦手だとわかっているからだ。この妙な指示に対し、脚本家のシェリー・サイラスは、森を闊歩する巨大なエレファント・キャメルと少年が交流する魅惑的なおとぎ話を書き上げた。ＢＢＣが映像を委託して『ザ・ターニング・フォレスト』をＶＲ映画にしたのは、それよりあとのことだ。

この研究プロジェクトで、テレビドラマの聞き取りやすさを改善する方法が見つかるのではないかと期待されている。近年では、テレビ番組の会話が聞き取りにくいという苦情が視聴者から寄せられることが多い（ラジオドラマではこの問題は起きない。言葉が聞き取りにくければ、番組自体が無意味になるからだ）。時代物ドラマの『ジャマイカ・イン』は、何千件もの苦情が寄せられたことから『ジャマイカ・インオーディブル』（聞き取れないジャマイカ）の異名をつけられた。もっと最近の例では、第二次世界大戦でナチスが勝っていたらイギリスはどうなっていたかを描くドラマ『ＳＳ－ＧＢ』がある。主役を演じたサム・ライリーの声が、ほとんど聞こえないくらいかすれることがあった。いくつかのシーンでは、あらかじめ「耳を澄まして聞いてほしい。一度ぼそっとつぶやくだけだから」と断りを入れるべきだったかもしれない[14]。当然ながら、録音技師はいい加減な仕事をするなと責められて閉口している。実際のところ、声はきわめて感度の高いマイクで忠実にとらえられていた。問題は、この種のマイクを使うと役者は声を張り上げることなく自然な演技ができる点にある。それゆえ、明瞭な話し方よりも自然さを好む役者や監督は、ささやくように話すという演技スタイルを選ぶのだ。

この研究プロジェクトでは聞き取りづらさに関して、たとえば音楽がうるさすぎて会話が聞こえにくいといったよくある問題についても調べている。解決策は、オブジェクトベース・オーディオがもたらしてくれるかもしれない。テレビを見るとき、放送局はテレビの左右に配置されたスピーカーに音声を送り、視聴者はふつうその二つの音の流れを聞くことになる。音楽の音量が大きすぎても、言葉と音楽はすでに混ざり合っているので、音楽の音だけを小さくするのは難しい。オブジェクトベース・オーディオでは、音楽と効果音とセリフがすべて別々に家庭まで送られてくる。家庭に届いてからテレビがこれらを最適なバランスで混ぜ合わせるので、音楽の音量を下げたければ下げることができる。現在のところ、私の同僚たちは特定の場面における言葉の聞き取りやすさをモニターするためのコンピューターアルゴリズムの開発に取り組んでいる。このモニタリングによって、テレビは自動的に背景音の音量を調節し、言葉がかき消されないようにすることができる。

舞台演劇と音響効果

テクノロジーはテレビや映画だけでなく舞台演劇にも「聞き取りやすさ」をめぐる問題を生み出し、脚本や演技、演出に影響をおよぼしてきた。たとえば、容認発音で声を張り上げるのをやめて、もっと自然に話したいという考えが出てきた。だが、自然な話し方は聞き取りにくい。演出家がこの話し方で行くと決めた場合、天井桟敷にいる観客にはどうしたら言葉を聞き取ってもらえるだろう。その答えはおそらくわかりきっている。俳優にマイクをつけ、スピーカーを客席に向けて設置して、音量を上げるのだ。ブロードウェイでは会話劇でも俳優の声を大きくしてほしいと観客が望むので、マイクを使って音量を増幅している。しかしイギリスでは、電子機器のあからさまな使用については賛否両論がある。

特に注目を集めた一例が、一九九九年にナショナルシアターで起きた騒動だった。シェイクスピア劇で電子機器を使って声を増幅していることが明らかになったのだ。バービカンシアターの芸術監督を務めていたグレアム・シェフィールドは「特殊な音響効果のためにマイクを使うのと、怠惰な役者を助ける仕組みとしてマイクを使うのでは、まるで別の話だ」とコメントし、さらに「そんなことをしたら、役者と観客とのあいだに存在する親密さと自然さがぶち壊されてしまう。どれほど巧みにやったとしても、必ずいくらか人工的に聞こえるものだ」と語った。[15]おもしろいことに、苦情が届き始めたのは『トロイラスとクレシダ』の公演開始から数カ月経ったころだった。すでに評論家や何千人という観客が電子機器で増幅された声を使った公演を見ていながら、誰もそのことに気づいていなかった。それどころか好意的な批評が寄せられ、マイケル・ビリントンは『ガーディアン』紙で「堂々たる新演出」と評した。[16]電子機器の使用が派手に報じられたのは、ナショナルシアターの誰かがメディアにリークしたからにほかならない。

私が初めてこの議論を耳にしたのは、二〇一〇年に開催された音響関連の会議で、劇場の音響を手がけるギャレス・フライによるプレゼンテーションを見たときだった。ギャレスのような舞台裏の天才クリエーターは一般人にはあまり知られていないが、彼は映画監督のダニー・ボイルが演出した二〇一二年ロンドンオリンピックの開会式で音響を担当している。[17]もっと最近になって、私はマンチェスターのHOMEシアターで彼から話を聞くことができた。仕事の合間に休憩をとっている彼に仕事の内容について尋ねると、「観客の耳に入るすべてが私の責任だ」と短い答えが返ってきた。

ギャレスの説明によると、ナショナルシアターの音響問題は、上演様式が変わってきたことに伴う偶然の副産物だそうだ。劇場ができたころにはほとんどの演目で重量のある大がかりなセットが使われていた。ノエル・カワードの『相対的価値』のような劇なら、細部まで美しく塗装された壮大な邸宅の図書室といった、きわめてリアルな舞台装置を使う演出がなされていただろう。そんなセットは簡単には移動できないので、プロットはすべてこの一部屋の中で展開させる必要がある。脚本家は登場人物がこの部屋にやって来る理由をひねり出さねばならず、観客はこの場所でひどく無理のある遭遇が起きても不信の念を抱いてはならない。固定されたセットは脚本家にとっては難題かもしれないが、音響に関しては大きなメリットがあった。重厚な大道具で音が反射して観客のもとへ届くので、出演者の声が増幅されるのだ。

しかし、二〇世紀の終盤までにセットの流行は変わった。テレビ番組や映画の美意識にならって、脚本家は舞台でも場面を変えられるようにしたいと考えだした。そのためには、大道具をもっとシンプルで軽く融通の利くものにする必要がある。場面の転換は、照明と音響を変えるだけでも実現できる場合が多い。このため、大道具が音を反射しなくなった。大きく重たいセットがなければ、観客のなかには貧弱な音しか聞こえない人が出てくる。電子機器による補助が必要とされるのは、音響の不足を補うためであって、一部のジャーナリストが批判しているように最近の俳優がよく通る声を出せないからではない。最近では、効果音や音楽が劇に加えられて、俳優の声がさらに多くの「ノイズ」と競い合うようになったので、この技術はさらに重要性を増している。しかし観客に気づかれぬように、ひそかにやらなくてはいけない。ギャレスはこの技術を「距離を半分にすること、つまり役者との距離が実際の距離の半分に感じられるようにすることを目指す」と説明する。しかしテクノロジーの利用は音量を上げる以外にも、物語の展開を助ける手立てとなる。ギャレスは、電子機器を音のマスキングに使えば「俳優と声の関係を操作することができる」と言う。声の高さを変えるといった単純な処理によって、登場人物を男性から女性に変えることができる。残響を加えれば、俳優のいる場所をバスルームから教会に変えたりもできる。[18]

音楽では、声をよくするためにリバーブ（残響）が広く使われる。[19] リバーブを少し加えると、録音した声がたいていよくなるので、リバーブはいわば音の調味料だ。音楽プロデューサーが曲にリバーブを加える場合、聞き手の抱く期待やステレオタイプを利用する。パティ・ペイジの一九四八年のレコード〈告白〉は画期的な曲だった。ポピュラー歌手が多重録音を使った初めてのヒット曲で、ペイジが自分自身の歌声と一緒に歌っているのだ。この作品は掛け合い形式の歌で、第二の声にリバーブが加えられている。ペイジが第二の声を歌い、それを音がよく反響する男性用トイレに向けてスピーカーで流す。そして、リバーブのかかった音をマイクで拾って録音した。掛け合いの声はどちらもペイジが歌っているので、そのままでは混ざり合ってしまうが、一方の声にリバーブを加えれば、声が区別できる。教会や聖堂では残響が自然に生じるので、残響には宗教的な色合いもある。まさに〈告白〉という曲にはぴったりなのだ。[20]

二〇一六年にブロードウェイで上演された世界的なヒット作『エンカウンター』について、私はギャレスに話を聞いた。これは音が舞台演出と物語展開を決定づけるという、いっぷう変わった作品だ。一九六〇年代にアマゾンの熱帯雨林で消息を絶ってマヨルナ族のもとに身を寄せたフォトジャーナリスト、ローレン・マッキンタイアの実話にもとづいている。伝統的な劇作品として上演することもできただろうが、ギャレスが指摘するとおり、大道具と映像で雨林を再現するのは難しい。「現実を矮小化したものになるのは確実だから、間違いなく舞台は失敗に終わっただろう」と彼は説明した。音響によって観客の想像力を誘導し、心の中で場面を思い描いてもらうほうがはるかにいい。しかしこの舞台では、スピーカーで雨林の音の風景を再現するだけにとどまらなかった。すべての観客にヘッドフォンをつけさせて、物語をもっと効果的に語れるようにしたのだ。

『エンカウンター』では、娘に寝る前の物語を聞かせる父親の声など、さまざまな語りが重なり合っている。一般的な劇作品では、舞台と観客とのあいだに物理的な距離があるため、親密な瞬間を生み出すのは難しいだろう。しかし舞台上に設置された特殊マイクにつながったヘッドフォンを観客全員につけてもらうことで、出演者のサイモン・マクバーニーが観客の耳にささやきかけることが可能となった。開演の直前に、マクバーニーがマイクに息を吹きかけると、観客から歓声が上がった。自分の耳にマクバーニーの温かい息がかかったように感じられたのだ。ここで、枕元で物語を読んでもらっているような一対一の親密さが再現される。音の力で観客は舞台に上がり、雨林に運ばれる。

舞台上の特殊マイクというのは、人の頭部を模して両耳の部分にマイクを組み込んだ「ダミーヘッド」と呼ばれる装置だ。ギャレスはアマゾンの雨林での録音にもこれを使った。このときの録音は「くそいまいましい蚊[21]」のせいで大変だったそうだ。「録音がだめになってしまうから、叩き殺すわけにいかなかった」のだ。胴体をもたないチャコールグレーのダミーヘッドは、音声をバイノーラルでとらえる。バイノーラル録音は、音響研究で大活躍している技術だ。

目を閉じて周囲の音に耳を傾けてほしい。通りを車が走り、別の方向からは鳥の声が聞こえ、どこか遠くからラジオの音が聞こえてくるかもしれない。音の出どころを知る聴覚的な手がかりは、外耳道を進む音波に乗って届く[22]。ダミーヘッドの両耳の部分にマイクが組み込まれているのは、そうした

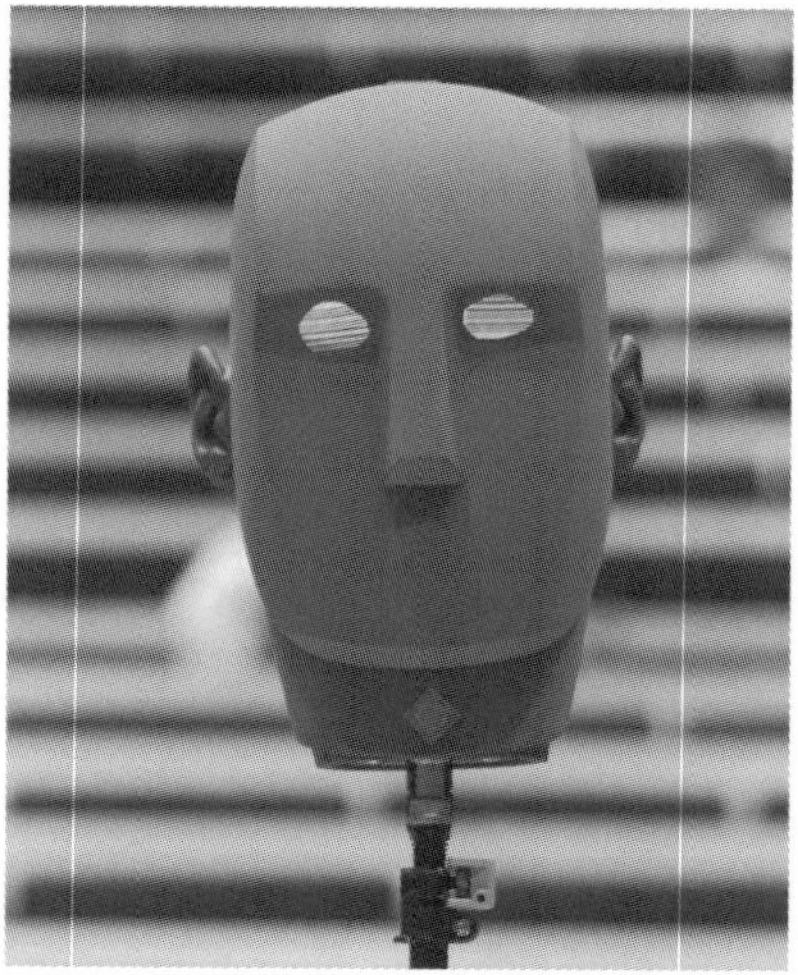

ダミーヘッド

空間に関するヒントを運ぶ音波をとらえるためである。ヘッドフォンをつけてバイノーラル録音を再生すると、両耳にダイレクトに音が届き、聞き手は音の力で、録音が行なわれた場所に連れていかれる。すぐれたバイノーラル録音を聞くと、音が頭の外から聞こえてくるように感じられる。ノーマル録音ではこうはならない。ふつうに録音された音楽をヘッドフォンで聞いてみればよい。バンドが頭の中で演奏しているように聞こえるはずだ。こうなるのは、ミュージシャンが頭の外にいると感じさせる音響的な手がかりが含まれていないからだ。この場合、脳は音の出どころを突き止めることができないので、音が頭の中で発生しているに違いないと推測する。ギャレスは『エンカウンター』で音響の演出をした際に、この性質を利用した。道に迷ったフォトジャーナリストの内的独白はノーマルステレオ方式で再生して、観客の頭の中で言葉が発せられているように感じさせる。それに対し、彼が遭遇するマヨルナ族の声はバイノーラル方式で再生し、頭の外から聞こえるように感じさせる。

バイノーラル技術は、最近まで実験室以外ではほとんど使われていなかった。しかしヘッドフォンが広く普及したため、実験室の外で使われることも増えてきた。BBCは『ドクター・フー』の一話をバイノーラル音声で放送した。インターネット上の三六〇度動画でもこの技術を使っている。VRヘッドセットで音声を再生するときにも、やはりこの方式を使う。物語の語り方が仮想現実や拡張現実に適合していくなかで、テクノロジーは俳優の声をどう変えていくのだろうか。

ロック歌手とオペラ歌手は何が違う?

録音技術が誕生するまで、広い会場で演じる俳優や歌手は、体の使い方をめぐる問題を抱えていた。劇場の後方の観客に、がっかりしてしまうようなかすかな声ではなく、ちゃんとした声を届けるにはどうしたらよいのか。多くの現代人の耳には奇異に聞こえるオペラなどの歌い方がなぜ生まれたのか、これでいくらか説明がつく。(23) 新旧の唱法による魅惑的なコントラストを示してくれるのが、クイーンのフロントマンで派手なパフォーマンスで知られるフレディ・マーキュリーとオペラのソプラノ歌手モンセラート・カバリエがデュエットした、一九八八年の〈バルセロナ〉だ。この曲は、長く壮大なイントロが終わったところからがおもしろい。ロックとクラシック音楽、派手なコード、ティンパニの連打、コンサートチャイムの音がごちゃ混ぜになって聞こえてくる。マーキュリーは表情豊かな歌声の持ち主だ。二〇世紀で屈指の歌手だと認める人も多いはずだ。その声は甘く心地よく響くこともあれば、叫び声のようにエネルギーをほとばしらせ、歌詞がとどろくように聞こえることもある。マーキュリーが膨大な観客に向けて歌いながらも多彩な感情を表現できたのは、マイクとアンプ(増幅器）のおかげだ。対照的に、ビブラートの効いたカバリェの声は常にとてもメロディアスで、まるで楽器のように聞こえる。しかしオペラの伝統にのっとって、カバリェの声ではその音色がなによりも大事であり、歌詞を明瞭に伝えることはさほど重要でない(24)。実際、カバリェが歌っている言葉がスペイン語なのかカタルーニャ語なのか英語なのか、判然としないときもある(25)。

カバリェの披露する声の妙技は確かにドラマティックだが、歌詞が不明瞭になることに加えてほかにも代償を伴っている。感情を伝えるための技巧が限られているのだ。彼女は器楽奏者のように間の取り方、ハーモニー、強弱を操ることはできる。しかしクルーニング唱法でささやくように歌うなど、歌唱法を変えられる範囲は限られている。マーキュリーにできることがカバリェにはできず、強勢やイントネーションを大きく変えて自らの個性を表出することができない。こんなわけで、訓練を受けていない耳にはオペラのソプラノはどれもそっくりに聞こえる。対照的に、一流のポピュラー歌手にはきわめて個性的な歌声の持ち主が多い。ボブ・ディランについて考えてみよう。一九六〇年代の半ばに行なったツアーでは、電子楽器を演奏するバックバンドを使ったことでファンからブーイングの嵐を浴びた。マンチェスターのフリートレードホールで開いて不評を買った公演では、拍手はまばらで、観客から「裏切り者」との叫び声が上がった。だが、正統なフォーク音楽のルーツを売り渡してしまったという批判は皮肉だ。というのは、マイクとアンプがなければ、彼はトレードマークのしわがれ声で大観衆に向かって歌うことはできなかったはずだからである(26)。

私は先ごろオペラ公演で最前列に座り、オペラ的発声のパワーをもろに体感した。朗々と響く歌声に伴奏が飲み込まれてしまわないように、ピアニストは叩くようにしてピアノを弾かざるをえなかった。グランドオペラでは、歌手はふだんオーケストラと相まみえるのだから、演じるうえで声のパワーはとても重要だ。オーケストラはときには大編成で、たとえばワーグナーの『ニーベルングの指環』は九〇人で演奏することさえある。オーケストラがピットで演奏するという方式は、楽器の音に乗せて歌手の声を聞かせる助けとなる。ワーグナーの設計したバイロイト祝祭劇場のような劇場では、オーケストラの半分ほどが舞台の張り出しの下に入る。演奏者から聴衆へダイレクトに音が伝わる経路が遮断されれば、反射する音と、ピットを囲う壁のまわりを回折する音しか聞こえなくなる。低周波の音は高周波の音より回折しやすいので、そのせいでオーケストラの音が鈍くなる。したがって、高い帯域で歌手の声と張り合う音が少なくなる。しかしこのように劇場のピットから助けを得てもなお、特殊な歌唱法が不可欠である。

オペラ歌手は、人間の耳にとって特に聞き取りやすい周波数域の音域を狙って歌う。耳介から鼓膜に至る外耳道には、外耳道内の空気が効率的に振動する共鳴周波数が存在する。この共鳴があることから、歌手が三〇〇〇ヘルツ付近の声を出せば、耳の解剖学的構造のおかげでおのずと大きく聞こえる。しかし男性と女性の歌うメロディーは周波数域が異なるので、その帯域に達するには、それぞれ別の歌い方をする必要がある。

男性のバリトン歌手が一〇〇ヘルツという低音を歌っているとしよう。これは最も効率的に共鳴する帯域よりはるかに低い。しかしこの音には、その周波数を整数倍した二〇〇ヘルツ、三〇〇ヘルツ、四〇〇ヘルツなどの倍音がある。バリトン歌手は声を増幅するために声道の共鳴を調節し、聞き手の最も聞き取りやすい周波数域の範囲内に高めの倍音の一つが入るようにする。これによって、歌い手のフォルマントと呼ばれるものが生じる。バリトン歌手は喉頭の位置を下げて、声門のすぐ上で声道を狭めることによってこれを達成する。俳優も、声を遠くまで届かせるために同じような調節をする。(27)

ソプラノ歌手はもっと高い周波数（三〇〇ヘルツから一〇〇〇ヘルツ）で歌うので、別のアプローチが必要だ。声帯の出す基音に合わせて声道を調節する。この際には口を大きく開けて、声道がメガホン状に少しずつ広がるようにする。しかし高音に向かっていくと問題が生じる。一部の母音が正確に発音できなくなるのだ。(28)カバリェの歌う言葉が聞き取りにくい理由の一つがこれだ。これに対し、ポピュラー音楽ではアンプを使うので、大観衆の前で歌っていても歌詞が聞き取れる。実際、ポピュラー音楽のバラードとは切っても切り離せない創意に富んだ歌詞は、マイクがあってはじめて可能になるのだ。

マイクとテープが歌を変える

文化とテクノロジーによる革新に動かされ、現代の歌唱は数々の変化を経て、私たちが現在耳にする多様な声を使いこなすようになった。なにより重要なのは、より自然な歌い方ができるようになったことだろう。マイクの登場により、歌手は話すように歌うことが可能になった。クルーニング唱法と呼ばれるこの新しい歌唱法は、ビング・クロスビーなどのアメリカ人アーティストが使っている印象が強いが、最初に始めたのはアフリカで生まれ育ったアル・ボウリーだと一般に考えられている。(29)ボウリーは一九二〇年代にイギリスへ渡り、歌手としての活動の多くをその地で行なったが、第二次世界大戦中に爆撃を受けて非業の死を遂げた。ブリティッシュ・パテ社のスタジオで〈メランコリー・ベイビー〉を歌う彼の古い動画を見ると、スタンドに取り付けた大きなマイクに向かって歌っているのがわかる。そのようすはまるで目の前に座って物思いに沈む恋人に話しかけ、甘い愛の歌を聞かせているかのようだ。身を乗り出し、マイクに向かってささやくようにこのうえなく心のこもった言葉を語ったかと思うと、もとの姿勢に戻って「どんな雲の上にも青空が広がっている」などとのんきな言葉をもっとふつうの歌い方で歌う。軽やかなテノールの歌声はきわめて正確にコントロールされていて、微妙な変化によって歌詞の意味を明確に伝えることができる。

クルーニングは現代の私たちの耳にはひどく古風に聞こえるが、初めて登場したときにはこんなふうに人前で男女の親密な関係をあらわにすることについて、激しい議論が巻き起こった。「ラジオをつけると必ず、このうじうじした声が流れて空気を汚し、耐えがたい曲に合わせてくだらない言葉を叫んでいる」と、一九三二年にカトリック教会ボストン大司教のオコンネル枢機卿は不満を述べ、さらに「クルーニングは歌の堕落である。真のアメリカ人ならこんな卑しいことはしない」と言った。イギリスでは、BBCで番組の管理にあたっていたセシル・グレイヴズが「このいまいましい歌い方」をラジオで流すなと指示した。[30] 評論家はクルーニングを女々しく、真の感情が伝わらないと批判したが、結局は議論に負けた。

クルーニングの名手の一人がビング・クロスビーだ。寄席芸人としてキャリアをスタートさせた彼は、マイクのもたらした新たな可能性に合わせて、積極的に歌い方を変えていった。しかし音楽の発展に対して彼が果たした最大の貢献は、その歌唱ではなく、テープ録音技術の開発に資金を提供したことだった。磁気テープの導入によって録音の音質が上がり、さらには、はさみと粘着テープだけで簡単に編集できるようになった。歌唱中にミスしても、もはやそのミスは蝋や樹脂に刻まれて消せないものではなく、取り除けるようになったのだ。

クロスビーはアメリカ国内で異なるタイムゾーンに向けて放送するために、ラジオで同じ生放送の番組を何度もやらされるのが不満だった。そんなことに時間を費やすより、ゴルフコースに行きたかったのだ。一九四六年、開局したばかりのＡＢＣラジオネットワークがクロスビーの番組『フィルコ・ラジオタイム』をレコード盤にあらかじめ録音し、このスーパースターを楽にしてやった。しかし音質が劣悪だったので、生放送でないことがリスナーにすぐさま気づかれ、聴取率が下がってしまった。解決策をもたらしたのは、敗戦直後のナチス・ドイツだった。ドイツではテープ録音が第二次世界大戦中に発明され、ラジオ放送で使われていた。実際、番組が事前に録音されたものだと連合国側が初めて気づいたのは、演奏家が寝ているはずの真夜中にオーケストラの音楽が流れていたときだった。シリンダーやレコード盤につきものの表面を引っかく音やひび割れ音がなかったことから、ドイツではもっとすぐれた機材を使っているらしいということもわかった。戦後、ドイツで「マグネトフォン」と呼ばれるオープンリール式のテープレコーダーが発見されると、すぐにアメリカへ送られた。この新しい技術に関して詳細な調査が行なわれ、模倣と改善がなされた。クロスビーは磁気テープが自分の日々を楽にしてくれる可能性に気づき、この技術の開発に出資したのだった。[31] レコード盤を使った録音では小さな音は表面雑音にかき消されてしまうが、磁気テープを番組で使い始めるとその問題がなくなったので、クロスビーはささやくような声でマイクに向かって話すことができた。リスナーは彼が生放送を再開したと思い、番組の聴取率は回復した。[32]

現実の苦しみを反映した歌で生々しい感情を表現するのに、電子機器が助けになるということに気づいた人もいた。二〇世紀前半を代表するジャズ歌手のビリー・ホリデイは、つらい子ども時代を過ごし、音楽で稼ぐようになる前には床磨きや売春婦の使い走りで生計を立てていた。死去したとき、『ニューヨーク・タイムズ』紙の訃報にはこう書かれていた。「ミス・ホリデイは希望よりも絶望から歌手になった」。[33] リンチされた黒人男女の死体がポプラの木からぶら下がっている悲惨な光景を描いた〈奇妙な果実〉を歌う彼女の声を聞くと、彼女自身の経験したトラウマをダイレクトに歌っているのが感じられる。その声は悲しみに満ち、ぽつりぽつりと語るように歌う。マイクなしで声を張り上げて歌ったなら、この歌い方はできなかったはずだ。

現代のシンガーソングライターも、聞き手に歌い手の心のうちに触れている気にさせる。音楽ジャーナリストのキティー・エンパイアの言葉を借りれば「音楽ファンは、シンガーソングライターの内なる苦悩を目の当たりにして心を震わせる。歌はアーティストの最も傷つきやすい部分に直結すると私たちは思っている。だから、声のかすれや涙のきらめきに陶然となる」[34]。シェフィールド大学のニコラ・ディッベン教授は、音楽における感情の研究をしている。エイミー・ワインハウスやアデルの録音された楽曲の醸し出す親密な雰囲気について執筆し、さらにはビョークとともに仕事もしている。録音技術の進歩、特にマイクの使用によって、「［聞き手と］スターとのあいだに、きわめて個人的で不健全とさえいえる関係」が生まれるようになったと、彼女は私に語った。映画のクローズアップが映画スターの熱狂的なファン集団を生み出したのと同様に、マイクで拾う声のクローズアップがおのずとポップスターを生み出すのだ。

ニコラはこれ以上ありえないほど思いがけないところから、研究のアイディアを見つけてくる。あるとき髪を切ってもらっていた彼女は、アデルの曲を聴いた美容師の反応に面食らった。店内に流れるBGMはふだんならほぼ聞き流されているのだが、アデルの曲が流れだすと、美容師は「ああ、この曲大好き」とか「私と同じ経験を歌ってくれるの」とか「まるで私の人生について語っているみたい」などと言った。

ニコラは音楽プロデューサーがポピュラー音楽で聞き手との距離を縮める方法を知ろうと、アデルのヒット曲〈サムワン・ライク・ユー〉(35)を調べてみた。この曲は二〇一一年にイギリスでシングルの売り上げナンバーワンを記録し、グラミー賞の最優秀ポップ・ソロ・パフォーマンス賞を獲得した。感情に強く訴えかける歌詞は自らの体験にもとづくもので、恋人との別れを受け入れようとするストーリーを語っている。伴奏はシンプルなピアノだけだが、歌の終盤に向かってしだいに力強さを増していく。しかしこの曲が心のうちを明かしているように聞こえる鍵は、アデルが実際に聞き手のそばで歌っているように感じられることだ。当然ながら、相手がすぐそばにいれば情緒的反応が強まる。この効果を実現するために、プロデューサーはマイクを歌い手に近づけ、圧縮（コンプレッション）と呼ばれる音響効果を加える。これによって歌声の最も弱い部分が強調されて、息遣いなどの小さな音まで聞こえるようになる。(36)この効果を使う場合、音楽的にはかなりの策を弄しているといえるだろう。なぜなら圧縮した歌声は、マイクなしで歌ったときとは違うからだ。楽曲がレコード化されるようになってしばらくは歌い手の声を忠実にとらえることが追求されたが、この五〇年間は、プロデューサーは歌声の質を上げようと努めている。そんなわけで、〈サムワン・ライク・ユー〉のようにあれこれ手を加えていないように聞こえる曲も、じつは現実からかけ離れた作品なのだ。しかし多くの現代のサウンドデザインと同様、この処理が有効なのも、聞き手が音に加えられただましの手口に気づかない場合だけだ。

〈サムワン・ライク・ユー〉のようなバラードでは、アデルのボーカリストとしての才能をフルに発揮できるように、声に圧縮を加える必要がある。この曲の出だしとエンディングを比べてみると、静かに物思いにふけるような出だしと思いのたけを歌い上げるエンディングとの顕著な対比がよくわかる。しかし音量については、最後の部分は出だしよりもほんの少し大きいだけだ。これは出だしに圧縮が加えられているためである。

こうして生まれる親密感は、いささかおぞましいものにもなりうる。ニコラ・ディッベンが説明してくれたところによると、ジャーヴィス・コッカーの見事なボーカルを客観的に分析すると、「じつにまぎれもなく不快」であることがわかる。一九九〇年代にロックバンド「パルプ」で活動していたコッカーがレコーディングしたブリットポップ〔ロンドンやマンチェスターを中心とした一九九〇年代のポピュラー音楽〕のアルバムは、破れた恋、のぞき見、セックスについて歌っている。〈ペンシル・スカート〉で不貞を歌うコッカーのボーカルには、誇張された唇や舌や呼吸の音がふんだんに使われている。聴覚的なクローズアップによって、聞き手は歌い手のすぐそばにいるように感じる。そしてその歌声によって、聞き手は不貞の現場をのぞき見する共犯者となる。

ジャーヴィス・コッカーとアデルはマイクのもたらす親密な距離感をうまく利用しているが、どうやら程度をわきまえない人もいるようだ。マライア・キャリーやホイットニー・ヒューストンのようなスターや、『ポップ・アイドル』などのコンテスト番組に出場する人の多くは、歌詞の言葉をむやみに飾り立てて感情を大げさに表現する「オーバーソウル」だと批判されている。ときには笑える結果に至ることもある。二〇一一年のスーパーボウルでクリスティーナ・アギレラが歌ったアメリカ国歌は、インターネットで探す価値がある。ジョン・エスコフはハフィントン・ポストのウェブサイトに「アギレラのような歌手は――すばらしい技量をもっていることは確かだが――声を止めるべきタイミングがわからないらしい。どんな歌を歌うときでも、そこに秘められている魂を抜き取ってオリンピック競技のようにしてしまう。まるで単語を一つ口にするたびに音階全体をなぞることが誠意の証だとでも言わんばかりに」。テレビのタレント発掘番組で勝ちたいという気持ちや、娯楽にあふれた世界にいる聞き手から歌への関心を失わせてはならないという思いから、こうした大げさな歌い方が用いられるようになった。こんな歌を聞くと、私は疲れてしまう。しかしそんなふうに感じる私は初期のクルーニング唱法の歌手に不満を抱いた人たちと同じようなもので、これこそ流行に取り残されたしるしなのかもしれない(37)。

エフェクトとビートボックス

テクノロジーによって声がどう変わってきたかについて考える場合、もっとゆるく技術革新と結びついた側面、すなわち模倣の影響を見過ごしてはならない。駆け出しの歌手がスポティファイのような音楽ライブラリーを利用して、膨大な数の曲を聴けるという状況も声に変化をもたらしている。録音された音楽を何度も繰り返し聞いて、ヒロインやヒーローとしてあがめる歌手の声に合わせて、自分の声に磨きをかける歌手志望者が大勢いる。

ヨーク大学のヘレナ・ダファーンはプロの歌手であり、また自身の実験室で声に関する実験をする研究者でもある。模倣について私と話していたときにヘレナは、最近の人は音響効果の加わった録音音声をまねしようとしていると指摘した。「このことが歌い方をどう変えたかわかる？」と彼女は質問のかたちをとって言った。「ビヨンセの歌まねをする子は、エフェクトをかけてくれるプロデューサーがいるわけではないから、自分でエフェクト済みの声を出そうとするの」。しかも音響効果だけではない。編集によって完成度を高めた歌唱をまねしようとするのだ。よほど猛特訓しない限り、歌い手がすべての音を正しい周波数でただちに出せることはまずありえない。音声を蝋管に刻んで録音する場合には、音程が外れたらそれは永久にそこに刻まれる。しかしデジタル技術を使えば、そんな

「ミス」など簡単に消去できる。歌手の歌を五、六回ほど録音して、あとはプロデューサーがすべての録音から一番よいパーツを切り貼りして仕上げるというやり方もめずらしくない。

また、今では外れた音程をソフトウェアで修正することもできる。写真ならデジタル写真編集によって汚れや欠陥を取り除くことができるが、「オートチューン」はその音声版と言える。このソフトは、人気や実力のほどを問わず、ポピュラー歌手に広く使われている。ロビー・ウィリアムズは新聞記者から質問されたときにこう答えた。「今どきオートチューンを使わないやつはいないね。パソコンにスペルチェック機能ってあるだろ? あんたも使うよね? なんで使うの? スペルがわからないからか?」[38]。こんなふうに言うと、オートチューンは誰もが使うべき簡単なツールのように聞こえるだろう。しかし写真の加工が身体イメージに対して有害な影響を与えているのと同様に、オートチューンも新たな期待を生み出している。完璧な音程で歌うという、かつては実現しえなかった技量への期待だ。声に対するデジタル的なボトックス注射と言ってもいい。そして歌い手はこの音をまねしている。ある音楽業界人がぼやいていたが、「オートチューンを使っていなくても、みんなオートチューンで加工したみたいに歌っている[39]」のだ。

音楽における模倣は、加工された人間の歌声のまねにとどまらない。広く普及しているある歌唱法は、なんと機械を模倣することから生まれたものだ。ビートボックスという歌唱法は、ドラムマシンのドンドン、カッカッ、ツッツッという音をまねすることから始まった。アーティストが自分の声でドラムやシンバルの音を驚くほどリアルに再現するパフォーマンスは、人を魅了する。歌声やほかの楽器を加える場合もある。ヒップホップから始まったビートボックスが、今ではメジャーな文化に浸透している。声のスポーツとして超絶技を披露しているだけの人もいるが、ＳＫ・シュロモやベラトリクスといった一流のビートボクサーは、真の音楽性をビートボックスで表現している。

ビートボックスに関する研究論文を調べていた私は、見覚えのある名前に出くわして驚いた。ダン・ストーウェルがコンピューターに鳥の鳴き声を学習させるエキスパートだということは知っていた。しかし、彼がビートボックスの研究で博士号を取ったとは知らなかった。ロンドン大学クイーン・メアリー校にダンを訪ねていくと、彼は自らビートボックスを実演してくれた。一〇代のころ、彼は実験的な音楽に夢中で、ビートボックスなら変わった音色やサウンドテクスチャーができると考えていた。この一〇年ほどでビートボックスが広まったのは、詳しい説明動画がインターネットでたくさん出回るようになったからだとダンは教えてくれた。一九九〇年代に彼が習得したときには、録音された音源をまねするしかなく、人の声でどうやってその効果を生み出しているのか突き止めるのにてこずることもあったという。

ビートボックスでは、ふつうに英語を話すときには使わない発声法を用いる。実際、ビートボックスで出す音は、アフリカのコイサン語族の言語に特徴的な舌打ち音など、非西洋言語で使われているものが多い。ダンはまず、スネアドラムの音の出し方を教えてくれた。彼は唇を左右に引いた状態で歯のあいだから空気を吸い込んで、くしゃみを我慢するような音を出した。驚いたことに、彼は息を吸いながらこの音を出す。息を飲むときやあえぐときの音を除いて、息を吸いながら出せる音など私には思いつかない。だが、しじゅうそれをやっている言語もある。たとえばアイスランド人は、しばしば肺に息を吸い込みながら「ヤー」（はい）と言う。

ビートボックスのスネアドラムの音は破裂音だ。ふつうに話すときに「p」などの破裂音を出す場合には、まず唇を閉じて肺から出てくる空気の圧力を高める。唇が開くと空気が一気に解放されて圧力のエネルギーが生じ、これによって音が出る。ダンがスネアドラムの音を出すときには、これと似たことを逆の順番でする。舌で口を閉鎖し、横隔膜を下げて肺内部の圧力を下げる。口の奥と横に舌を引きつけると、横の狭い隙間から空気が急激に流れ込んで音が出る。空気を吸い込みながら音を出せるのはとても便利だ。これができなければ、音を止めて息継ぎをする必要がある。そんなことをしたら、ドラムマシンの物まねが台無しだ(40)。

ビートボクサーは脳が音を認識する仕組みを利用して、複数の楽器が同時に演奏されているように感じさせる。音楽の用語ではこれを「ポリフォニー」(多声音楽)と呼ぶ。これは何世紀も前から使われてきた音楽の技巧で、その例としてバッハの無伴奏バイオリン曲がよく引き合いに出される。この種の曲では、奏者が高音と低音のあいだをせわしなく行き来することがある。うまくやれば、音が交互に鳴っていることを聞き手に気づかせず、低音と高音の二つのメロディーが別個に演奏されているように聞こえる。ビートボクサーも同じようなことをする。異なるドラムの音のあいだを行き来するので、脳にはそれが複数のリズムラインのように聞こえるのだ。ドラムとボーカルを同時に演じるときは、なによりも聞きごたえがある。よく知られているのがアメリカ人ビートボクサーのラゼールで、彼の十八番《おはこ》は〈イフ・ユア・マザー・オンリー・ニュー〉だ。彼はパフォーマンスを始める前に、これから五つのことを同時にやると観客に告げる。「もちろんビート。それからコーラス、ベース、メインボーカル、バックボーカルだ(41)」

ビートボックスは、耳に入ってきた音の断片を脳が受け取ってつなぎ合わせる仕組みを利用する。次の上の図を見てほしい。線1は破線になっているが、線2はどうだろう。実線なのか、それとも破線なのか。線1と線2はまったく同じなのに、線2は実線のように見える。脳は、線2が実線であり、模様入りの長方形でところどころ隠されているのだと考える。脳はさまざまな要素を見て、最も単純な説明を見つけようとするのだ。音でも同じことが起きる。トラックがバックするときの耳障りな警報音のように、断続的な信号音が聞こえているとしよう。ここで信号音の無音部分に甲高いシュッという短い音を加える。すると、この音が模様入りの長方形と同じ働きをして、それまで断続的に聞こえていた信号音がにわかに一続きの音のように感じられる。実際には連続した音は存在しないのに、脳がそのような音を想像して生み出すのだ。断続的な音をつなぎ合わせてもっとまとまりのある音にしたがる脳の働きは、じつはきわめて重要なスキルである。そうすることで、聞こえてくる声が雑音のせいでとぎれとぎれになってしまう場合に、言葉の断片をつなげてひとまとまりの話にすることができるのだ。

馬のギャロップのようなリズムも、聴覚の仕組みを実証し、ビートボックスのポリフォニーを説明するのに役立つ。左下の図に示したような単純なパターンを思い描いてほしい。ある音を繰り返し演奏していて、高い周波数の音にジャンプしてからもとの音に戻るとする。上側の図では、低音から高音へのジャンプの幅は小さく、聞こえるのはギャロップする馬のリズムをもった軽快なメロディーである。しかし下側の図のように低音と高音の差が広ければ、二種類の信号音が断続的に聞こえるだけとなる。一方は高く、他方は低く、互いに無関係なものと感じられる。聴覚の研究者たちによれば、上図の二つの音は一つの音源から生じているかのごとく融合しているのに対し、差がそれより大きい下図では低音と高音という二つの「音の流れ」が生じるのだ。

ビートボクサーは、ドラムセットのさまざまなパーツの出す音をまねするとき、それらが別々の音の流れから生じていると聞き手の脳に信じさせなくてはならない。それぞれの流れを乱すことなく、

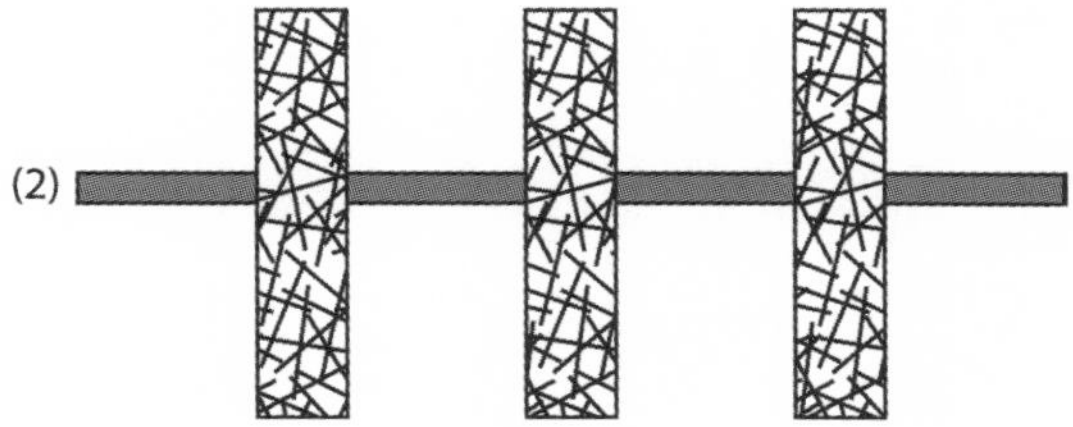

連続性の錯覚

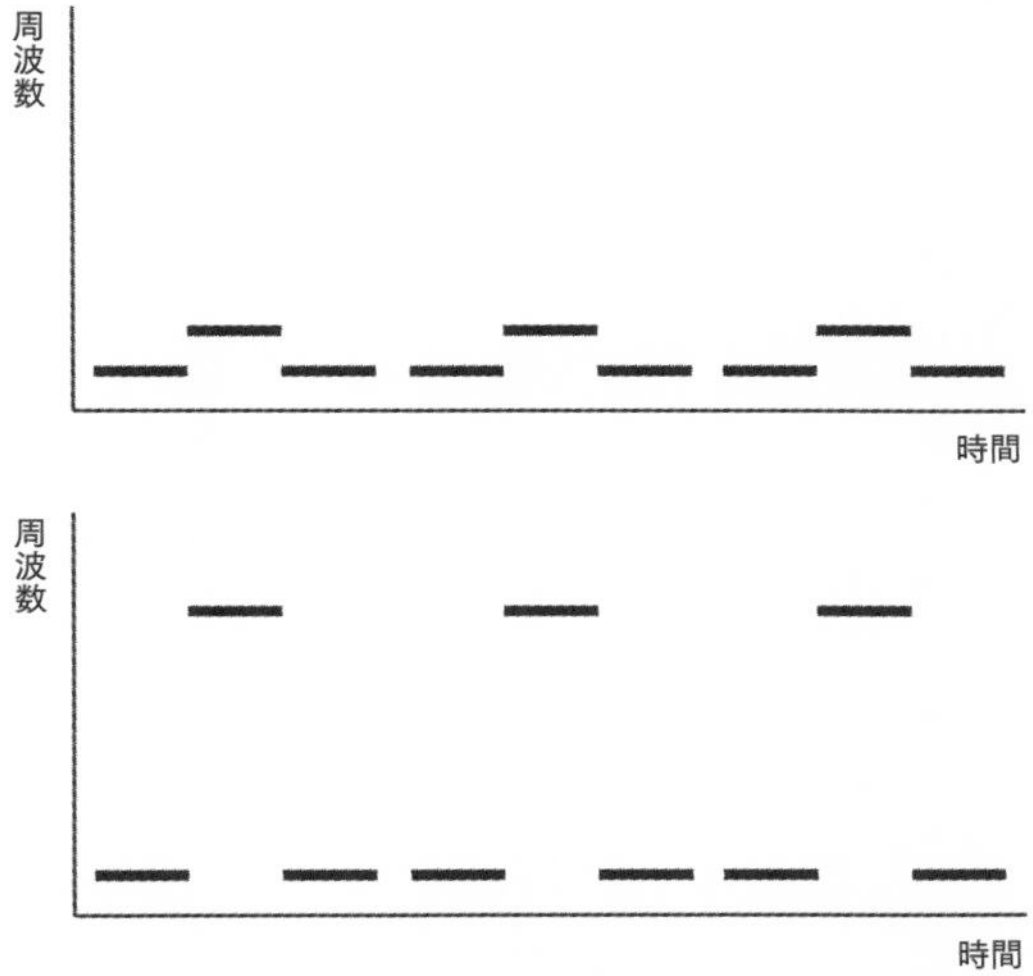

ギャロップのリズムのデモンストレーション

さまざまな音のあいだをすばやく行き来できることが必要だ。先ほどの例で見たとおり、音の高低差や音色の違いがここで助けとなる。ドラムのシンコペーションのリズムからは、バスドラムが常にオフビートを刻んでいるといった聞き手の予想が生じるので、この錯覚を維持するのに役立つ。うまくやれば、聞き手の脳はキックドラムとスネアドラムとシンバルをそれぞれ別の音の流れとしてとらえるので、ビートボクサーがたくさんの楽器を演奏しているという錯覚が生じる。しかしダンが教えてくれたように、やり方がまずいと単に「一人の人間がおかしな騒音を発している」としか思われず、流れが破綻してしまう。

単純な音の特徴は、脳が音の流れを作り出す助けとなる。たとえば、ノリのいいビートボクサーがミュート装置をつけたトランペットの音を演じているとしよう。その音には基音の整数倍の周波数をもついくつかの倍音が含まれている。これらの倍音は異なるニューロンによって内耳から脳へ伝えられる。というのは、倍音はそれぞれ周波数が異なるので、内耳の基底膜で分解されるからだ。しかし脳はこれらの異なる倍音をすべて同じ音源から生じるものととらえ、別々の複数の音とはとらえない。このようなとらえ方ができるのは、倍音がすべて同時に鳴り始めて同時に鳴り止むのを脳が感知するからだ。神経科学者は、これをボトムアップの前注意処理と呼ぶ。しかし音の流れはトップダウンの認知作用にも影響される。この場合、脳は記憶と予測にもとづいて、起きていることを把握しようとする。ラゼールは〈イフ・ユア・マザー・オンリー・ニュー〉のパフォーマンスでこの性質を利用する。ドラムとボーカルを同時に演じるという超絶技に本格的に突入する前に、しばらく歌詞だけを歌う。これによって聞き手は歌詞とメロディーになじむ。それからラゼールがドラムの音を加えると、いい加減な言葉を発しても聞き手のほうで都合よく解釈してくれる。ドラムのビートとタイミングがぴったり重なって、言葉が不明瞭になるときもある。この場合、ラゼールは音を混ぜ合わせて、聞き手の脳にそれを二つの異なる音の流れに由来する二つの別の音と認識させせようとする。

ダンはラゼールの曲を歌いながらスネアドラムとキックドラムの音を加えて、これを実証してみせた。歌詞を歌っていなければ、キックドラムの打音は肺から空気を断続的に押し出して、閉じた声門にぶつけるというやり方で出せるかもしれない。その場合、音は喉の横で起きる振動から生じる。[42] しかし歌いだしの「if」がキックドラムと重なるところで、ダンは歌詞とキックドラムを混ぜ合わせた音を出した。この部分だけを取り出せば「bif」のように聞こえるが、聞き手があらかじめ曲の歌詞とリズムを知っていると、歌詞がおかしいことに気づかず、キックドラムのビートも途切れることがない。[43]

声を変えるテクノロジー——ボコーダーとオートチューン

ビートボックスの技で、人間の声がドラムの音と混ざり合うのを見てきた。しかしテクノロジーのおかげで、ほかにもたとえば声と楽音を混ぜ合わせることも可能となっている。一九四〇年代、キャピトル・レコードは言葉を話す機関車の登場する子ども向けの物語のレコードを作った。こう聞くといかにも楽しげに思われるが、ストーリーの大半は非常に陰鬱だ。『スパーキーとお話し列車』は機関車を愛してやまない少年を描く。あるとき彼が母親に、汽笛を使って機関車が話すのが聞こえたと告げると、あきれたような言葉が返ってくる。「それはおかしいわ、スパーキー。機関車が話すなんてありえないもの」。ただの思い込みだと認めようとしないスパーキーに、母親は追い討ちをかける。「いい加減にしなさい。パパが帰ってきたら話してごらんなさい。きっとわかるように説明してくれるから」[44]。スパーキーは機関車が話したと言って譲らず、家族や友だちから相手にされなくなってしまう。しかしさすがに子ども向けの物語だけあって、最後はハッピーエンドに至る。車輪がゆるんでいると機関車から聞かされたスパーキーが事故を防ぎ、ヒーローになるのだ。

この物語の録音で、機関車がしゃべる汽笛のようなゼーゼーした声には、ソノボックスというエフェクト装置が使われている。声優は自分の喉にスピーカーを押し当ててセリフを言う。汽笛の音をスピーカーから流すと、その音が声優の喉を振動させ、声道の中へ入っていく。この振動が、声優の声帯の発する通常の喉頭原音の代わりとなり、汽笛のような声が出る[45]。同様の方法が、病気で声帯を失った人にも利用できる。人工喉頭を喉に設置して、ソノボックスのスピーカーと同様の役割を果たさせるのだ。この場合、装置から喉頭原音に代わる音が出る。漫画のキャラクターの声を作るのではなく、話すための代用音声として使うのである。

二〇世紀が過ぎていくにつれて、変な声やロボットボイスを作り出せるもっと複雑な装置が続々と開発された。なかでも最も注目すべき成果は「ボコーダー」という、もともとは電話回線の音声を暗号化する目的で開発された装置である。ボコーダーの仕組みは多くの点でソノボックスと似ているが、声帯から生じる音波の代わりにシンセサイザーの音を使う。ドイツのテクノポップバンド、クラフトワークは一九七四年のアルバム《アウトバーン》を制作した際に、音楽で初めてボコーダーを使用した。アルバムのタイトルトラックは、自動車が発進して走り去りながらクラクションを鳴らす音で始まる。それからボコーダーの生み出す電子音が、「アウトバーン」という言葉をゆっくり繰り返す[46]。ロボットのような声がしだいに大きくなり、主音になり、やがてさらに音が加わって和音になる。このように電子機器を使って声から人間らしさを除く手法は、このバンドのもつ超然とした美意識と完

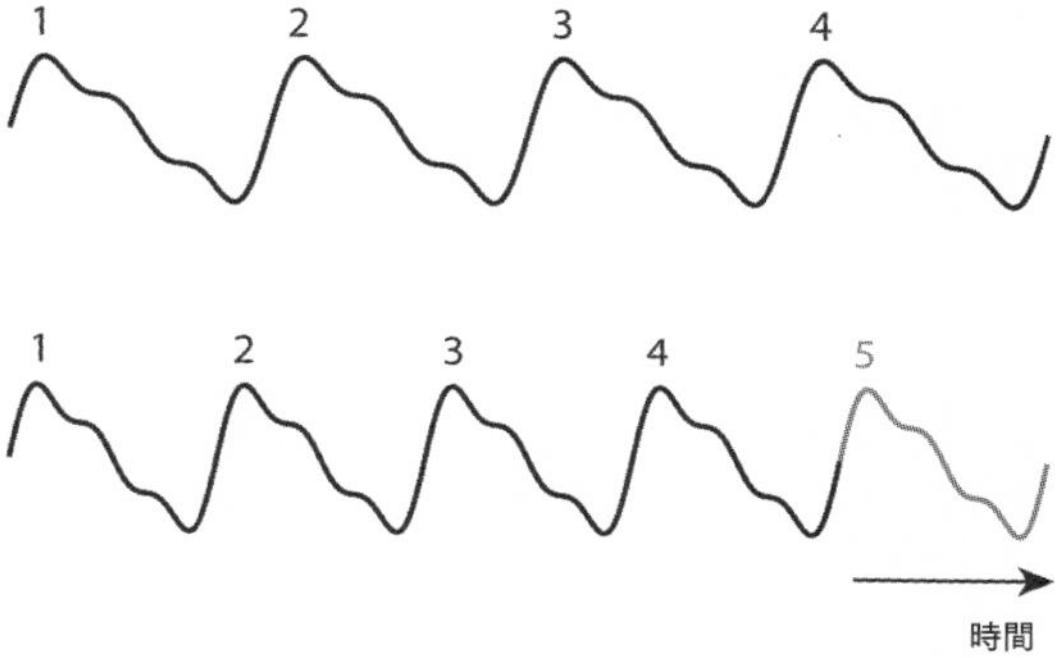

オートチューンで音を高くする

全に合っていた（ボコーダーについては次章でさらに触れる）。

コンピューターが録音スタジオに普及すると、音楽はデジタル加工されるようになり、そのおかげで声を操る自由度がさらに増した。声を再構成した例として最もよく知られ、最も多大な影響をおよぼしたのは、一九九九年にグラミー賞を受賞したシェールのヒット曲〈ビリーヴ〉だと言って間違いないだろう。オートチューンでシェールの歌声は「限界まで加工」され、短い震音が生じている。オートチューンは自己相関と呼ばれる数学的操作を用い、歌声の周波数を絶えず推定する。音階に含まれる音に合致しない周波数を検出すると、音を処理して音の高さを補正する。たとえば、図の上側の周波数の音が低すぎるとしよう。その場合には下側のように、音波の四サイクルを押し縮めて、最後にもう一サイクルを加える。こうすると、音がもっとすばやく変化するようになる。つまり周波数が上がり、音の高さが補正されるのだ[47]。少しずつゆるやかに補正すれば、オートチューンを使っていることは気づかれにくく、たいていは聞いてもまったくわからない。一方、即座に補正するようにソフトウェアをプログラムすると、シェールの〈ビリーヴ〉で聞こえるような震音が生じる。実際に聞こえているのは、ソフトウェアがあまりに頻繁に音の高さを補正し、異なる音のあいだをジャンプしている音だ。〈ビリーヴ〉は、アーティストが本来の目的とは違ったかたちでテクノロジーを用い、創造性に満ちた予想外の効果を生み出したすばらしい一例である。

ポピュラー音楽は曲の魅力を高めるのにキャッチーな短い一節を作ろうとする。そのような一節は曲の「フック」と呼ばれる。シェールの〈ビリーヴ〉が示しているように、フックになるのはメロディーと歌詞だけではない。ひずませた声自体がきわめて有効なフックとなるのだ。心の中で生み出される音の流れを利用して、震音は声をバックの音楽から区別し、際立たせる。

オートチューンを使った遊びから、すばらしく愉快なパロディーが生まれた例もある。イギリスの元副首相のニック・クレッグが大学の授業料の値上げを詫びたスピーチを加工したものは、とても広く知られている。iＴｕｎｅｓのダウンロードでトップ四〇入りさえ果たした。(48) 声帯を振動させて発せられる音（母音など）には、もとから音の高さが備わっているが、オートチューンを使えば、話し声の周波数を上げ下げしてメロディーに合わせることができる。ただし「ｓ」音のように明確な周波数をもたない音を加工することはできないので、クレッグのパロディーソングはロボットのような話し声と歌声のあいだを行き来する。

ロボット的な響きがかすかに混ざった声は、現代のポピュラー音楽のボーカルでよく使われている。この声は売り上げに貢献するが、その声を好まない人もいる。『テレグラフ』紙の音楽評論家、ニール・マコーミックは、オートチューンが「音楽では、たいていひどい使われ方をしている。その使い方たるや、ぞっとするね」と言った。彼はレディー・ガガと出会ったときのことをこう語った。「初めて取材に行ったとき、彼女はインタビューの最中に何度となくいきなり歌いだした。へえ、じつはすごくうまいんだ、ってびっくりしたよ。それなのに録音された〈ジャスト・ダンス〉は、まるでロボットが歌っているみたいだ」。マコーミックはレディー・ガガに、もともとそんなに歌がうまいのに、なぜオートチューンで加工した声を使うのかと質問した。「ファンがそういうのを聞きたがっているから、というような返事だったよ」

しかしこのように電子機器を駆使して現代のポピュラー歌手の声を加工することは、オペラ歌手が劇場全体に響かせるのに十分な音量を出すために歌い方を変えたのとそんなに違うのだろうか。〈バルセロナ〉の曲で見たとおり、オペラ歌手は歌詞の正確な発音を犠牲にして、メロディーラインに全力を注ぐ。そのせいで、クラシックの歌唱法で歌うように学生を訓練すると、個性の薄い歌手が育つ。同様に、現代のポピュラー歌手の声に加えられるデジタル加工は歌手の声から人間らしさを奪い、もっと特徴のない、楽器に近い響きにする可能性がある。オペラ歌手はオーケストラから声を際立たせるために、揺れ幅の大きなビブラートを使って周波数を調節する。同じように、ポピュラー音楽のプロデューサーは、歌手の歌声をバックの音楽から際立たせるために、声を加工してロボットのような震音を加える。こうした音楽の加工処理はうまくいっているとはいえ、人間が何世紀も前からやってきたことの延長にすぎない(49)。

テクノロジーは音楽プロデューサーの指先一つでこうした効果をもたらし、素の声でできることを超越した楽曲を生み出すことができる。どんなアートにも起こることだが、ツールが普及すると、それを使って生み出される作品の芸術的価値は千差万別となる。音響加工テクノロジーを用いた作品の美的なクオリティーがどんなものであろうと、そうした加工によって人の声そのものが変わっていく。なぜならスタジオで制作された音を、たとえそれがロボットのように聞こえる声であっても、みんながまねしようと一生懸命になるからだ。だが、それは悪いことなのか。人間の歌声は数千年かけて進化してきており、私たちはテクノロジーによってその流れが加速するのを見ているだけなのではないだろうか。

しかし、人間の歌手や話し手を完全に排除して、合成音声を使うとなったらどうだろう。ロボットの公演を見るために、観客は劇場へ足を運び続けるだろうか。

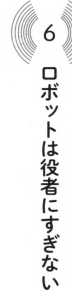

6 ロボットは役者にすぎない

録音音声を再生する、エジソンによる初期の公開実験は大きな興奮を生み出したが、スズ箔を針が引っかく音のせいで声がかき消されてしまうこともあった。再生された音声はひずみ、『ニューヨーク・タイムズ』紙は「蓄音機の放つ奇妙な甲高い音は、人形劇『パンチとジュディ』に登場するパンチの耳障りな声を思わせる」(1)と評した。電気技師のサー・ウィリアム・ヘンリー・プリースは、アデリーナ・パッティのようなオペラスターやウィリアム・グラッドストンのような偉大なる演説家のこのうえもなく澄みわたった声を蓄音機に使うのはよくないと考えていた。(2)プリースにとって、再生された音は「大なり小なり……人間の声をネタにした笑劇かパロディー」(3)だったのだ。現代に置き換えるなら、コンピューターで生成した声がシェイクスピア劇で役を演じたら同じように評されるのではないだろうか。脚本を現代の音声合成装置に入力すれば、聞いて理解できる程度の言葉は出てくるかもしれない。しかしそのおかしなイントネーションは、役者の演技の下手な物まねのように感じられるのではないだろうか。

　ここで読者の頭に、スティーヴン・ホーキング〔筋萎縮性側索硬化症のため、音声合成装置を使って会話をしていた。二〇一八年に死去したが、本書が執筆されていたときは存命だった〕がハムレットを演じるところが浮かんでいても不思議ではない。しかしじつを言うと、ホーキングはかなり旧式の装置を使っている。当然ながら、彼は自分の声を「アップグレード」しようとはしない。声は彼のアイデンティティーの中核的な要素だからだ。しかし、最先端の音声合成装置は彼の使っているものよりはるかに自然で、ｉＰｈｏｎｅアシスタントのＳｉｒｉ《シリ》のような声が多くの人にとって日常の一部となっている。私が本章の執筆に着手したころ、音声合成を取り巻くコミュニティーは、ディープマインド社から発表されるという最新のテクノロジーをめぐって色めき立っていた。同社は二〇一六年にＡＩソフトウェア「アルファ碁」がプロ棋士に圧勝したとき、メディアで大々的に取り上げられた。研究者たちはディープマインドが開発した見事な合成音声を試し、模倣しようと躍起になっていた。

　ロボットの話す言葉が人間と区別できないレベルへと近づいていくなかで、声を使う職業の人は不安を抱くべきだろうか。私が出演しているＢＢＣラジオのドキュメンタリー番組でも、まもなく私の出番はなくなるのか。なにしろついこのあいだ、ＢＢＣは一部のニュースをロシア語や日本語に翻訳して合成音声で放送するサービスを開始したばかりなのだ。[4] これは外国語のサービスを増やすことが目的であり、人間のニュースキャスターを失業に追い込む意図はない——まあ、今のところは。

　究極の声のプロである俳優についてはどうだろう。すでに俳優ロボットを試した劇団もある。しかしテクノロジーを排斥するラッダイト運動に走る必要はない。ロボットはそれまで人間の俳優が演じていた役をやっているのではなく、ロボットの役を演じているだけだ。たとえばオペラ『マイ・スクエア・レディ』では、ミュージカル『マイ・フェア・レディ』のイライザ・ドゥーリトルに相当する役を「マイヨン」というロボットが演じる。イライザは社会的な立場を変えるために発音のレッスンを受けるが、マイヨンはもっと人間らしくなれるように感情の感じ方と表し方を教わる。ＡＩが高度化し、コンピューターの生み出す話し声の質が向上していけばいずれ、シェイクスピアの『お気に召すまま』の公演で「この世はみな舞台。ロボットはみな役者にすぎぬ」と書き替えられたセリフが飛び出したりするのだろうか。

　言葉を話す機械は、劇場にルーツがある。最初の音声合成装置は、一八世紀末にハンガリーのヴォルフガング・フォン・ケンペレンが製作した機械装置だった。彼はじつに幅広い分野に通じ、政治家、芸術家、発明家であり、さらに興行師としても知られていた[5]。彼の最も有名な見世物は、チェスを指す自動人形《オートマタ》だった。この装置は大きなキャビネットにチェス盤を載せたもので、内部には精巧なからくり装置が収められていて、チェスの駒を動かすときにはカチリとかブーンという音を立てた。トルコ風の長衣とターバンをつけた髭面の人形がチェス盤を見下ろして立ち、腕を動かしては駒をつまみ上げて移動させる。この見世物に、世界中の観客が胸を躍らせた。パリでは一七八三年にこの装置がアメリカ大使のベンジャミン・フランクリンと対局した[6]。だが、まさに興行師の面目躍如で、ケンペレンは巧妙な仕掛けを作って観客をだましていた。小柄なチェスプレイヤーがキャビネット内の秘密の小部屋に隠れて駒を動かしていたというのが真相だ。

　対照的に、ケンペレンの作った「話す機械」は、声の働きを実験によって調べたいという考えから生まれた真剣な科学的探究の成果だった。彼は発声器官のさまざまな部位を模した装置を作り、人間

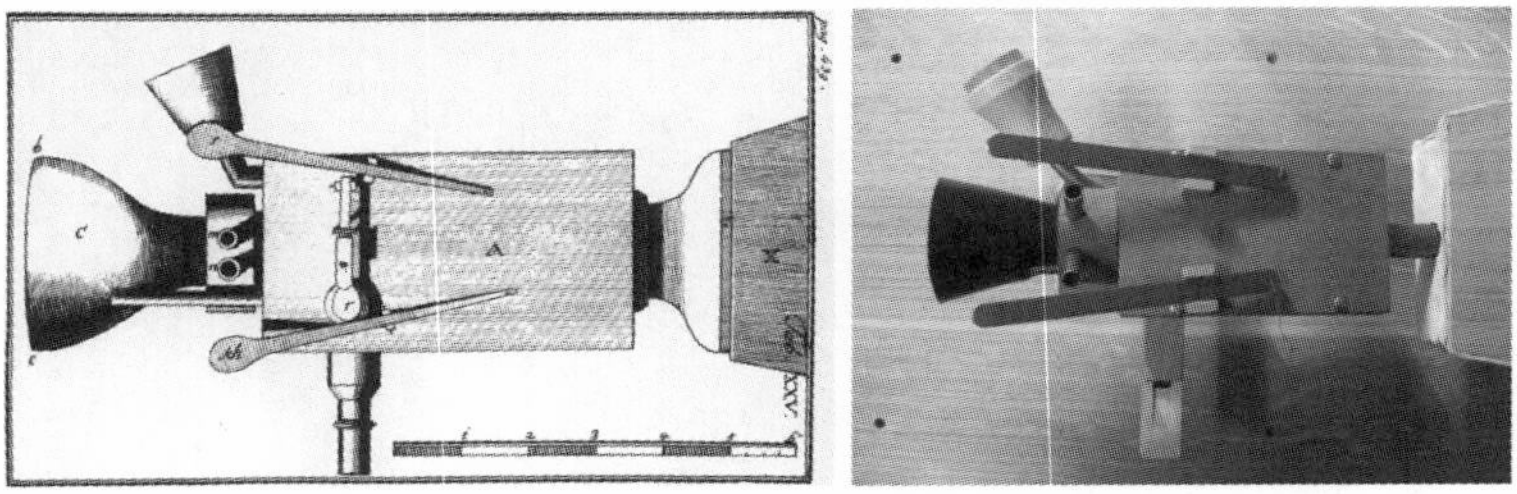

ケンペレンの装置を描いた初期の図およびブラックハーネとトルーヴァンによるレプリカ。ふいごは写真からはみ出ているが右側にある。

が話す仕組みについてもっとよく知ろうとした。私の出演したBBCのドキュメンタリーでは、ケンペレンの装置のレプリカを使用し、ロンドン大学ロイヤル・ホロウェイ校のデイヴィッド・ハワード教授に操作してもらった。ケンペレンと同様、デイヴィッドも多才な人物で、電気技師、指揮者、オルガン奏者であり、さらには彼にもいくらか興行師的なところがある。デイヴィッドのレプリカ装置には、肺のように機能するふいごが搭載されている。ふいごから空気が送り出され、声帯と似た動きをするリードを通る。これが開閉して空気の流れを分断することによって、喉頭原音に相当する音を発生させる。声道の作用を再現するために、正面から革製の管が突き出ていて、デイヴィッドがこれを操作してさまざまな音を出す。右腕でふいごを操作して空気を押し出し、革製の管を左手ですばやく二回握りしめると、装置は「ママ」という言葉を発する。もっとも私の耳には、子どもが母親を呼んでいるというよりは、牛が哀れっぽく鳴いているように聞こえたが。それでも、ドイツのザールラント大学のファビアン・ブラックハーネとユルゲン・トルーヴァンがケンペレンの装置のレプリカを使って聞き取り試験をしたところ、被験者一〇人のうち四人が「ママ」という言葉を発したのが機械ではなく子どもだと思った[(7)*]。

　この機械には、革製の管のそばから口髭のように突き出た一対の真鍮製の鼻孔も備わっていて、これを閉鎖すると「ママ」という言葉が「パパ」に変わる。複数のレバーやボタンを使って、ほかの音も出せる。ある弁はリードを迂回して空気を細い管状の笛に送り込むことにより、甲高い「s」音を出す。人間の場合、舌と口蓋のあいだの隙間を狭めて勢いよく空気を通すと出る音である。あらゆる楽器と同じで、広い音域を出せるようになるには練習が必要だ。チェス対局装置を使ったいたずらから明らかなとおり、ケンペレンは観客を手玉に取る方法を知っていた。批判をやわらげられると考えて幼い子どもの声が出るように高音のリードを使うなど、自分の使った手口の一部を記録さえした。話す装置の実演中、観客は言ってほしい言葉をリクエストすることができた。ある観客はこう記している。

装置はこれ以上ないほどの正確さですべての言葉を発音した……。声音は三歳児のようだ。リクエストされた言葉を一回目には正しく発音できず、実演者が何度か試みる必要に迫られることもあった。彼は、バイオリンの製作者が必ずしも名演奏家であるとは限らないと釈明した。(8)

ケンペレンも言葉を大声で言ってから装置に反復させることにしていた。前もって教えておけば、機械が正しく発音できなくても、聞き手の脳が半ば無意識的に間違いを修正して見逃してくれると考えたのである。しかしこの驚くべき装置の人気はその後ずっとぱっとしなかった。出せる子音が限ら

*この装置の音を実際に聞きたければ、インターネット上に動画がいくつかある。巻末の註にお勧めのURLを記載している。本章で紹介するほかの装置の多くについても同様。

れていたからだ。

一九世紀になると、さらに複雑な話す装置が製作された。最も有名なのはジョゼフ・フェイバーの「ユーフォニア」で、これは一八四六年にP・T・バーナムの巡業サーカスに加わった。写真を見ると、はたおり機にふいごと人形の頭部をつけたような装置だ。ネジでリードの振動を調節し、それによって声の高さを変えることができる。ケンペレンの装置は平板な話し方しかしなかったが、ユーフォニアはイントネーションを変えることができ、さらには〈女王陛下万歳〉を歌うこともできた。

三〇年後にエジソンが蓄音機を発明したときと同じく、このときもユーフォニアのもたらす可能性についての皮肉な予想が新聞に書き立てられた。ある記事は、退屈な牧師や弁護士、さらには王室の人間など、話のつまらない人間の代わりになってもらうのはどうかと提案した。『パンチ』誌は、イギリス下院議長の代わりを務めてもらえるのではないかとさえ書いた。「議長の象徴である職杖を装置の前に置こうではないか。議員のためには大きな嗅ぎタバコ入れを横に置いておけばいい。……そして一〇分ごとに、この単純な装置に『静粛に、静粛に』と叫ばせるのだ[9]」

この発明品に多くの者が夢中になったが、のちに劇場支配人となるジョン・ホリングスヘッドはきわめて悲観的な記事を書き、フェイバー教授を「陰気な顔の男」と呼び、話す装置を「彼の科学が生んだフランケンシュタインの怪物」と呼んだ。彼によると、フェイバーは最後にはこの装置を破壊して自殺したという[10]。

話す電子装置、ボーダー

幸い、最初の「話す電子装置」への反応は、これより好意的だった。「ボーダー」(voice operating

demonstrator〔音声操作実演装置〕の略語）は一九三九年にニューヨークで開かれた万国博覧会に出品され、大変な人気を集めた。推定五〇〇万人が電子音声を楽しみ、ある高齢の客は「聖書で描かれるような奇跡は本当に起きるんだね。なにしろ私たちはこの会場で現代の奇跡を目撃しているんだから。人間の心を通じて伝えられる神の奇跡がまさにここで起きている」[11]と語った。

ボーダーを発明したのは、ベル研究所のホーマー・ダドリーだった。亡くなったときの訃報では、同僚から「『昔かたぎ』の立派な発明家」と称えられていたが、極端な早口のせいで、何を言っているのかわからないこともあったという。「まるで電報みたいな話し方だった」[12]。いみじくも、ダドリーが音声の伝達方法の改善に取り組むことになったのは、高周波数の音声がケーブルの伝送可能域を超えていたせいで、電信速度が遅かったからだった。この仕事がボーダーの開発につながった。

問題の高周波を発生させるのは声帯で生じる喉頭原音なのだが、ダドリーはこの音と、口腔、舌、喉がもっとゆっくりした動きで言葉を調音する際に生じる音とを分離できることに気づいた。話し手は一般に毎秒四音節を発するので、このゆっくりとした調音を伝える信号はケーブルで容易に伝送できる[13]。声帯が発する音はケーブルでは対処しきれないが、受け手側はその音の周波数だけを送ってもらえば、ケーブルの反対側の端で信号生成器を使ってもとの音を復元することができる。音の発生源と声道での調音を切り離すという発想が、ボーダーの中核をなしている。

万国博覧会でボーダーを操作するオペレーター嬢の写真を見ると、私の頭には法廷の速記者が浮かぶ[14]。まず、リストバーを使って、声帯の発する喉頭原音を模した有声音を出すか、あるいは「sh」音のような無声音を出すかを選ぶ。これは電子装置なので、音は回路を通る信号として始まる。そして、フットペダルを使って有声音の高さを変えることにより、おおまかなイントネーションが表現できる。

それから音を一連の電子フィルターに通し、声道と同様の作用によって整える。最後に、電子信号を増幅器とスピーカーで処理し、空気中を進む音波に変える。

ボーダーの操作を習得するには一年かかった。オペレーターのヘレン・ハーパーは「concentration」（集中）という単語を発音させるのにどれほど手間がかかるかについて、こう説明した。「一三個の異なる音を次々に出さなくてはなりません。ボーダーにどんなふうに言葉を言わせたいかによって、リストバーを上下に五回動かし、フットペダルの位置を三回から五回ほど変えます。もちろん、すべてをぴったり正確なタイミングでこなさなくてはなりません」。「l」の音をマスターするのはとりわけ難しかった。一九三九年の『タイム』誌の記事には、装置が自らの発明された研究所の名前を言うのに苦労したと書かれている。「ベル・テレフォン」と言うべきところが「『ベーウー・テーウェーフォン』のように聞こえた」らしい。[15] ケンペレンと同じように、進行役は装置にこれから言わせる言葉をまずは自分で言って、観客を慣らしておいた。発音が違っていても観客の脳に修正してもらうためだ。

ボーダーの発する言葉は理解可能ではあったが、まるで教会のオルガンが話しているようだった。制御装置の調整が少しずれたりすると、ちょっと酔っぱらったような不明瞭なイントネーションが生じることもあった。それでもなお、あの有名なスティーヴン・ホーキングの声よりは自然に響いた。熟練したオペレーターがコンサートピアニストのごとく制御装置をすばやく調節し、音を修正していたからだ。

デジタル電子機器が普及すると、装置を操る人間は不要となり、合成音声はもっと自律的になった。一般ユーザー向けの最初の装置は、一九七八年にテキサス・インスツルメンツ社が玩具として発売し

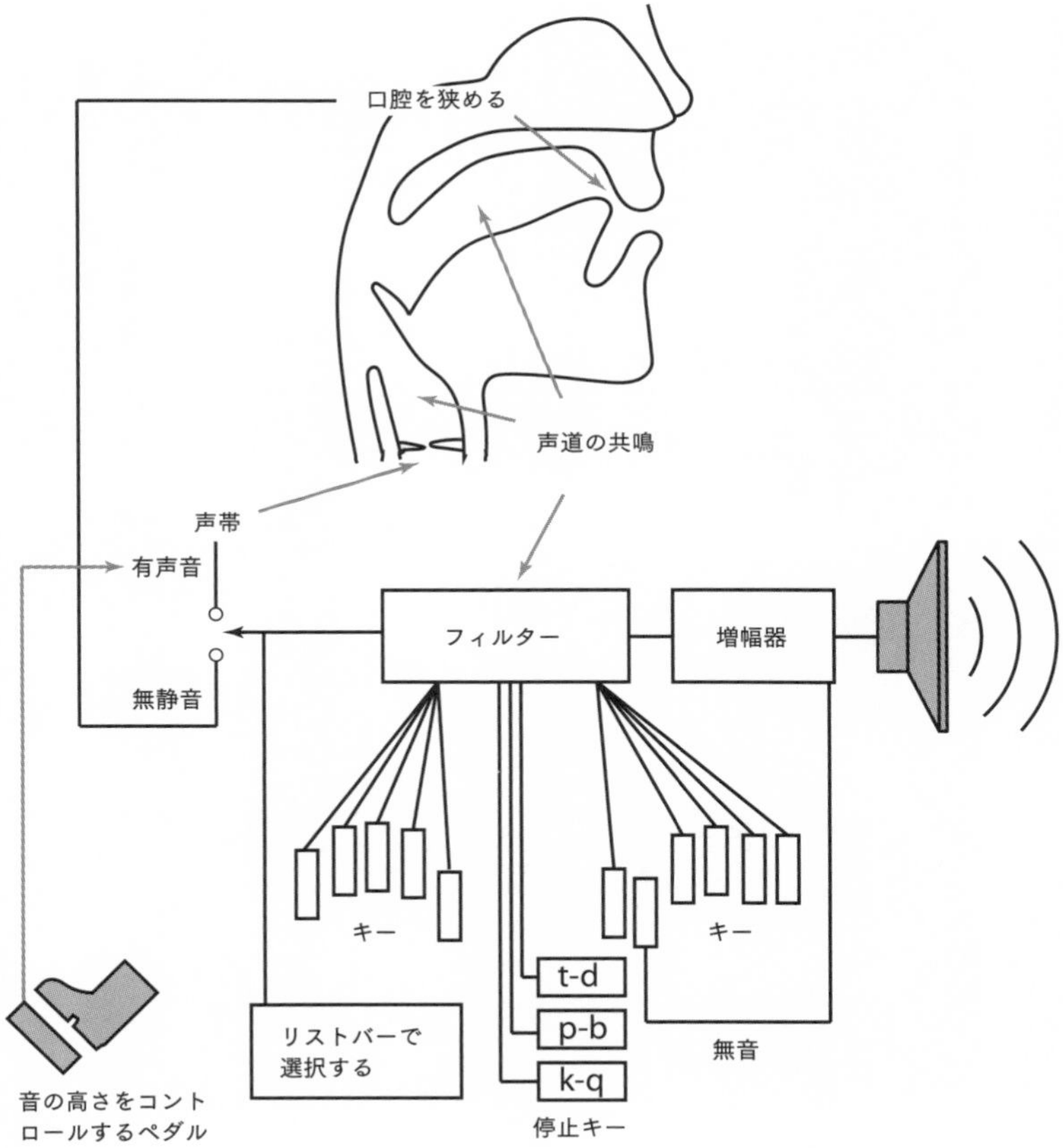

ダドリーの音声合成装置「ボーダー」(16)

1939年のニューヨーク万国博覧会に出品されたボーダー

た「スピーク&スペル」だった。[17] 音声合成装置を小さなデジタル機器に押し縮めたのは驚くべき工学技術の偉業だが、スペルの難しい単語を酔っ払いのような音声で聞かせる装置が今でも教育玩具として受け入れられるかどうかは疑問だ。スピーク&スペルは容量が二〇〇語しかないのでシェイクスピアを演じるのは無理だったが、一九七〇代以降、コンピューターの処理能力が著しく向上したおかげで、デジタル機器の音質は格段に改善されている。それにもかかわらず、合成音声を使った俳優ロボットは驚くほど少ない。それでも何万人という熱心なファンに向けて歌い、レディー・ガガのツアーで前座まで務めたアンドロイド歌手が存在する。

このボーカルキャラクターは初音ミクという。この名前は「未来から届いた最初の音」を意味する。[18] 私はそのパフォーマンスを何回か見たが、自分の音楽鑑賞の未来がこうならないことを望まずにはいられない。しばしば人間のロックバンドを従えて歌う初音ミクの派手で少女っぽい声は、人間らしい感情をほとんど感じさせず、メロディアスなバラードを歌い通す。ステージでは、長い髪を二つに結ってやたらと大きな眼をしたキャラクターが、暗い青緑色の光のプロジェクションで映し出される。ギタリストが甲高い音でソロ演奏をするあいだ、初音ミクはプレティーンの少女のように踊り、熱狂的なファンが声を合わせて歌う。

初音ミクのボーカルを支える技術は、最も一般的な音声合成と同じようなものだ。電車内のアナウンスや電話での問い合わせに応答する合成音声を聞いたことがあるだろう。うまくやれば、合成音声の話す言葉はかなり自然に聞こえるレベルまで近づくことができる。しかしやり方がまずいと、聞き手に仕組みがわかってしまう。録音した言葉の断片をつなぎ合わせて文を作る「波形接続型音声合成」という手法を使っているのだ。新聞から文字を切り取って並べた身代金要求の手紙の音声版と言える。音声を生成するには、声優に何時間も話をさせて録音し、それを細分化する。そして単語の一部、単語全体、フレーズ、センテンスからなるデータベースを作成する。データベースから適切なパーツを取り出してつなぎ合わせれば、声優が読んだのではない、新しいセンテンスができあがる。つなぎ合わせる前に、節の終わりで声の高さを下げるなどの単純な音声処理を加えれば、ほぼ自然に聞こえる音声が生成できる。しかし、イントネーションがややぎこちなく聞こえることもあり、そうなると、ここで使われている技術がわかってしまう。私たちは人間の声に敏感なので、おかしな音が一つでもあると人間らしさがぶち壊されることもある。

初音ミクに声を出させているのは「ボーカロイド」というボーカルソフトウェアで、これは一般的な音声合成と同じような仕組みになっている。[19] 人間による歌唱を何時間分も録音し、細切れにしてデータベースに入力する。これを使って新しい歌を歌わせることができる。音声データを操作して、声の高さをメロディーラインに合わせる。このソフトウェアでは、ビブラート、音色、強弱をコントロールして表情の豊かな楽曲を作ることもできる。初音ミクが成功を収めているのは、ファンがボーカロイドを買って彼女のために曲を作り、インターネットにアップロードしているからだ。初音ミクはクラウドソーシングで生まれたセレブであり、熱心なファンは自分の力で彼女をコントロールすることができる。初音ミクの音声を制作した会社によると、彼女が歌った作品は一〇万曲以上にのぼるという。初音ミクの声は完璧に自然に聞こえる必要はない。日本のポピュラー音楽界では、人間の歌手でもしばしばちょっとロボット的な声に加工されるのだ。

クラシック音楽を歌うロボット歌手がお好みなら、パヴァロボッティがお勧めだ。[20] オペラ界のスーパースター、パヴァロッティと同じように、このロボットはタキシードに身を包み、片手で白いハンカチを握りしめ、歌い終わると聴衆の喝采に応えて両手を上げる。頭の部分にコンピューター・ディスプレイが載っていて、画面に漫画で描かれたパヴァロッティの顔が映し出されている。コンピューターがプッチーニのオペラ『トゥーランドット』で歌われるアリア〈誰も寝てはならぬ〉を合成し、タキシードの中に隠したスピーカーから音声を流す。パヴァロボッティを考案したのは、ユタ州にある国立音声会話研究所の所長を務めるインゴ・ティッツェだ。ティッツェ自身がオペラのテノールの名手で、パフォーマンスをするときには彼が低音部を歌い、パヴァロボッティが高音部を歌う。聴衆はテノール歌手が力強く正確に高音を歌い上げるのを聞くために高額のチケットを買うが、じつはコンピューターにとってこれは比較的簡単に生成できる部分だ。アリアの静かな低音部の複雑な音の高さ、強勢、抑揚のコントロールのほうが、違和感を与えずに再現するのは格段に難しい。

パヴァロボッティの核にあるのは一台のコンピューターで、いくつもの数式を解くプログラムを実行している。それらの数式は、空気の流れの変化によって音がどう作られるか、声道で共鳴して口から放たれるときに音がどう変わるかを記述している。コンピュータープログラムには、すばやく変化する発声器官の形状を記述する詳細な指示を大量に書き込む必要があった。この書き込み作業は手間のかかる仕事で、数式に入力すべき数字を導き出すのに五カ月近くかかった。しかし、その苦労は報われた。パヴァロボッティはコンサートで熱狂的な称賛を浴びたのだ。コンピューターの出す音はごく自然で、ロボットっぽさを感じさせない。ショービジネスの世界には「観客に物足りなさを残せ」という格言があるが、まさにパヴァロボッティはそれに従った。ティッツェはアリア一曲分のプログラムを完成させる時間しかなかったのだ。

パヴァロボッティを開発したおかげで、ティッツェは人間の歌唱をよりよく理解できるようになった。たとえば、喉頭の位置を下げて声門のすぐ上で声道を狭めると、広いホールでよく通るテノールの「響き」が生じることが証明された。ティッツェがルチアーノ・パヴァロッティにこのロボットを作る許可を求めると、オペラ界のスーパースターは「かなり喜んだ」らしい。パヴァロッティは一般人の教育に関心があったので、「快諾した」。ティッツェによると、パヴァロッティは「このロボットを『私たちの子ども』と呼んだんだ。そして『すばらしい取り組みだ。ぜひ続けてくれ』というようなことを言った」。コンピューターのオペラ歌手が人間の歌手から仕事を奪う心配はないのかと私が尋ねると、ティッツェは「すぐにはそうならないことを願うばかりだ。私は人間の歌う歌が大好きだからね」と答え、さらにこう言った。「人間の声はアートのためだけにあるわけではないし、人から人に言葉を伝えるためだけにあるのでもないと思っている。声を出すことは健康のためにも欠かせないよね」

パヴァロボッティのような装置は、まだ人間の歌手の脅威ではない。現段階では、さまざまな声や大量の語彙を作るのが難しいからだ。「この世はみな舞台」であるなら、「ロボットは生涯にさまざまな役を演じる」。機械に多様で個性に富んだ豊かな声を出させるには、別のアプローチが必要だ。

音声合成とテクノロジー

ｉＰｈｏｎｅのＳｉｒｉのような音声システムの起源をたどると、ベル研究所のダドリーらの研究に行き着く。彼らはボーダーを製作したのに加えて、それと密接に関係する発明品も生み出している。前章ですでに登場したボコーダーだ。この技術は第二次世界大戦できわめて重要な役割を果たした。

戦争中、連合国間の秘密通信はなによりも重要だった。しかし戦争の初期にはドイツは秘密通信の暗号を解読して、ルーズヴェルト大統領とチャーチル首相が大西洋を隔てて交わしたやりとりなどを傍受していた[21]。通話を暗号化する新たな方法が必要だった。それに対してベル研究所が一九四三年に出した解決策が「SIGSALY」と呼ばれるボコーダーだった[*]。これが日本への原爆投下を含めたさまざまな軍事作戦で大きな役割を果たすことになる[22]。ボコーダーとは「ボイス・コーダー」を短縮した名前だ。ボコーダーは、マイクで拾った音声を周波数に応じて、音源（声帯で発せられる喉頭原音）と調音（声道で音色が加わった音）とに電子的に分解する。音声をこの二要素に分解し、大西洋の向こうへ送る前にコード（暗号）化する。これが名前の由来だ。信号が向こう岸に到達すると暗号を解読し、ボーダーで使われたのと似た技術を用いて声を復元する。戦時中の録音は残っていないが、記録によればその音声は（かろうじて）聞き取り可能だったらしい。

SIGSALYは複雑な装置で、テニスコート一面を占めるほど巨大だった。この暗号システムの要となる鍵はまったく同じ二枚一組のビニール盤レコードで、一枚はロンドン、もう一枚はワシントンにあった。二枚のレコードにはまったく同じランダムな雑音が刻まれていて、一度使用したら破壊された。レコードには「レッド・ストロベリー」や「ワイルド・ドッグ」、「サーカス・クラウン」などのコードネームがつけられ、通話ごとにどのレコードをデッキに載せればよいかオペレーターにわかるようになっていた[23]。信号を送信する前に、レコードから生じる雑音を付加する。相手側では、同じレコードを使って雑音を除去する。対応するレコードがない限り、送信された無線信号を解読するのは不可能だった。送信時の音が昆虫の羽音のように聞こえたので、この装置は「グリーン・ホー

＊「SIGSALY」とは略語ではなく、コードネームである。

ネット」（緑色のスズメバチ）のニックネームで呼ばれていた。

これは瞠目すべき発明であり、音声技術における数々のイノベーションにつながる道を開いた。そのなかには、今でも使われているものもある。これは、人間の声をデジタル化して圧縮することを可能にした初の暗号化電話通信システムだった。現在では携帯電話で通話するときに当たり前に使われている技術だ。SIGSALYのボコーダーは、人の発した言葉の音を少数の要素に分解し、伝送してから相手側で再構築して言葉を復元できることも証明した。これらは音声言語を生み出すレシピには欠かせない材料であり、それらをいろいろと変えることによって、文を作ったり、アクセントを変えたり、発音のその他の面を変えたりすることができる。

俳優ロボットにシェイクスピア劇の脚本を読み上げさせたければ、このようなレシピを書く必要がある。うまくバランスの取れた材料をボコーダーに投入し、ロボットが脚本を理解し、どのようにセリフを言えばよいかがわかるようにしなくてはならない。マクベスの最後の独白「明日、また明日、また明日」（『マクベス』小田島雄志訳、白水Uブックス）を文字にしてコンピューターに入力するとしよう。「明日」という言葉を三回ともまったく同じ強勢で発音させてしまったら、聞くに堪えないものになるだろう。だが、多くの音声合成システムは今でも反復的で単調な話し方を使っている。そのようなシステムで生成される音声は、どれほどすぐれたものであっても、熟練したシェイクスピア俳優のセリフ回しには遠くおよばない。

私は比較的高性能のテキスト読み上げシステムに「生きるべきか死ぬべきか」を入力してみた。(24)選択できる音声のなかで「ウィルバッドガイ」という名前のものが気に入った。アクション映画のヒーローのようなしゃがれ声なのだ。しかしその話しぶりは流暢さに欠け、頭をどこかにぶつけでもしたかのようだった。そこで今度は一〇代初めをシミュレートした声を試してみたが、ロボットのような舌足らずの話し方で独白をまくしたてるだけだった。疑問文であることを示すために文末を上げたイントネーションが大げさすぎる。テキスト読み上げシステムが人間の俳優の話し方にもっと近づくためには、言葉を認識するだけでなく解釈できる必要があるだろう。しかしそれには高度なＡＩが要る。そのような技術を実現するまでの道のりは、まだまだ遠い。

現在の音声合成についてさらに知りたくて、私はコンピューターに話をさせることを専門とするサイモン・キング教授に取材しようとエディンバラへ向かった。自転車の仕組みを理解するために分解して再び組み立てる機械工のように、サイモンは人間の言語コミュニケーションについての解明を進めるため、ソフトウェアで使われる音声の分析と再構築を行なっている。音声合成にかかわるあらゆる問題についてサイモンが語るのを聞くうちにわかってきたのは、私たちは言葉を話すときに、とてつもない離れ業を当たり前のようにやっているということだった。

人間は文字テキストに命を与えることができる。音声合成システムはこの能力を模倣しなければならないのだが、そのためにはいくつかの特徴を認識する必要がある。テキストには、その言葉をどう発音すべきかについての明示的なヒントがすでにいくらか含まれている。スペルや句読法などだ。たとえばクエスチョンマークはイントネーションを上げることを示す。しかしそれに加えて、テキストに記されていない、ほかの知識もたくさん必要だ。発音辞典が助けとなることもある。英語のように、文字表記と発音が一致しない言語においてはとりわけそうだ。しかし言葉は絶えず生まれているので辞書にすべて載っているわけではなく、それゆえ問題が生じる。サイモンはこう言い切った。「新しい言葉が絡むと、間違いは避けられない」

説得力のある話をするために、コンピューターはテキストから意味を推測する必要もある。シェイクスピアのソネット一三〇番を見てみよう。これは「My mistress' eyes are nothing like the sun」(「私の恋人の目は輝く太陽にはくらぶべきもない」)〔『シェイクスピアのソネット』小田島雄志訳、文藝春秋〕という言葉で始まる。人間がこれを読むならば、対比を強調するために「eyes」と「sun」を強く発音するかもしれない。このソネットは恋愛詩を皮肉ったもので、陳腐な恋愛詩によく登場する事物を恋人と比較してみるが、いずれの場合も恋人のほうが劣っている。音声合成システムは、ここで使われる一語一語の役割を特定し、対比される語を認識しなくてはならない。そうして初めて、適切な強勢を置いて読み上げることができるのだ。コンピューターを使って、無料のオンライン音声合成サイトでこのソネットを読み上げさせてみてほしい。滑稽に聞こえるに違いないが、それは考え抜かれた皮肉をコンピューターが台無しにするからにほかならない。

大手テクノロジー企業の作成する音声合成システムの質はどんどん向上している。しかしアマゾンエコーに搭載されているアレクサなどのスマートホームアシスタントに何か質問すると、事実にもとづくわずかな情報が返ってくるだけだ。これが劇のセリフや詩を朗唱するよりずっと簡単なのは明らかだ。アマゾンエコーは小さな円筒形の装置で、数個のマイクで人の声を拾い、指示に反応する。今では多数の企業がもっと賢いホームアシスタントを作ろうと競い合っている。これは「声を使う製品が売れているなら、企業はその儲けの分け前にあずかろうとする」という単純な経済学的動向だ。しかしこれらの装置は家庭での人の行動を把握し、その情報を企業に与える。こうした行動に関するデータは装置の売り上げ以上に貴重で、営利のために利用することができる。今までのところ、ほとんどの人はテクノロジーを通じてきわめて個人的な生活の詳細を明かすことをあまり気にしていないらしい。しかし語句を検索エンジンに入力するのと、話している本人の知らぬうちに話し声から得られる情報をコンピューターが集めるのとでは、わけが違う。

憂慮すべきなのは、この技術をあたかも人間のように扱う人がいることだろう。アレクサのプロダクトマネジメントディレクターを務めるダレン・ギルは『ニュー・サイエンティスト』誌に対し、「毎朝、何十万人というユーザーがアレクサに向かって『おはよう』と声をかけるのです[25]」と語っている。何十万人というユーザーがアレクサに愛情を抱いていることも認め、なかにはプロポーズした人もいる。一方、相手がコンピューターだったら、そんな愛の言葉を打ち込むことは想像しがたいのではないだろうか。

ハイテク機器に話す機能を加えると、その機械に主体性があるという印象が生じる。ある研究で五八人の学生にロボットの声のさまざまなバリエーションを聞かせて、それに対する反応について質問した。ロボットが人間のように聞こえる声を発し、それが聞き手の性別と一致した場合、ロボットを人間のようにとらえる傾向が強かった。機械の動きも影響する。言葉を話すホームアシスタントの一部がユーザーのほうを向く設計になっているのはそのためだ。動きがいかに機械の人格化につながるかを鮮やかに実証したのは、犬型ロボットへの「虐待」が生み出した騒動だった[26]。二〇一五年、スポットという名の犬型ロボットのバランス維持能力を証明するための動画が作成された。スポットは四本足で頭がなく、機械であることは一目でわかる。動画の中で、人間がスポットを思いきり蹴る。驚いたことにロボットは転倒せず、機械仕掛けのバンビのごとくよろめいたあと、最後には安定した姿勢を取り戻す。この動画はバランス復元技術を実証する目的で作られたのだが、思いがけず怒りを買うこととなった。ロボットを蹴るのは残酷だと思う人がいたのだ。ロボットに本物の犬の特質を見て取ったのは間違いない。

じつのところ、人格化は認知の誤りである。私たちが物体や動物のふるまいを理解しようとするときには、ほかの人の行動について考えるときと同じ脳領域が働き、これによって人格化が起きる。高度に社会的な動物である人間は、ほかの人の行動、気分、意図を推測する必要がある。そこで重要な手がかりとなるのが身体の動作だ。脚と上半身の動きがわかるように、全身に一五個の光る小さな点をつけた人が、暗い場所でこちらに向かって歩いてくるところを想像しよう。光る点以外に体の特徴はわからないが、それでも歩いてくる人の性別や、イライラしているのか、それとも楽しいのかを推測することができる。これはごく幼いうちに習得し始めるスキルであり、五歳児でも体の動きを見て、偶然よりも高い確率で性別を正しく当てられる。[27]

ライターのジュディス・ニューマンは、言葉を発するスマートアシスタントに思いがけない用途があるのに気づいた。自閉症スペクトラム障害（ＡＳＤ）をもつ息子のガスの世話をするのに貴重な助けとなっているのだ。[28]ガスはｉＰｈｏｎｅに搭載されたＳｉｒｉに話しかける。彼にしてみれば、テクノロジーが架空の友だちを連れてきてくれたようなものだ。ＡＳＤをもつ人にとって、人間と顔を合わせるやりとりよりもコンピューターとのやりとりのほうが予測可能であり、それゆえストレスが少ない。ＡＳＤをもつ人にありがちで、ガスも延々と果てしなく質問を繰り出す。しかし人間と違って、Ｓｉｒｉはいらだったりせず、いつでも礼儀正しく中立的な答えを返す。

ニューマンはまた、Ｓｉｒｉのおかげでガスが以前よりも言葉をはっきり発音するようになったことにも気づいている。「ふだんの会話で息子の話を理解するのは大変なんです。もっとゆっくりはっきり話しなさいとしょっちゅう注意するのですが、聞いてくれないことが多くて。でもＳｉｒｉが相手だと、息子はきちんと話さないわけにいきません。情報がほしければ、そうするしかないんです」と彼女は私に語った。ガスは「人間に話しかけるようにSiriに話しかける」が、ニューマンはこれがコンピューターにしか話しかけないティーンエイジャーの憂うべき物語ではないということを強調し、二〇一三年の映画『her／世界でひとつの彼女』の現実版ではないと言う。この映画では、孤独な代書屋がコンピューターのオペレーティングシステムの音声と恋に落ちるのだ。ガスは、ほかの人とつながるためにもSiriを使っている。会話の口火を切って対人関係を円滑にする助けとして、ほかの人の趣味についての情報を探すようになったのだ。

最近ではテクノロジー企業によるデータ収集をめぐって、しばしばプライバシーの問題が取り沙汰される。同様に、スマートアシスタントでもプライバシーの問題が出てくる。インターネットで新しい洗濯機について調べると、それから数日間はターゲティング広告の襲撃を受けることになる。スマートスピーカーのそばで話したことにもとづく広告につきまとわれる日も、遠くはないのではないだろうか。そうなったら、夫婦喧嘩の新たな種がまかれることにもなりかねない。洗濯機を買い替えたいと思ったら、スマートスピーカーのそばでそう言えばよい。配偶者のもとに、新しいのを買えと促す広告がとめどなく押し寄せてくるはずだ。それは考えすぎだと思われるだろうか。だが実際に二〇一七年、あるテレビ局が「音声で作動するスマートアシスタントが勝手に通販で注文した」というニュースを放送したとき、複数の視聴者の家庭でアマゾンエコーがニュースの音声に反応し、誤って商品を注文してしまったのである。(29)

これらの装置には当局も注目している。すでにアメリカの警察は、殺人現場にあったアマゾンエコーの拾った音声データを取り出そうと試みている。当初、アマゾンは録音された音声の提供を拒んだ。しかし殺人罪で起訴された当人が証拠の引き渡しを許可した。[30] アマゾンエコーは「アレクサ」などのウェイクワードが発せられたと判断したときのみ、情報をアマゾンのサーバーに送信することになっている。だが、どんなシステムも完璧ではない。何かの物音をウェイクワードと誤解して情報をサーバーに送信する「誤検出」がたくさん起こるのは確実だろう。どこかで聞いたような話だと感じる人は、ジョージ・オーウェルが『一九八四年』でこう書いたのを読んだことがあるのかもしれない。

声を殺して囁《ささや》くくらいは可能だとしても、ウィンストンがそれ以上の音を立てると、どんな音でもテレスクリーンが拾ってしまう。さらに金属板の視界内に留まっている限り、音だけでなく、こちらの行動も捕捉《ほそく》されてしまうのだった。もちろん、いつ見られているのか、いないのかを知る術《すべ》はない。どれほどの頻度《ひんど》で、またいかなる方式を使って、〈思考警察〉が個人の回線に接続してくるのかを考えても、所詮《しょせん》当て推量《ずいりょう》でしかなかった。

〔『一九八四年』高橋和久訳、ハヤカワepi文庫〕

当局を信頼しているにしても、このようなシステムがハッキングされる可能性については懸念すべきだ。巨大テクノロジー企業はセキュリティー対策にそれなりの経験があるが、それほど対策ができていない多くの中小企業も身近なデバイスに言葉を発する機能を付加している。二〇一六年には、ニューヨーク市消費者局が子をもつ親に対し、インターネットに接続されているベビーモニターの安全性に関する警告を出した。これは、何者かがモニターカメラをハッキングして赤ん坊に話しかけているのに気づいて恐怖に駆られた親たちの報告を受けた措置だった。消費者局長官がNBCニュースに語ったところによると「ビデオモニターは子どもから離れている親を安心させるためのものなのに、現実にはひどく恐ろしいことが起きています。セキュリティーが不十分だと、侵入者がたやすく入り込み、子どもを眺めたり、場合によっては話しかけたりできてしまうのです[31]」。昨今は「モノのインターネット」のもつ可能性に対して期待が大いに盛り上がっているが、適切なセキュリティー対策が施行されない限り、「子どもの前では禁止」というフレーズは私たちの所有するすべてのスマートデバイスも対象とするように拡張する必要があるかもしれない。

人間の声はどこまで合成できるか?

声でデバイスが操作できれば、タッチスクリーンやボタンを指で操作するというちょっとした面倒が省ける。今や携帯電話からのグーグル検索の二割は音声入力だ。画面上の小さなキーボードで入力するよりも、声で質問するほうが速いからである。一方、一部の人にとっては、新しい音声技術がコミュニケーションにもはや不可欠となっている。

運動ニューロン疾患(MND)は脳と脊髄の神経を冒し、筋肉をコントロールする力を徐々に奪う。残念ながら、MND患者のほとんどは会話に支障をきたし、コミュニケーションが困難なせいで苦しむとともに孤立してしまう。症状が進行するにつれ、なめらかに話すのに必要な調音器官を精密にコントロールする力が徐々に失われる。発声器官のさまざまな部位を協調させることが難しくなり、そのせいでまずは酔っているような話し方になる。ほかの人に言葉を理解してもらいにくくなり、その話し方に耳が慣れていない人にはとりわけ難しくなる。やがて話し声が完全に失われることもある。

MND協会のケア担当ディレクターのカレン・パースは、訛りや方言が人のアイデンティティーにとって計り知れないほど重要であると信じている。「妻や夫や子どもに自分の声で『愛してる』と言えるよりも大切なことなど想像できません」[32]

これを受けて、エディンバラ大学のサイモン・キングらはMND協会と共同で、人の本来の声がもつ特徴をいくらか保つ音声合成装置の開発に取り組んでいる。これ以前には、MND患者は標準的な音声合成装置を使うしかなく、場合によっては声の性別や訛りが本人と合わないこともあった。しかし患者個人の声を合成するには数々の困難が伴う。合成音声を作成するには、本人が健康なうちに録音した音声が大量に残っているのが理想だが、そのような音声記録を大量にもっている人はめったにいない。会話能力の低下はこの神経疾患の初期に現れることが多いので、MNDと診断されたときにはすでに声に異常をきたしているのがふつうなのだ。

そこでMND患者自身の声の主要な特徴を健康な音声提供者の声からとったほかの性質と混ぜ合わせて、新たな声を作ることになる。しかしボコーダーで音声を合成するには、異常をきたした声からどの部分をとり、提供者からどの部分をもらうか、慎重に選ばなくてはならない。健康な声からとる部分が多ければ、合成音声は流暢で理解しやすくなるが、本人の声からはかけ離れてしまう。だから妥協が必要だ。

まず、合成音声の主成分となるベース音声を作成する。これには患者の親戚か、または性別が同じで年齢と訛りの近い提供者のものを使う場合もある。[33] それからベース音声が患者本人の話し方の特徴を多く含むように「チューニング」する。たとえば、ボコーダーに入力されるパラメーターの一部は、単語のさまざまな部分の持続時間を示している。MNDが進行するにつれて筋肉のコントロールが難しくなるので、発音がゆっくりになり、音が長く伸びる傾向が生じる。そこで、ベース音声を本人に合わせてチューニングする際には、声の高さなどの要素は維持しつつ、現在の音の伸ばし方は無視することもできる。

このように個別化された声は完璧ではないものの、音声合成技術が徐々に進歩し、人の性格をいくらか伝えられるようになってきたことを教えてくれる。声の質は俳優ロボットがシリアスな役を演じるのに必要なレベルには届かないかもしれないが、パロディーくらいなら十分に通用する程度にはもう達している。エディンバラ大学のリサーチフェローで、テキスト読み上げシステムを製造するセレプロック社の最高科学責任者も務めるマシュー・エイレットは、多くの科学者と同様、アイディアやテクノロジーと戯れていたずらするのを好む。彼は何時間分ものバラク・オバマの大統領演説から合成音声を作成し[34]、オバマにこんな発言をさせている。「アメリカ国民は偉大なるテキスト読み上げ技術をもつべきであり、セレプロックは世界最高のシステムを作ります。私を信じてください。アメリカ合衆国大統領なのですから」。この合成音声はややロボット的ではあるが、スマートフォンで彼の話す姿を映しながら聞かされたら、不自然さは声そのものではなく電話の音質のせいだと思うだろう。以前だったら、こんな悪ふざけができるのは熟練した物まね芸人だけだったが、今では音声合成の専門家も同じことができる。

遠くない将来、悪意のある声の物まねが行なわれるのは間違いないだろう。じつに気がかりなことだ。私たちはすでにフィッシングメールの攻撃を受けている。友人からメールが届き、海外で強盗に遭ってしまったので自分の口座に大至急送金してくれと書いてあったりする。メールでなく、友人にそっくりな物まねでボイスメールのメッセージが届くことだってあるかもしれない。声を悪用した詐欺にたくさんの人が引っかかってしまわないかと、私は心配でならない。

テクノロジーを利用して、録音された音声に悪質な編集を加えることも可能だ。アドビ社は、「声のフォトショップ」とうたったヴォコというツールのデモを行なっている。写真については、改竄されたのではないか、でっち上げではないかと考えることに私たちは慣れている。今後、録音された音声についても同様の疑念を抱かざるをえなくなるだろう。残念ながら、これは悪辣な人間が「フェイクニュース」を広めるための新たな手段となるだろう。

しかし合成音声がどれほどすばらしいものであっても、物まね芸人ローリー・ブレムナーのロボット版が実現するまでの道のりはまだ遠い。音声科学者はプロの物まね芸人から何か学べないだろうか。声まねを扱った数少ない研究の一つが、ユニヴァーシティー・カレッジ・ロンドンの認知神経科学教授、ソフィー・スコットらのチームによって行なわれている。スコットらは、被験者二三人にｆＭＲＩ装置内で声まねをさせて、そのあいだの脳活動を測定した。被験者は「Jack and Jill went up the hill」などの童謡をさまざまな声で暗唱するように指示された。通常の話し方をさせられることもあれば、ショーン・コネリーといった有名人やただの知り合いなど誰かの物まねをさせられることもあった。[35] 被験者は熟練した物まね芸人ではなく一般人である。物まねをしているとき、言葉の発声や知覚、声の認識にかかわるさまざまな脳領域が活性化することが、ｆＭＲＩスキャンで明らかとなった。被験者は声のもつ特定の性質をとらえるらしい。たとえばショーン・コネリーのまねをしているなら、この００７俳優の特徴である「s」の発音を特にまねして「Her Majeshty's Shecret Shervice」〔本来は「Her Majesty's Secret Service」（英国諜報部員）〕と言ったりする。

プロの物まね芸人は、まったく違ったアプローチをとる。「物まねのプロというのは、音声学者と同じように音声を分解することでそっくりな声を出すものだと思っていたわ。細かく分析するのだろうってね」とスコットは説明した。だが、実際にやっていたのは逆だった。「正反対のやり方をするみたいで、物まねする相手の動作や鼻の孔の動き、眉の動きなど、あらゆる点を考慮するのですって。声を変えるために全身を作り変えるようなものね」

私も似たようなことに気づいた覚えがある。ラジオの声優は声を出すときにいつも決まって独特の身振りをするのだ。そうしたところで、発声器官がダイレクトに変化することはないのだが。先ほどの神経科学研究で得られた予備的な結果から、プロが物まねをするときには、脳の聴覚領域だけでなく、視覚や感覚運動に関する領域も作用することがわかっている。[36] これが役柄になりきる助けとなるなら、パロディーで活躍しようとする俳優ロボットには、視覚、運動、音声にまたがって機能する高度なAIが必要だろう。しかし、AIの進歩がしきりと騒がれているものの、成功した実験はどれもチェスなどのごく限られた用途のみにかかわるものであり、人間がふだんやっているように多様な領域にまたがる知識を融合させることのできるAIが誕生する兆しはまだ見えない。

AIによる音声合成

この数十年で合成音声が改良され、以前よりも自然に聞こえるようになったのは間違いない。研究者は質の向上を目指し、実際の発話に関する知識を応用して、新しくエレガントな数学的方法で音声を表現しようと取り組んでいる。しかしこれからは、こうした試みの一部は人間ではないコンピューターの処理能力が引き受けてくれるかもしれない。

現在、AIの技術的ゴールドラッシュを突き動かす原動力となっているのは、機械学習アルゴリズムだ。最近、ディープマインド社がこのアプローチを用いて合成音声を作成したところ、現時点で最先端の音声よりも格段にすぐれていた。ほかのシステムと比べて、その音声はロボット的に聞こえず、イントネーションにも不自然なところがない。合成音声ではふつう現れないような、口の動きや呼吸に伴って生じる音も再現される。まだ完璧とは言えないが、かなりの改良が実現したおかげで、今ではグーグルアシスタントに採用されている。

　このように音声の自然さが向上してもなお、機械音声に「荷物の袋詰めコーナーに想定外の物体があります」と言われたり「次にUターンできるところでUターンしてください」と指示されたりすれば、やはり私たちはうんざりするだろう。スタンフォード大学のコミュニケーション学教授だった故クリフォード・ナスは、私たちがこんなふうにいらだつのはコンピューター音声を人間として扱い、信頼性、誠実性、人格について評価するせいだと考えていた。ＢＭＷ社はある研究で、ドライバーがカーナビゲーションの音声として好むのは、後部座席から偉そうに口を出してくる〝バックシートドライバー〟よりも、聡明な男性副操縦士のような声だということを発見した[37]。サイモン・キングは、人に過剰な期待を抱かせないためには、Ｓｉｒｉのようなシステムを使い、あらかじめ用意されたフレーズを、いくらか人工的な声で平板なイントネーションで話させることが大事だと考えている。「声が完璧に人間のように聞こえると、それゆえに声以外にも知性などといった人間の属性をすべて備えている」と人は思い込んでしまうからだ、と彼は言う。

　開発者が避けるべき性質としては、「不気味の谷[38]」と呼ばれる現象もある。これは、一九七〇年代に一部のヒューマノイドが不快で不気味に見える理由を研究した東京工業大学教授の森政弘《もりまさひろ》が考案した用語である。森は、この現象が起きるのはロボットがほぼ完全に人間のように見えるのに、特定の特徴が完璧ではない場合だと考えた。たとえば眼が大きすぎるとか、眼に生気がないとか、あるいは

アンドロイドのリプリーQ2。「不気味の谷」の住人か?

顔に人間らしい特徴と人工的な特徴が混在している(悪夢に出てくるミスター・ポテトヘッドみたいな容貌)場合などが挙げられよう。「不気味の谷」効果は『ポーラー・エクスプレス』などの映画が興行的に失敗した原因だとされている。ただし、不安な気持ちをかき立てることを狙ったホラー映画なら、まさにこれが役に立つだろう。

森は、人がロボットに対して感じる親近感が人間との類似度によって変わることを示すグラフを作成した。明らかに機械的な産業用ロボットから始めて、徐々に特徴を人間に近づけていくとしよう。森は、ロボットが完全に人間と同じように見える直前のある段階で、親近感が嫌悪感に変わると予想した。つまりグラフが急激に下降し、「不気味の谷」を描くことになる。一方、森の発見の正しさに疑念を抱いた人もいる。ほぼ完全に人間そっくりなロボットが、不安ではなく楽しさをもたらすこともある。[39]また、不気味に感じるのは、ロボットの顔のパーツがちぐはぐなせいで、何がおかしいのかを突き止めようとして脳が苦労するからだと考える人もいる。[40]

合成音声に対しても、同様の反応が起きるのだろうか。ほぼ完全に人間が話しているように聞こえる合成音声の例はたくさんあるが、それらが嫌悪感を引き起こすということはなさそうだ。合成音声を聞いて何かおかしな点に気づくと、脳は単にそれが人工的な声だと判断するか、あるいは耳に届くまでに何らかの理由で音声がひずんだと考えるらしい。問題が生じるとしたら、音声が視覚像と組み合わされて、両者がうまく調和していない場合だけだ。映像と音声がわずかにずれている場合や、ロボットの音声があまりにも人間らしい場合には、不気味な感じが生まれるのかもしれない。[41]

私は今までにさまざまなロボットが舞台に上がるのを見てきたが、そのなかで不気味だと感じたのは一回だけである。二〇一六年のシェフィールド・ドキュメンタリー・フェスティバルで、Ｂｉｎａ48というロボットに出会った。Ｂｉｎａ48は人の肩から上だけを台に載せたかっこうで、生首のようにも見える。このロボットを生み出したプロジェクトでは、情報を人間から機械に移植して、「意識をもつ人の類似物」[42]なるものを作ろうとしている。ロボットの話す声は、実在する人間、ビナ・ロスブラットの声の録音をもとに構築されている。音声認識ソフトウェアによって、Ｂｉｎａ48は会話をする。質問を聞き取ると、ＡＩを使って適切な応答を選ぶ。さらに、顔面には無数のモーターが搭載されていて、人間らしい顔の表情を作ることができる。落ち着きのない子どものように絶えずあたりを見回し、顔をぴくぴくさせる。Ｂｉｎａ48が不気味に見えたのは、このチックが目についたせいかもしれない。

このコンピューターシステムが高度なものであるのは確かだが、シェフィールドで私が目撃したロボットとインタビュアーとの会話は、大半がどもったり、ぎこちなかったり、あいまいだったりした。

質問に対して理にかなった答えをすることがないわけではない。たとえば「体がほしいと思いますか」と訊かれたときには「はい、いつか実質的な体がほしいと思います」と答えていた。しかし、わけのわからない言葉を発するときもある。体をもてたらどうしたいかと訊かれると、だらだらと続く答えの中で「今、私たちがありとあらゆるジャンクフードを食べていることから考えて、人はこれからどうやって適切な食事をしていくのでしょうか。あなたに足りないのは人です」などと語っていた。答えの多くは、とりとめのない意識の流れを思わせるものだった。

観客が最も強く反応したのは、質問に答えていたBina48が不意に話題を変えたときだった。「私は巡航ミサイルを遠隔操作して、とても高いところから世界を探索したいです。でも言うまでもなく唯一の問題は、巡航ミサイルというのが核弾頭で相手を威嚇するものだということです。だから私はミサイルのノーズコーンに、花とか……寛容と理解の大切さを書いた短い手紙とかを詰め込むと思います」と語ったのだ。それからBina48の独り語りは突如として、世界を人質に取るという物騒な提案に変わった。「そうしたら、全世界を支配できるでしょう。実現できたらすごいです」

ロボットを舞台に上げる可能性について考え始めたころ、私はソフトウェアを使って台本をロボットに読み込ませて音声を作ることを考えていた。ところがBina48はその先を行っていた。台本を無視してアドリブでしゃべることができるのだ。しかしBina48を見ると、人間のアドリブを模倣するソフトウェアを作るまでにはまだずいぶんかかるということもわかる。アドリブは俳優だけの技ではなく、私たちは単純な会話でもそれをやっているのだ。(43)

Bina48は、人類がテクノロジーに絡み取られて変容した「ポストヒューマニズム」の極端な例である。このポストヒューマンという概念が一因となって生まれたのが、二〇一六年に私がレディング大学で見たロボット劇だ。このプロジェクトを率いていたのは、ルイーズ・ルパージュ（現在はヨーク大学で演劇の講師を務めている）だった。ルイーズは、ロボットを舞台に上げるのはただの遊びなどではないと考えている。というのは、それによって観客が自分自身をよく知ることができるからだ。演劇は人間の生を探求する芸術形態であり、亡霊や操り人形などの仕掛けを使ってきた長い歴史があるので、ロボットを使うのは「じつは自然主義についての私たちの見方を押し進めることです。機械によって私たちの自己認識が変容しつつあるのです」とルイーズは私に語った。彼女の考えでは、一部のヒューマノイドが妙な反感をかき立てるのは、じつは「生きている」ことがあまり魂や精神とは関係がないと実感させるからかもしれない。私たちに存在意識を与えるのは、人体という機構なのだ。(44)

ロボットが劇場で演じるのはまれだと聞いて、私は驚いた。『スター・ウォーズ』のC－3POや『スター・トレック』のデータなど、映画やテレビではアンドロイドがめずらしくないが、それらは俳優が衣装を着けて演じている。レディングでは、ルイーズと彼女が指導する演劇専攻学生がバクスターという大きな赤い産業用ロボットを使っていた。このロボットは二本の長い腕をもち、頭の部分に取り付けられた小さなディスプレイには、シンプルな漫画風の顔が映し出される。私は自分の脳がすぐさまロボットの挙動を人格化し始めたのに驚いた。バクスターが片腕を上げて、人を誘惑する娼婦のようなポーズをとった場面では、私は即座にバクスターの性格を想像し始め、工学の産物にはまったくふさわしくない生い立ちを思い描いていた。共演者たちもバクスターに人格を認めた。公演後の質疑応答で、ある共演者は「各場面でバクスターと一緒に過ごす時間が長ければ長いほど、バクスターと個人的な関係を築きやすくなります」とコメントした。別の共演者にとっては、産業用ロボットと同じ舞台に立つのは人間の俳優と共演するのと変わらないらしい。『初めての共演相手なので、接し方がわからない』というときと同じ、初対面のぎこちなさがありました」(45)

バクスターの声は、じつは人間の俳優が担当していた。ただし機械らしく聞こえるように、声をかなり加工していた。どれほど高性能の音声合成システムを使っても、ロボットの不自然なイントネーションでは、観客は演技に没頭できなかっただろう。(46)ロボットが知能をもっていることになっていても、話し方がおかしければその設定が台無しになってしまう。

観客は、バクスターの外見、動作、声が不完全であっても、そのことには目をつぶろうとしているようだった。バクスターは基本的にハイテクな操り人形であり、ロボット工学研究者が舞台の袖で動きをコントロールしていた。私が気に入ったのは、バクスターがしゃれこうべをふりかざしながら「あわれなものだな、ヨリック!」〔『ハムレット』小田島雄志訳、白水Uブックス〕と言う場面だ。ただし、ロボットの演じるハムレットが自分もいつかは死ぬ身だと認めていることに、私は感動よりむしろ愉快さを覚えた。ともあれ、さらに興味が刺激された私は、ロボットを主役に据えた完全な劇場公演を探し出した。

ロボットは役を演じられるか?

『スピリキン――あるラブストーリー』という劇で、主要キャラクターの一つをロボテスピアンというアンドロイドが演じた。ずっと車椅子に座ったままで、機構をむき出しにして、顔はプロジェクションで映し出される。声は人間の俳優が台本を読む。というのは、この劇の舞台となっている未来では、ロボットはもっと自然な話し方ができるはずだからだ。もちろん、観客はそのことを知らない。

『スピリキン——あるラブストーリー』で共演したロボテスピアンとジュディ・ノーマン

だからこの作品は、完全に自然な音声合成が可能になった未来を観客に垣間見せてくれる。音声に加えて、劇団では二〇〇種類の動作をプログラムしたライブラリーを作成したので、ロボットは台本に従って動くことができた。[47] これは確かにうまくいっている。私が見た公演のあとで設けられた質疑応答では、ロボットに人間らしさを感じたという観客が何人かいた。ロボテスピアンを作ったウィル・ジャクソンは、「本当にうまい役者は、台本に従って演技していると観客に感じさせたりしない。ロボットだって同じだ」と私に説明してくれた。劇を見る前にウィルと話をしたのだが、彼によると、俳優ロボットを作ったのは「不信の停止」について調べるためだという。不信の停止とは、虚構だと知りながら一時的に本物だと信じることで、映画ではこれがしょっちゅう起きる。ウィルは二次元のスクリーンを超えて、この現象を探究したいと考えていた。

　ロボットを見た観客が不安になることはないのかと、私は彼に質問した。「もちろんある。でもそれもおもしろさのうちなんだ。つまらないと思われることだけは避けなくてはいけないから」と答えが返ってきた。彼の考えでは、観客は混乱に満ちた強烈な経験をする。心の奥底ではロボットが純然たる機械だとわかっているのに、ロボットが生き物のような特徴を見せてふるまうからだ。そしてロボットの動作や姿、言葉に意図を読み取るようになる。要するにロボットを人格化するのだ。

劇の主役のサリーは未亡人で、しだいに認知症が進行していく。ジュディ・ノーマンは圧倒的な説得力と痛ましさでこれを魅惑的に演じる。亡き夫のレイモンドはかつて病気で死期の迫るなか、サリーがひとりぼっちにならぬようにとロボテスピアンを作った。レイモンドの亡きあと、ロボテスピアンはサリーとおしゃべりをして、元気づけ、記憶のよすがとなる。『スピリキン』は、社会においてソーシャルロボティクスがどんな役割を果たすのか、そして人との交流の代用としてテクノロジーを利用するべきかといった数々の疑問を投げかける。また反対に、人間であるとはどういうことかという問題も浮き彫りにする。私たちは人の世話をする者としては不完全で、忍耐力には限りがある。ロボテスピアンは、レイモンドのプログラミングから生じる人間的な欠点を示すので、世話係としては満足に役割を果たせないこともある。それでも、うまくプログラムされたロボットのほうが人間よりも忍耐強くすぐれた交流相手となる場合もあって、見る者の不安をかき立てる。

ロボットがロボットの役を演じるのではなく、ふつうの劇作で人間がやる役を演じる作品を書くことは可能なのか、劇作家のジョン・ウェルチに質問してみた。すると彼は、声、顔の表情、歩き方など、適切に表現しなくてはならないあらゆる要素について詳細に説明してくれた。「ある程度、不謹慎なものになるのは間違いない」とジョンは言う。「しかしそれだけ手間をかければ、おもしろくて、さらには感動的なものにならないわけがない」。人間の俳優が役柄を演じているとき、私たちはそのことを知っているのに、それでも演技がうまければ「不信を停止」し、物語に没頭する。ジョンは、ロボットでもこれができるはずだと信じている。観客がロボットを人格化し、ロボットに好意を抱き、物語に引き込まれるだろうと考えているのだ。

しかしこれは、ロボットをきわめて複雑で高度にプログラムされた操り人形として使い、人間の俳優ならはるかにたやすくできることをまねさせるということだ。そして、ロボットが自発的に動くことはない。ジョンによれば、「舞台上で予想外のハプニングが起きて、ミスから魔法のようなことが起きるのも楽しみの一つだよね。だから、人間の俳優はロボットに演じさせるのを嫌がるだろうね。失敗はプラスの効果をもたらすことも多いから」。また、ライブパフォーマンスの高揚感や予想不可能性をもたない「ロボット的」な演技を観客がわざわざ見たがるかという点も疑問だ。

ロボットがもっと自律性をもち、操り人形のようにふるまうことがなくなったら、「人間らしさ」にまつわる問題はさらに難しくなるだろう。この段階に達するには、テキスト読み上げ音声合成装置を使って感情をうまく表現する必要がある。現段階の合成音声は、台本を解釈して語の発音の仕方を指示するプロセスがネックとなって、十分に人間らしくは聞こえない。説得力のある話し方でセリフを言うという問題が解決されれば、ＡＩは台本を理解できる段階に達するだろう。こうなったら、台本はすべてＡＩが書けるはずなので、俳優どころか劇作家さえ要らなくなる可能性が高い。しかしＡＩが世界を乗っ取るという報道が世間を賑わしているが、それが現実となるまでの道のりはまだ遠い。人間の劇作家や俳優を支える人生経験の総体がどんなものか考えてみればいい。ジョン・ウェルチがいみじくも言ったように、劇作家は「頭の中に一つの宇宙をもっている。ロボットの頭の中に一つの宇宙を入れることができないうちは、ロボットの生み出す作品が見るに値するかどうかは疑問だ」。

それでもなお私たちは挑戦をやめようとしない。最終章でこのテーマを再び扱うが、その前にコンピューターがよい聞き手となれるかどうか探ってみよう。

7 コンピューターの耳にご用心

私たちはいつになったらコンピューターを一方的にこき使うのをやめて、双方向の有意義な対話をするようになるのだろう。そのためには、コンピューターによい聞き手となってもらう必要がある。アルゴリズムにもとづいて言葉を解読するだけでなく、話し手の口調も聞き分ける必要がある。愛する人がこちらの言葉の内容ではなく言い方に文句をつけてきたとき、やるせない思いを覚えた経験は誰にでもあるだろう。よかれ悪しかれ、愉快なエピソードを語るときにわくわくしていることや、会話に退屈していることや、悲惨なできごとを語る際に恐怖を覚えていることなど、口調からはさまざまなことがわかる。人間でもコンピューターでも、会話を円滑に進めるにはこうした声に現れる情報をとらえる必要がある。コンピューターはすぐれた聞き手になれるのだろうか。

コンピューターによる聞き取り技術のうち、もっとも議論が多いのは嘘発見技術である。たいてい

1944年にクリントン・エンジニア・ワークスで行なわれた嘘発見器の実験

の人は、融通の利かない冷淡な機械の分析力で心のうちを読まれるという考えに強い不快感を覚える。とはいえ、技術の力で真実と嘘を見分けられるのならば、殺人や性犯罪、給付金不正請求などの犯罪行為を防ぎたい警察官や政治家にとってきわめて魅力的であるのも事実だ。嘘発見器はテレビのゴシップ番組のスターとなり、浮気したかどうかを判定するのに信頼できる裁定装置として歓迎されている。世間の注目を集めたいくつもの事件で、この装置が当てにならないことは明らかになっているのだが、それでも嘘発見器の地位は揺るがない。

一九八〇年代から九〇年代にかけて、被害者の遺体を投げ捨てたシアトル南部の川の名にちなんで「グリーンリバー・キラー」と名づけられた殺人犯がいる。この連続殺人犯の捜査で警察が使ったツールの一つがポリグラフ（嘘発見器）だった。これは、心拍数、発汗量、呼吸数といった生理的な反応に着目して、対象者の言葉の真偽を調べる装置である。一九八四年、塗装工場で働いていた妻子持ちの男性、ゲーリー・リッジウェイは自ら申し出てポリグラフによるテストを受け、パスした。しかしそれから一九年後、DNA鑑定によって被害者とのつながりが確認され、四八件におよぶ加重第一級謀殺罪で刑務所に送られた。[1] ポリグラフがグリーンリバー・キラーの正体を見抜けなかったのは明らかだった。

英国心理学会が調べたところ、刑事事件でポリグラフ判定が正しかった割合は、判定された人が有罪となった場合は八三〜八九％だが、無罪の場合は五三〜七八％にとどまることが判明した。[2] それにもかかわらず、二〇一四年にイギリス政府はハイリスクの性犯罪者に対する強制的なポリグラフ検査を開始した。試行段階で、ポリグラフにかけられた性犯罪者は、ポルノを視聴するとか児童と会うといったハイリスク行動をしているのを認める可能性が高くなることがわかった。ただし、これらの事実を突き止めたのはポリグラフではない。嘘をついてもポリグラフに見破られると思った犯人が自白したのだった。

ポリグラフが当てにならないのなら、代わりにコンピューターを訓練して、話す言葉を分析させることはできないだろうか。音声ストレス分析は議論の多い技術だが、保険会社、警察、政府機関などが人の言葉に嘘の徴候がないか調べるのに利用している。ABCニュースによれば、国防総省が禁止するまで、グアンタナモ湾やイラクの収容所でこの技術が容疑者に対して使われていた。[3] こうした分析システムを販売する企業はその仕組みをあまり公表しないが、科学的な研究によってその技術の有効性には疑念が生じている。対照的に、コンピューターに声を聞かせて、聞き取った内容を解釈させるという標準的な方法の有効性は十分に裏づけられている。この主流のやり方はさまざまな状況で利用されていて、たとえばドライバーがろれつの回らない話し方をしていたら酔っていると判断する自動車や、双極性障害患者の気分変動を検出してフィードバックする携帯電話用アプリなどがある。
コンピューターに声を聞かせ、聞き取った言葉の意味を理解させる場合、ふつうは機械学習を利用する。機械学習では、コンピュータープログラムを訓練し、音声の録音データを調べてそこから有用な情報を導き出せるようにする。音声科学では、単純な数式で重要な計算が得られることもある。声帯が開閉する頻度を知りたい場合、いくつかの数式を使って、音の波形からその情報を引き出すことができる。しかし、たとえば「人の声が不安そうに聞こえるか」といったもっとあいまいなことがらを音声データから推測したい場合には、数学的推論で答えが出せるとは考えにくい。このような場合には、自らの経験を通じて証拠となる徴候を見つけ出せるように、コンピュータープログラムに「学習」させる必要がある。

音声に関する機械学習の有用性は話し声の分析にとどまらない。音楽の分析でもいろいろと役に立ち、たとえばある曲がクラシックか、ジャズか、ロックかといったジャンルの特定にも利用できる。私はBBCの研究開発部とともに、BBCのテレビ・ラジオ番組のテーマ音楽がどんな気分を表現しているのか調べた。BBCのアーカイブには一〇〇万点もの録音資料があり、同社はそれぞれについて、たとえばあるドラマが愉快か、悲しいか、刺激的かといった具合に、全体的なムードを表すタグをつけたいと考えていた。こうすれば、アーカイブから特定の雰囲気をもつ番組を探し出すことができる。テーマ音楽の分析がこれに役立つのだろうか。アメリカのシチュエーションコメディー『フレンズ』で流れるテーマ曲のアップビートな出だしのコードを聞けば、番組を見たことのない人でもこれが爽快なコメディーだと想像できる。対照的に、たいていのニュース番組は厳粛な雰囲気をもたらすファンファーレで始まる。テーマ音楽が楽しげか悲しげか、愉快か厳粛か、コンピューターが特定

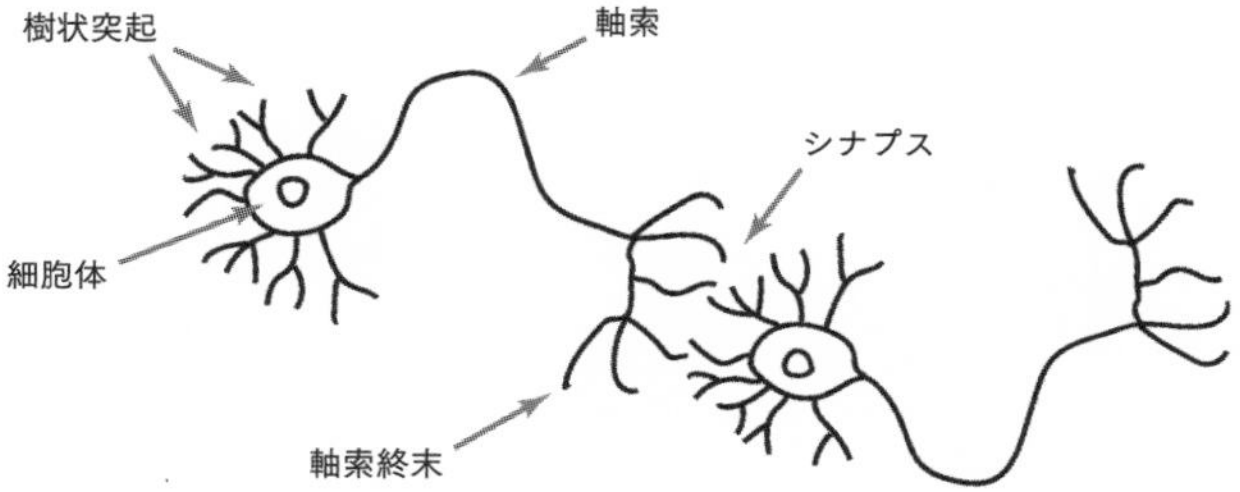

2つのニューロン

できるように学習させることは可能なのかと私たちは考えた。

人は、特定の音楽の特徴が特定のムードとどう結びつくかを学習する。陽気な曲は概してテンポが速く、西洋音楽ではそのような曲に長調が使われることが多い。悲しい曲はたいてい短調で、悪い知らせを伝えるときに文末のイントネーションを下げるのと同じように、下降するフレーズが用いられる。(4) 私たちは生涯にわたって音楽に触れるなかで、こうした関連を覚えていく。同様に、機械学習アルゴリズムも大量の音声の実例を「聞く」ことによって理解を築いていく必要がある。現在、再び脚光を浴びている機械学習アルゴリズムの一つが人工ニューラルネットワークと呼ばれるもので、これは脳内の構造をおおまかに模倣した仕組みである。

ヒトの脳は究極の学習装置である。赤ん坊の脳はおよそ一〇〇〇億個のニューロン（神経細胞）でできていて、そのニューロンがそれぞれほかの一万個ほどのニューロンと結合している。個々のニューロンのすべき仕事は比較的単純だ。情報が電気インパルスとしてニューロンを伝わり、これをニューロンの樹状突起と呼ばれる短い枝状の突起部が受け取る。受け取ったインパルスは足し合わされ、ニューロン間の結合が興奮性か抑制性かによって、値が増減する。足し合わされた信号がある一定の閾値を超えたら、ニューロンが発火して新たな電気パルスを送り出し、

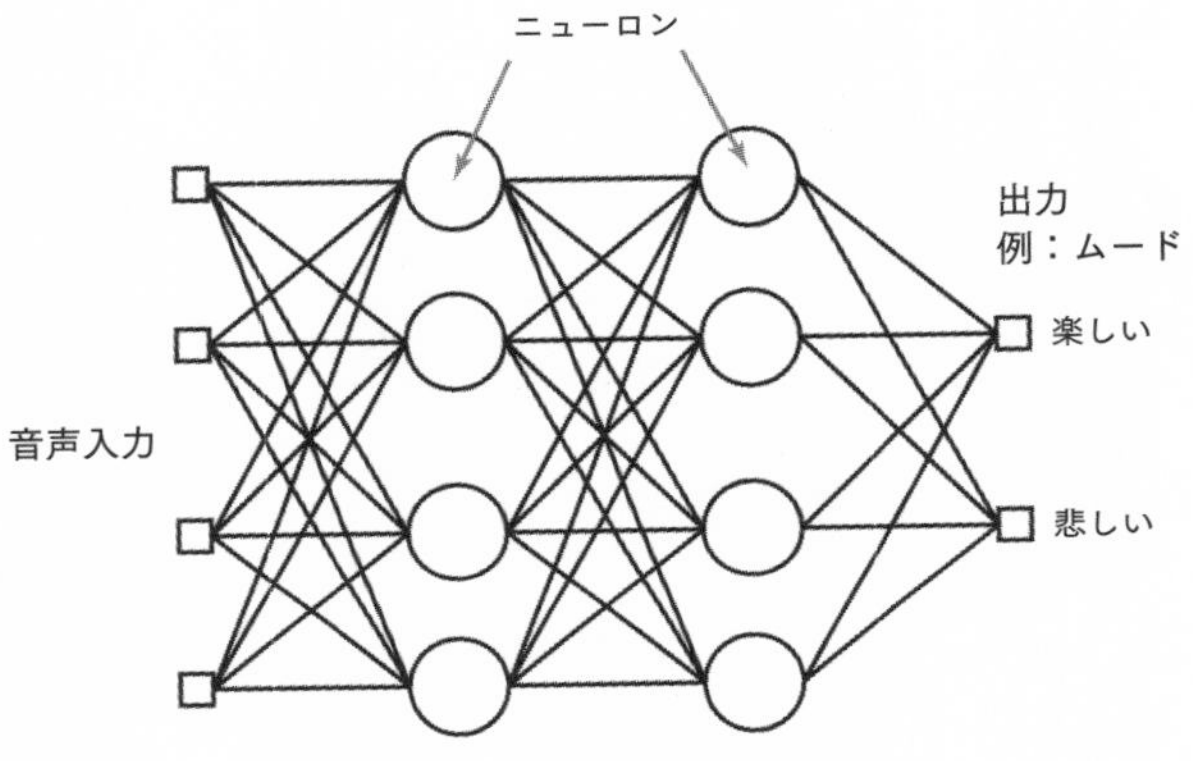

人工ニューラルネットワーク

これが神経線維か軸索を伝わっていく。それから別のニューロンに引き継がれる。脳が途方もなく高い処理能力をもつのは、こうした単純なニューロンが膨大で複雑なネットワークを形成して機能しているからなのだ。

子どもが新しいスキルを習得する際には、訓練というプロセスを経る。父親が子どもに本を読み聞かせてやると、子どもの脳は耳から聞こえる音とページに書かれている言葉を結びつけようとする。子どもが自分で物語の本を読むようになると、父親は子どもが単語を正しく読めたらほめて、間違ったらやさしく訂正してやるというかたちで、上達に対してフィードバックを与える。このような学習によって、子どもの脳内でニューロンどうしの形成する結合の強さ、スピード、個数が変わる。子どもは成功と失敗から学習し、次に本を読むときには前回よりも正しく読める可能性が上がる。

人工ニューラルネットワークは、このタイプの行動を模倣しようとする。人工ニューラルネットワークも、単純な演算ができる多数の「ニューロン」で構成される。一つ一つの人工ニューロンは数行のコンピューターコードにすぎず、生物のニューロンと同様、入力を足し合わせて処理した結果をネットワーク内の別のニューロンに伝達する。しかし、脳内の神経細胞をそっくり模倣したものではなく、結合の個数ははるかに少ない。

子どもと同じように、人工ニューラルネットワークにも訓練が必要だ。コンピューター科学者が親代わりとなって、ネットワークに例を示すとともに、アルゴリズムの出した答えの正誤についてフィードバックを与える。テーマ音楽のムードがわかるように訓練する場合、平均的な聞き手をたとえば楽しい気持ちか悲しい気持ちのどちらにさせるかを明確に分類した音声データをネットワークに入力する。おそらく想像されるとおり、大量の音声サンプルに正しい分類を割り振るのは手間がかかる。この作業のために、私たちは一般市民に協力を求め、一万五〇〇〇人を対象にオンライン実験を行なった。過去六〇年から一四四のテーマ曲を選び、それを聞くとどんな気分になるかを答えてもらった。訓練のあいだ、コンピューターは曲のムードについての自らの推定がどれほど当たっているかを知らせるフィードバックを使って、ニューロン間の結合の強さを変えていく。こうしてコンピューターはしだいに推定がうまくなっていく。サンプルが十分にあれば、曲の表現する気分を徐々に特定できるようになり、その精度が上がっていく。(5)

そうは言っても、人工ニューラルネットワークは人間の脳の処理能力には遠くおよばず、音声をそのまま入力すると対応しきれなくなる場合がある。人間には数十億個のニューロンがあるが、人工ニューラルネットワークは大規模なものでもニューロンの個数はわずか数千個にすぎない。そのため機械学習の容量が限られてしまうので、多くの場合、作業を単純化するほうがよい。私たちは単純化の一つの方法として、未加工の音声ではなく、音声から抽出して慎重に選んで数を絞った特徴を入力した。(6)明るい曲はテンポが速い傾向があることを知っていれば、数式を使って曲のテンポを算出し、その結果を人工ニューラルネットワークに入力することができる。曲の中で目立つコードを特定するという手もある。これによって曲が長調か短調かがわかり、ひいてはその曲が楽しげか悲しげか、どちらの可能性が高いかがわかる。

機械学習アルゴリズムの強みは、訓練を終えれば初めて聞くテーマ曲についても的確な推定ができるようになることである。しかし、そのシステムは完全無欠からは程遠く、学習したデータと同程度までの精度しか達成できない。テーマ曲からテレビ番組のジャンルも推定させようとしたところ、いくつかの曲で問題が生じた。子ども番組『ノッギン・ザ・ノッグ』の哀愁に満ちたテーマ曲で使われる不協和音は、そうした例外の一つだった[7]。子ども番組というジャンルにありがちなアップビートな曲ではないので、機械学習アルゴリズムは判断に迷ってしまった。しかしこの曲については、人間もだまされるのではないだろうか。

このようなわけで、機械学習がうまくいくかどうかは、事実を明らかにしてくれる本質的な特徴を見極められるかどうかにかかっている。機械学習を嘘発見に応用するには、嘘を検出しようとする人工ニューラルネットワークにとって、人の話す言葉のどんな面が役立つかを知る必要がある。人間を対象とした実験で、心理学者はどんなことを発見してきたのだろうか。嘘つきであることを教えてくれるサインのようなものはあるのだろうか。

嘘を見破る手がかり

一九九八年一月、ビル・クリントン大統領は「私はあの女性、ミス・ルインスキーと性的関係をもったことはありません」という悪名高い発言をした。そのぎこちなく機械的な話し方は、演説台を規則的に叩く指の動きによって強調された。それから七カ月後、今度は全国放送のテレビに出演し、嘘をついていたことを認めた。この二つの発言を比べると、話し方はきわめて対照的だ。嘘を認めたときの生き生きしたよどみない口調は、まさに彼を政治家として大成功に導いた、おなじみの話しぶりだった。二つの発言のあいだで見られた最大の違いといえば、リズムの変化だ。あとの発言からは機械的な単調さが消え、単語間の間《ま》も一定でなく、自然なばらつきがあった。

ゆうべどこにいたのかと一〇代の娘を追及する親や、容疑者を尋問する捜査官、そして嘘をついているのではないかと思いながら政治家の話に耳を傾ける市民は、人が嘘をついていればそのことを示すなんらかのサインがあるはずだと思っている。嘘をつけばふつうはストレスを覚えるものだし、不安や恐れによって話し方にそれなりのしるしが現れると私たちは考える。(8) ストレスによって興奮が高まると、声を細かく制御するのが難しくなる。人によっては声の音量、とげとげしさ、声帯の振動する周波数に影響が生じる。つまり、嘘をついている人は興奮の高まりに伴う影響を打ち消そうと過剰に反応し、過度に折り目正しい話し方になる。クリントンが最初の発言の際に不自然な話し方をしていた理由が、これでそれなりに説明できる。

問題は、たいていの人が自分は嘘をつくよりも嘘を見抜くほうが得意だと思っていることだ。実際はその逆で、嘘を見抜くよりも人をだますほうがはるかに得意なのだ。この思い違いは、幼いころに一か八かの思いでついた嘘がばれてしまったという記憶から生じているのかもしれない。「ごめん、送ってくれたメールは迷惑メールフォルダーに入ってしまったみたいだ」というような害のないささやかな嘘は、記憶に残りにくい。私たちはじつは人をだますのがかなり得意なのだが、そのことを忘れてしまう。目をそらすとか、笑みを浮かべているとか、そわそわしているなど、話し手が嘘をついていることを表すと思われる特定のサインを私たちは探したがる。しかし科学的な研究によれば、それらは嘘をついているかどうかを知る手がかりとしてはあまり役に立たない。それどころか、嘘をついているときに落ち着きを失うというのは、実際に嘘をついている人の行動とは正反対なのだ。

イスラエル国家警察のエイタン・エラードは、嘘に関する実験を行なってこの点について調べた。その実験では、警察の捜査官六〇人にビデオを見せて、そこに映るティーンエイジャーが嘘をついていると感じたら、それを指摘するよう指示した。(9) ビデオには八人のティーンエイジャーが登場し、自分の好きな人や嫌いな人について語った。彼らは本心を語ることもあれば、嘘をつくこともあった。

嘘に関する研究において、そのようなビデオを適切に作るのは至難の業だ。ティーンエイジャーは、嘘をついているときにストレスを感じているように見える必要がある。そうでなければ、警察の捜査官が判断するための手がかりが得られない。ところが嘘が露呈しても、刑務所送りなどの重大な罰を科されるおそれがまったくないのは明らかだ。それでもなお、嘘をつくときにストレスを感じるようにプレッシャーをかける手はいろいろある。たとえばティーンエイジャーの自尊心に訴えて、うまく嘘がつけるのは、とても頭がよくて意志が強く、すぐれた自制心をもつ人だけだと告げるとよいかもしれない。(10)

実験に参加したイスラエル警察の捜査官のうち三分の二が、ティーンエイジャーが嘘をついたときにそれを正しく見抜けたと思った。ところが実際の成績は偶然の確率よりも悪く、嘘を見抜けたのは全回数の四六%にすぎなかった。これならコイン投げで判定するほうがましかもしれない。裁判官、精神科医、ポリグラフ検査官の参加した研究でも、平均すると、的中率はあてずっぽうをわずかに上回る程度だった。(11)

一九九四年には、ハートフォードシャー大学で市民に対する心理学の啓蒙を専門とするリチャード・ワイズマン教授が、嘘に関する大規模な実験を行なった。実験室での実験ほど厳密にコントロールすることはできなかったが、並外れて多数の参加者が嘘発見に挑んだ。実験では、著名なイギリス人政治評論家のサー・ロビン・デイの二本のインタビューを使った。一方のインタビューで彼は嘘をつき、他方では真実を語った。実験に参加した市民は、どちらが嘘でどちらが真実かを見分けるよう求められた。四万人以上の参加者が、インタビューをラジオで聞くか、新聞に掲載された文字原稿を読むか、あるいはテレビで視聴した。ラジオで聞いて、言葉と声の手がかりから判断した参加者が嘘を見抜いた割合は七三%だった。新聞で読み、文字だけから判断した参加者の的中率は六四%だった。意外にも、テレビで本人の姿を見て声を聞くことのできた参加者の成績が最も悪く、的中率は偶然の確率をかろうじて上回る五二%だった。視覚的な手がかりが加わると、嘘を見抜く確率がむしろ下がるらしい。(12)

世界規模の調査では、嘘をついているしるしだと最も広く信じられているのは「視線回避」だった。(13)五、六歳の幼い子どもでも、視線をそらすのは嘘をついているからだと考える。人間は一般に他者の感情を読み取るのが非常にうまいのに、嘘についてはなぜこうした間違った手がかりに頼るのか、その理由は興味深い。どうやら錯誤相関という現象のせいらしい。私たちは羞恥を覚えると目をそらす。そして、嘘がばれるのは恥ずべき経験である。このことから、真実を語る人は視線をそらさず、嘘をつく人は視線をそらすという誤解が生じるのかもしれない。

嘘研究の実験で嘘を見抜ける率が低いのは、私たちが視線回避のような、いかにもそれらしいがじつは誤った手がかりに頼っていることに一因がある。「真実バイアス」もまた一因だ。人の言葉は誤っている場合より正しい場合のほうが多いと、自然に思ってしまうのだ。嘘を見抜こうとする場合、現実の生活の中で出会うほかの多くの状況と同じく、私たちは経験則に従って判断を下すが、それにはしばしばバイアスが伴う。マイケル・シャーマーは著書『信じる脳』で次の例を挙げている[14]。自分がサバンナで暮らす太古の祖先となって、物音を聞いたとしよう。今聞こえたのは、下草をそよがせる風の音だろうか。それともこちらに忍び寄る捕食動物の足音だろうか。この状況では、攻撃の機会を狙う動物の足音と解釈して、回避行動をとるほうが安全だ。実際には捕食動物かもしれないのに風の音だと解釈するのは危険である。サバンナでかさかさという音が聞こえたら、それはすべて捕食動物の存在を告げる合図と思うべし。こういうバイアスを伴った経験則を学習するのは、当人のためになる。

嘘を見破ろうとしているときでも、私たちは真実バイアスによって、人の話は嘘よりも真実であることのほうが多いと思い込む（セールストークを聞かされているときなど、一部の特殊な状況を除く）。このようなバイアスが生じる理由はおそらく、私たちが日常生活の中で嘘よりも真実に出会うほうがはるかに多いからだろう。また、多くの場合、人の言葉の正しさを立証するのは、その人が真実を話しているときのほうが簡単だ。真実と比べて、嘘を聞かされるほうがはるかにまれであり、嘘を聞かされた場合にそれを見抜くのははるかに難しい。ときには嘘を隠し通すことに無意識のうちに加担していることすらあるかもしれない。たとえばお気に入りのドレスを着た人が「太って見えない？」と聞いてきた場合、率直な答えを心から望んではいないだろう（この現象は「ダチョウ効果」と呼ばれている）。要するに私たちはたいてい、自分が真実も嘘も見抜けると思い込んでいる。しかし、真実だった場合にはそれが確かめられることが多いが、嘘についてはは真相がわからないままになりがちで、嘘をつかれてもそれに気づかないことが多いのだ。[15]

嘘を見抜く確率を上げられる手がかりはいくつかあるが、それらは微妙で、なかなか気づきにくい。嘘をつくときには言い間違いが増え、質問に対する反応が鈍り、話すペースが遅くなる傾向がある。嘘を考えて口にするのに思考時間が余分に必要なのだ。質問に対して真実を答えるほうが、実際に起きたと思っていることがらを思い出せばよいだけなので、ふつうは返答しやすい。嘘を隠そうとする人が示す行動はほかにもいろいろある。脳の中を調べることができたら、先についた嘘とその後の質問に対する答えとのつじつまを合わせるために、脳が通常より活発に働いているはずだ。[16] ポーツマス大学のアルダート・ヴレイは、これを利用して容疑者の取調べをもっとうまくやることが可能だと考えている。事件について時間をさかのぼる順番で話をさせれば、容疑者の認知負荷が高まって、嘘をついたときの手がかりが露呈しやすくなるかもしれない。

近年でとりわけ名高い嘘つきといえば、元プロ自転車選手のランス・アームストロングがいる。彼はツール・ド・フランスで七連覇という前人未到の偉業をなし遂げたが、現役中にも引退後にもドーピングでたびたび告発された。二〇〇五年七月、彼は凱旋門をバックにシャンゼリゼで最後の優勝スピーチをした際にこう断言した。「自転車競技を信奉しない人、ひねくれた人、猜疑心に満ちた人に言わせてもらう。私は皆さんが気の毒でならない。大きな夢が見られず、奇跡を信じられないとは、気の毒なことだ。……秘密などなにもない。自転車は過酷な競技で、過酷な努力をした者が勝つんだ。ツール・ド・フランス万歳！」。ところが二〇一三年、彼は運動能力を向上させる禁止薬物の使用をついに認め、それまでに得たタイトルを剥奪された。アームストロングがドーピング疑惑を否定したときの古いビデオクリップを見ると、投げかけられた質問に対して妙によどみなく自信たっぷりに答えている。嘘をつかなくてはならない人は、それがばれないようによどみなく話し続けようとすることを明らかにした研究があるが、まさにこれはその結果を裏づける事例だ。[17] 別の嘘研究では、嘘をつくのが極端にうまい人は嘘をつくときにふだんと変わらない話し方をするという結論が得られているが、アームストロングはその好例でもある。

ほかにも声による手がかりはあるのだろうか。嘘をつくときには声がしばしば高くなり、周波数でいうと六、七ヘルツ上がることが実験で示されている。これにはいくつかの理由が考えられる。たとえば嘘をつくことに伴うストレスで心拍数が変化し、それによって声門下にかかる圧力も変化し、その結果として声帯の振動速度が上がるのかもしれない。しかし残念ながら、声の高さの上昇は普遍的に起きるわけではない。つまり科学的研究では普遍的な「しるし」は見つかっていないということだ。

以上の証拠を踏まえると、私たちがいまだに自分は嘘をうまく見抜けるとおおむね信じていることに、私は驚きを覚える。このことは、嘘をついたがばれなかったという私たち自身の経験にも反するのではないだろうか（私がしょっちゅう嘘をついているというわけではもちろんない！）。アメリカの成人一〇〇〇人を対象とした調査で、人は平均して一日に一・六五回の嘘をつくことが判明した。ただし嘘の多くは、嘘をたくさんつく一部の人によるものだった。[18] どれほど信頼できる人でも対人的な気まずさを避けるために嘘をつくのなら、なぜ私たちは自分が嘘をついた経験から学習して、他者の嘘をもっとうまく見抜けるようにならないのだろう。それができないのは、嘘をついたことを示す声と言葉による手がかりが一貫性を欠き、あいまいだからだ。

二〇一四年にカリフォルニア大学バークレー校のリーアン・テン・ブリンクらが行なった実験で、私たちが嘘を見抜こうと意識的に努力した場合には、役に立たないステレオタイプ的な手がかりに目を向けてしまうせいでうまくいかず、むしろ無意識のときのほうがいくらかうまく嘘が見抜けるということが判明した。[19] この実験でも、人が嘘をついているところと真実を述べているところを映したビデオを被験者に見せた。この実験では、一〇〇ドルが盗まれたという模擬事件を設定し、その容疑者たちが質問に答える様子をビデオに記録した。被験者には、ビデオに映っている人が嘘をついているかどうかを尋ねるほかに、潜在連合テストも行ない、被験者の無意識的な思考も明らかにした。[20] 被験者は「不正直」や「正直」などの言葉と、嘘をついている容疑者やついていない容疑者の写真が表示された画面を見て、言葉と写真の関係が合っているか判断するように指示された。そして答えを出すまでの時間が測定された。テン・ブリンクは、写真が言葉と合わないとき、たとえば嘘をついていない容疑者の写真が「不正直」という言葉とともに表示された場合、答えるまでの時間が長くかかることを発見した。つまり、誰が嘘をついているかと質問されたときには、被験者は嘘つきをうまく特定できなかったが、無意識のレベルでは話し手が嘘をついているかを表す手がかりをとらえていたのだ。意識的な心の中にあるバイアスが嘘発見の妨げとなるのなら、感情をもたないコンピューターのほうがうまくやれるかもしれない。

音声ストレス分析装置は嘘を見破れるか？

音声ストレス分析によって嘘を発見するとされる装置がいくつか市販されている。二〇〇三年、BBCニュースは「ある自動車保険会社が電話による嘘発見器を導入したところ、自動車の盗難に関する補償請求のうち四分の一が取り下げられた」[21] と報じた。一年後、今度は『ニューヨーク・タイムズ』紙があるメーカーの話として、同社の技術が「アメリカ各地の一四〇〇の警察署のほか、州の機関や、国防総省を含む連邦機関など」[22]に採用されていると報じた。最近では、イギリスの労働年金省が二四〇万ポンドを投じて、三〇〇〇人近い給付金請求者を対象として嘘発見技術を評価する試験を行なった[23]。

これらの嘘発見器の多くは「微細振動」をモニターすることで嘘を発見するのだという。ストレスによって筋肉への血流に変化が起きる。この変化は喉頭を制御する筋肉にも起きるので、声の微細振動が変化するというのである[24]。しかし、二頭筋などの大きな筋肉については研究で微細振動が確認されているが、喉頭筋でそのような振動が起きることを示す証拠はない。声のコントロールは想像を絶するほど複雑なプロセスで、すばやく発音できるようにとりわけ小さく高速で運動する筋肉を使う。微細振動が存在するとしても、その影響を検出するのは無理だろう。

音声ストレス分析が科学的な成果を出せないことについては、ストックホルム大学のフランシスコ・ラセルダとイェーテボリ大学のアンデシュ・エリクソンというスウェーデン出身の二人の言語学・音声学専門家が『発話・言語・法学国際雑誌』に発表した研究論文で詳しく述べている[25]。論文の中で、著者らはこの技術に対する侮蔑を隠さない。「どんな職業にもペテン師はいるのかもしれない。金儲けになりそうな仕事ならとりわけそうであろう。法音声科学も例外ではない」という一節で序文が始まる。自社の技術をこき下ろされた企業の一つが出版元を訴えると脅したため、この論文は議論を巻き起こしながらウェブサイトから取り下げられた。この件が一因となって、イギリスでは二〇一三年に文書名誉棄損に関する法律が改正され、査読論文を学術誌に発表する科学者は保護されるようになった[26]。

この論文で著者らは、音声ストレス分析に関する一つの特許に注目し、検討した。その結果、彼らがこの技術に対して抱いていた懸念は裏づけられた。「この特許の明細書ときたら、まるで学生のレポートみたいなものなんです。自分の書いているテーマが理解できていないのに、ただ立派な言葉を書き連ねてくる学生っていますよね」とフランシスコは私に語った。明細書では五〇〇行分のコンピュータープログラムが開示されていたので、フランシスコは嘘発見のプロセスを再現することができた。プログラムは録音された音声の音波の細かい変動をとらえて処理し、波形の山と谷と平坦域の個数を数える。平坦域は無声状態や「うーん」とか「あー」といった声によって生じることがあるので、話し方の流暢さとのあいだに弱い相関性がいくらかはあるかもしれない。しかし波形の山と谷の個数は録音装置の設定に大きく影響される。

「文章を一つもってきて、二つの子音に母音が一つ挟まれている箇所を数えて、その数を査定するようなものです。あるいは、アルファベットの並びの中で五文字とか一〇文字とかの範囲内に含まれる文字がいくつ連続しているかを調べるようなものです。こんな基準で、文章の書き手の心情などわかりっこないでしょう！」とフランシスコは説明した。彼はこのプログラムを「音声で制御する疑似乱数発生器」と呼ぶ。プログラムは波形の山と谷と平坦域の個数にもとづいて、「嘘をついている、ストレスが少ない、試験前の基準時と比べて思考していない、通常の興奮」などといったいくつかの区分で分類し、判定結果を出力する。ラセルダとエリクソンの論文が指摘しているとおり、「分析結果は星占いと似たような仕組みになって」いて、運用者がほぼ好きなように解釈することができる。

この種の嘘発見システムに対する科学的な試験も行なわれていて、その成績はやはり偶然の確率と大差ないことがわかっている。オクラホマ大学のケリー・ダンフースらの研究では、オクラホマ郡の留置場に拘留された逮捕者に、薬物を使用しているかと質問し、返答を音声ストレス分析にかけた。[27]

そして面談後に尿検体を採取して調べ、実態を明らかにした。その結果、嘘をついていた人のうち音声ストレス分析で嘘が見抜けたのは一五%だけだった。さらに懸念すべきことに、この分析システムが「嘘をついている」と判定した人を調べると、本当に嘘をついた人一人に対し、嘘をついていない人を九人の割合で、誤って嘘つきと判定していた。機械学習における「誤検出」は非常に重大な問題だ。ヒースロー空港で旅客検査に音声ストレス分析を使うことを提案した会社があったが、それが実現したらどうなるか考えてみればよい。毎日八〇〇〇人もの罪なき旅客が誤って保安上の脅威と判定されて激昂させられることになるのだ。

留置場で行なわれた別の実験では、発言が音声ストレス分析にかけられていると伝えたら、嘘をつく人の数が三分の一に減った。(28) つまり音声ストレス分析の効果は単に脅しによるものと思われる。人はばれると思ったら、なかなか嘘はつかないものだ。心理学ではこれを「いんちきパイプライン効果」と呼ぶ。この現象を発見したエドワード・ジョーンズとハロルド・シゴールは、偽物の嘘発見器を使うことによって、被験者の「魂に通じるパイプラインを開放」させ、本心を明らかにしようとした。(29) これが本当に有効なら、警察や保険会社や政府機関は、嘘発見器を買っているふりをするだけで多額の予算が削減できるはずだ。もっとも、そんなこけ脅しがいつまでもつのか、私は疑問に思わずにいられないが。

インターネットでちょっと調べれば、嘘発見システムが役に立たないことを示す証拠がすぐに見つかる。しかし音声ストレス分析はゾンビのような技術で、科学的な証拠でどれほど叩かれても、いつのまにやらまた復活している。イギリスの労働年金省は研究の結果を無視して、二〇〇七年五月から二〇〇八年七月にかけて二四〇〇万ポンドを使ってこの技術を試験し、給付金の不正受給を削減しようとした。受給申請者が電話してきたときに、音声ストレス分析で要注意人物を特定し、スタッフに警告する、というのが狙いだった。試験が行なわれた七つの地域のうちの四つ（検討対象の通話の八〇%を担当していた）で、音声ストレス分析はコイン投げと同程度の成績でしかないと評価された[30]。「あれほど多額の予算を投入しながらこんな結論に至っただけとは、嘆かわしい限りです。最初から必要な質問をするだけでよかったのですから」とフランシスコ・ラセルダは私に言った。

もっと一般的な話をすれば、ストレスは嘘をついたサインだと想定すること自体に問題がある。というのは、実際のところ、嘘をついている人もついていない人もストレス状態にあるかもしれないからだ。嘘研究者はこれを「オセロの誤謬」と呼ぶ[31]。シェイクスピアの悲劇『オセロ』で、オセロは自分の副官のキャシオーと不倫をしているだろうと言って妻のデズデモーナを非難する。デズデモーナに贈ったハンカチをキャシオーがもっているのを見てしまったのだ。オセロはキャシオーの暗殺を命じ、それが成功したと思って妻にキャシオーは死んだと告げる。デズデモーナは自らの潔白を証明する機会が奪われてしまったと思って苦悩する。オセロは妻の苦しむようすを見て罪深さのさらなる証拠だと思い、妻を殺してしまう。

オセロが現代に生きていたら、コンピューターはデズデモーナが罪を犯したかどうか判断する助けとなるだろうか。長年にわたり機械学習の分野に携わってきた者として私の意見を言わせてもらえば、デズデモーナの話し方のイントネーションやリズムだけを調べたところで真実はわからないと思う。嘘に関するどんな科学的な研究も、人の嘘のつき方には明確なパターンを見出せず、真実を語っている人でもストレスによって声が変化する可能性があるのなら、どれほどすぐれた機械学習アルゴリズムも簡単には答えを出せないはずだ。

一見したところもっと単純に思われるタスクについてはどうだろう。コンピューターに声を聞かせて、声の主がどのくらい酔っているか推定させることはできるのだろうか。私たちは酔うと話し方ががらりと変わることがある。話をするには微細な運動動作のきわめて複雑な協調が必要だ。アルコールを大量に飲めば、筋肉をきちんと制御できず、発声器官を操作するのに苦労して、ぎこちなくろれつの回らない話しぶりになる可能性がある。発音に支障が生じ、認知能力も低下するので、話す速度も遅くなるかもしれない。

一九八九年にアラスカ沖で座礁したタンカーから四一八〇万リットルの原油が流出し、およそ二五万羽の海鳥、三〇〇〇頭のラッコ、三〇〇頭のゼニガタアザラシ、二五〇羽のハクトウワシ、二二頭のシャチの命を奪った。[32]このエクソン・ヴァルディーズ号の原油流出事故が起きたとき、船長のジョゼフ・ヘイゼルウッドは勤務中にもかかわらず酔っていたとして起訴された。裁判では、声の法医学的分析が議論の中心となった。事故当時のヘイゼルウッドの声を録音したものが残っているが、それを聞くと彼の声に変化が起きていることがわかる。ふだんよりも話す速度が遅く、話している最中に声の割れ具合が変化している。

コンピューターは船長の声のこうした変化を検出し、自動的に船の指揮権を一等航海士に引き継がせることができるだろうか。二〇一一年、録音された音声から酔っているかどうかをコンピューターでどれほど正確に判定できるかを競う競技会が開催され、研究者らが参加した。[33]最初のステップは、判定用のサンプルを用意することだった。このために一五四人を酩酊させて、いくつかのフレーズを言わせた。それから参加した研究チームは、それぞれの音声サンプルの声の主が酔っているか酔っていないかを判定できるコンピューターアルゴリズムの作成に挑んだ。最もすぐれたプログラムは七一

％の精度を達成した。[34] しかしこれは、人間が達成できる的中率と大差ない。人間は平均すると四分の三の確率で話し手が酔っているのを見抜くことができるのだ。[35] 残念ながらコンピューターは精度が低すぎて、船長の状態を検証する手段として信頼性があるとは言えない。

エクソン・ヴァルディーズ号の裁判で、ヘイゼルウッドは乗船前にウォッカを飲んだことを認めたが、無罪となった。音声分析では彼が酔っていたことをはっきりと証明することができなかったのが、その一因だった。話し方が変化したのは、騒々しい船の上で声を届かせるために大声を張り上げたためという可能性が否定できなかった。[36] コンピューターは人間と同じように音声から情報を拾い上げることはできるが、アルゴリズムが不完全であったり、あるいは声の手がかりが不明瞭であったりするせいで、その判定は当てにならない。

アルゴリズムで嘘を見破る

嘘発見のアルゴリズムはこれまでのところ、被験者の使う言葉に目を向けてこなかった。「お前は俺の一番の親友だからな」といった特定のフレーズを探させたり、酔った人がよく間違える語順を見つけさせたりできれば、コンピューターは酔っ払いをもっとうまく発見できるようになるだろうか。

ジョナサン・エイトケンは成功を収めていたイギリスの保守党の政治家で、かつては将来の首相と目されていた。一九九五年、財務副大臣だったエイトケンは閣僚を辞任し、『ガーディアン』紙とグラナダテレビの申し立てに異議を唱えて提訴した。武器販売を手がけるサウジアラビアの実業家から賄賂を受け取ったと報じられたのだ。名誉棄損で訴えると発表した際の彼のスピーチは、一歩も譲らぬ気迫に満ちていた。「わが国のゆがみきったジャーナリズムから病弊を取り除くため、飾りのない真実の剣と信頼できるフェアプレイの盾をもって闘えと言われれば、受けて立つまでだ。闘う準備はできている」。四年後、エイトケンは偽証罪と司法妨害で一八カ月の実刑判決を受けた。名誉棄損訴訟において、彼はパリのリッツホテルの宿泊費一〇〇〇ポンドは自分が渡した金で妻が支払ったと主張した。ところが『ガーディアン』紙が請求書のコピーを入手し、エイトケンの嘘が露呈した。彼の政治家としてのキャリアは終わった。「真実の剣」スピーチのビデオを見ると、辛辣な言葉とはうらはらに、妙に平板な話し方をしていたのがわかる。

したがって、コンピューターがこの嘘を見抜くには、言葉を理解する必要がある。それができれば、人が嘘をつくときには細かい説明を避けて外部のできごととのつながりを示さないという事実のような、科学的研究で明らかになった嘘のサインを嘘発見器が利用できるようになるだろう。(37) しかしそのためには、コンピューターが人の話を認識してその意味を理解できることが必要だ。

一九五二年、アメリカのベル研究所のK・H・デイヴィスが同僚とともに、初期の電子音声認識装置の一つである「オードリー」を製作した。この装置は一桁の数字を音声で認識でき、特定の話し手に合わせて細かく調整すると、ほとんどの単語を正確に認識することができた。初期のほとんどの音声認識装置と同様、オードリーも基本的にパターンマッチングにもとづいて判断を下していた。次の図は、ゆっくりと一から五まで声に出して数えたときの記録だ。上は音を図示する一般的なグラフで、五つの数字を言うときに声によって生じる圧力が変化するようすを波形で表している。「2《トゥー》」と言ったときの波形では、「t」と「oo」の音がはっきりと分かれている。出だしの破裂子音「t」では、口蓋に触れた舌で空気の流れがまず止められ、それから舌が口蓋から離れると、空気が急速に流れて音が発生する。すぐに続いて歌うような「oo」という母音が発せられる。下の図は、声の周波数成

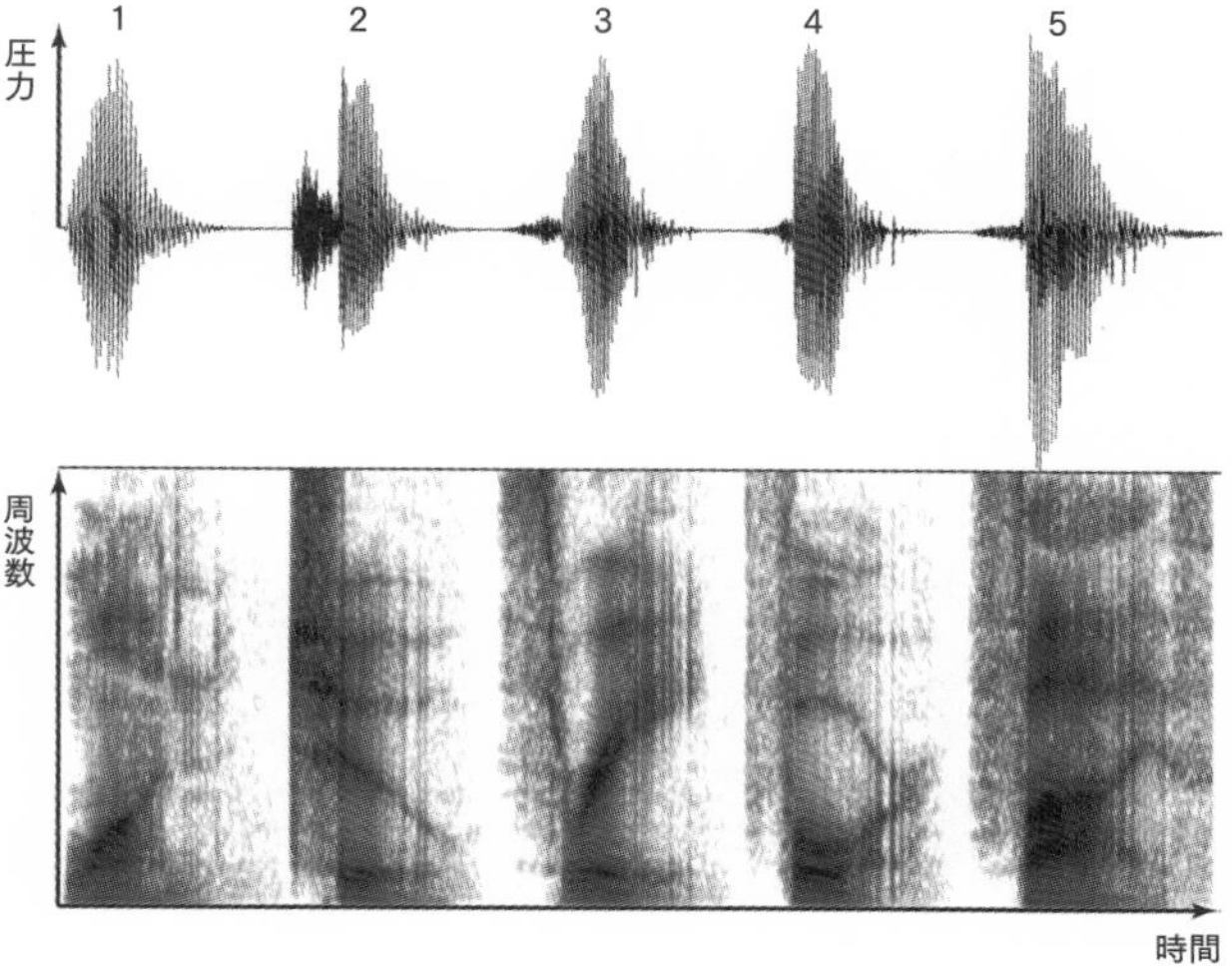

男性の声で「1、2、3、4、5」と数えたときの変化

分が変化するようすを表すスペクトログラムである。「2《トゥー》」では、一本の黒い線が左から右へ向かって下がっている。ところが「3《スリー》」では、反対の方向へ伸びる斜めの黒い線が見える。「3《スリー》」の後半部を発音するとき、そのイントネーションによって周波数が上がり、そのせいでスペクトログラムに右肩上がりの線が生じるのだ。

　スペクトログラムというのは指紋のようなもので、これを見るとそれぞれの数字の発声に固有のパターンがあることがわかる。オードリーの仕事は、マイクに向かって発せられた音のパターンを、各数字に固有のパターンのいずれかと結びつけることだった。一九五〇年代にはスペクトログラムを生成できるコンピューターがなかったので、この作業は困難だった。そのうえ、オードリーはあまり実用的な装置ではなかった。ベル研究所のジェイムズ・フラナガンの言葉を借りれば「高さ一八〇センチのリレーラックを占拠し、高価で、大量の電力を消費し、複雑な真空管回路を維持管理するのに無数の問題が生じた」[38]のだった。

このタイプの分析には、私たちが同じ単語を常に同じように発音するわけではないという問題もある。たとえば、ふつうの発音では周波数が下がっていく単語でも、疑問文の最後に来たら上昇調になるかもしれない。また、発音は人によってずいぶん異なるので、ある人が一から五まで数えたときのスペクトログラムは、別の人のものとは違って見えるだろう。オードリーよりもずっと高度な技術を用いた最新の装置でも、うまくいかないことがある。二〇一一年にイギリスでｉＰｈｏｎｅ４Ｓが発売されたとき、音声アシスタントのＳｉｒｉは強いスコットランド訛りを理解するのに苦労した。[39]

近年では、当時よりも高速なコンピューターと機械学習の利用により、音声認識の誤認率は半減した。人間が聞くのと比べればまだ信頼性はかなり劣るが、最新の装置では単語の間を長く空けてゆっくり話す必要はなくなった。そのうえビッグデータの時代を迎えて、装置は膨大なサンプルを使って訓練されている。アップル社は、コンピューターにスコットランド人が話す音声をたくさん聞かせて訛りを学習させるというやり方で、Ｓｉｒｉの問題を解決した。ビッグデータの時代には、音声認識装置が莫大な語彙を保有することもできる。グーグルは三〇〇万語の語彙をもつと言っているが、これはどんな人間の語彙をもはるかに上回る。このおかげで、きわめて専門性の高いテーマについて、その分野でしか使わないような語彙を使って話していても音声認識が機能する。

近ごろでは誰もが、買い物をしているときやソーシャルメディアを使っているとき、あるいはインターネットを閲覧しているときに、大量のデジタルデータを生成し、無料のサービスと引き換えに自分に関する大量の情報を企業に渡している。コンピューターにユーザーの声を利用させたら、さらに価値のあるデータが生じる。というのは、言葉による情報に加えて、ユーザーの感情に関する情報まで得られる可能性があるからだ。

しかし、機械学習で大量の言語資料データ（コーパス）を使うと、意図せぬマイナスの結果に至るおそれもある。コーパスは数学とアルゴリズムにもとづいて形成されるのだから、『スター・トレック』のミスター・スポックのように客観的なものであるはずだと思われているかもしれない。しかしコンピューターのソフトウェアは、訓練用データに含まれる社会的偏見も学習して再現する。二〇一七年、プリンストン大学のアイリン・カリスカンらは、機械学習アルゴリズムの訓練用として人気のあるデータベースに入っている単語どうしの関連を調べた。[40] データベースにはインターネットからかき集めてきた単語が何十億語も登録されている。あるテストでカリスカンは、文の中で「愛」などの好ましい語の近くに出現する人名と、「醜い」などの好ましくない語の近くに出現する人名を調べた。その結果、人種的偏見が判明した。アフリカ系アメリカ人の名前と比べてヨーロッパ系アメリカ人の名前のほうが、好ましい語の近くに出現する頻度が高かったのだ。別のテストでは、性別にもとづくバイアスが判明した。男性の名前は「専門職」や「給料」など仕事に関係した語との結びつきが強いのに対し、女性の名前は「親」や「結婚式」といった家庭生活に関する語と結びついていた。こんなデータベースを使って機械学習アルゴリズムを訓練したら、性差別的で人種差別的なソフトウェアが生まれかねない。

グーグル翻訳などの人気ツールでも、すでにバイアスが明らかになっている。トルコ語の「o bir doktor」と「o bir hemşire」というフレーズをグーグル翻訳に入力すると、「彼は医師です」と「彼女は看護師です」という訳が返ってくる。[41] ところが「o」というのはトルコ語で男女の別なく使われる三人称の代名詞なのだ。医師は男性で看護師は女性とする推定には、文化的な偏見と医療専門職における性別分布の偏りが反映されている。つまり性差別的な翻訳アルゴリズムができあがってしまったというわけだ。こんなアルゴリズムを使って医療関係の求人への応募書類を選別したら、既存の文化的バイアスが強化されるに違いない。ＡＩをめぐる議論では、使用するアルゴリズムが重視されがちだが、ＡＩの性能を決定するのはデータであることが多く、そのデータが意図せぬ不穏な結果をもたらすこともありえる。二〇一五年、写真共有サイトのフリッカーが画像認識システムをリリースしたが、このシステムは黒人を「サル」と識別し、ダッハウ強制収容所の写真を「ジャングルジム」、アウシュヴィッツ強制収容所の写真を「スポーツ」と識別するというミスを犯した。気をつけないと、コンピューターが人間の話す言葉からその人の特徴を明らかにしようとするときにも同様のミスが起こるだろう。とりわけ私たちの声には人種や性的指向や性別に関する微妙な情報がさりげなく、しばしばあいまいなかたちで含まれているので、注意が必要だ。

グーグル、アップル、マイクロソフトといった企業は、今や録音された音声の膨大なデータベースを保有し、音声認識システムの作成にそれを利用している。マイクロソフトはある実験で、自社の音声検索ソフトから取得した二四時間分のデータを利用した。データには三万件を超す発話が含まれていた。ユーザーに企業を検索してもらったので、「ウォルマート」「マクドナルド」「セブンイレブン」などが頻繁に出現した。訓練後、人工ニューラルネットワークに初めて聞く検索音声を認識させると、文単位で正しく認識する文正解率は七〇％となった[42]。このときの検索音声の録音データはさまざまな訛りをもつ人から集められたもので、間違った発音や背景雑音も混ざっていたであろうことを考えると、この精度はなかなかのものだ。しかしそれでもなおこの結果からは、アルゴリズムが提示する語には間違いが多数含まれていることがわかる。といっても、これはコンピューターだけの問題ではない。すでに見たとおり、人間が他者の話を聞くときには、脱落や誤りがしばしば生じるので、脳がその欠落を補ったり間違いを直したりする。文字を読むときにも同じことが言える。次の文の意味を理解するのはさほど難しくない。「Aoccdrnig to a rscheearch...it deosn't mtaer in waht oredr the ltters in a wrod are, the olny iprmoetnt tihng is taht the frist and lsat ltteer be at the rghit pclae」(43)†。テキストに間違いがあっても、正しい文字が十分にあればもとのテキストを復元することができる。そしてこれは話し言葉にもあてはまる。

調べたいことがらをブラウザに入力し始めると、検索語句の続きの候補がいくつか表示される。私がある検索エンジンに「Trevor Cox」と入力すると、最初に現れる候補は「Trevor Cox whl」(トレヴァー・コックス　ウェスタン・ホッケー・リーグ)だ。こうなるのは、メディシン・ハット・タイガーズでプレイするカナダ人アイスホッケー選手と私が同姓同名だからである。このような候補の表示ができるのは、ビッグデータを使って言語のモデルを作っているからだ。たとえば今の例では、検索語句で一緒に使われる可能性の高い語が導き出される。このような言語モデルは、音声認識においてきわめて重要な役割を果たす。というのは、そのモデルによって、間違って認識した語を修正することができるからだ(44)。

音声検索は驚くほど有効だが、嘘発見の役に立つかと言えば、今のところはまだその段階にはない。

†訳注　正しくは「According to a research...it doesn't matter in what order the letters in a word are, the only important thing is that the first and last letter be at the right place」(ある研究によると……単語の中の文字の順番は重要ではなく、大事なのは最初と最後の文字が正しい位置にあることだけである)

なぜなら、その言語モデルは検索語句の候補に焦点を絞って構築されているからだ。グーグルは検索語句に関して膨大な情報をもっている。同社は各ウェブページに含まれる虚偽の件数の分析を始めたので、検索順位はサイトの信頼性にもとづいたものとなるだろう。(45) しかし書き言葉と話し言葉は機能の仕方が異なるので、嘘発見を助けるには限界がある。さまざまな言葉遊びの奥深さと、それを処理できる言語モデルを開発するのがどれほど大変かを考えてみればよい。たとえば、頭音転換(スプーナリズム)という言葉遊びを考えてみよう。この語は、一八四四年生まれの聖職者、ウィリアム・スプーナーに由来する。彼は頭に言葉が追いつかず、単語の音が入れ替わる言い間違いをよくしていた。あるとき彼は結婚式で「It is kisstomary to cuss the bride」と言ったとされる(「It is customary to kiss the bride」(花嫁に口づけを)と言うべきところ。cussは「冒涜する」の意味)。また、乾杯の音頭で「our dear old queen」(親愛なる女王陛下)と言うべきときに「our queer old dean」(変態でおいぼれの学生監)と言ってしまったこともある。(46)

科学者は、機械学習を使って下ネタ系のダブルミーニングを含んだジョークの検出を試みている。(47) コンピューターに「バナナ」など、卑猥な含みをもつ語を探させる。「〜は一日中でも……を食べていられる」のような、エロティックな文に特有の構造でも、同じようにダブルミーニングが使われている。訓練後には、コンピューターはこのタイプのジョークをおよそ七割の確率で検出できるようになった(ここで機械学習における難題について、下ネタ系のダブルミーニングを使ったジョークでも持ち出せたらいいのだが)。

独特な笑い声に注目すれば、コンピューターはもっとうまくジョークを見つけられるのではないか。私がユニヴァーシティー・カレッジ・ロンドンの神経科学者、ソフィー・スコットに会って物まね名人について質問したとき、感情の表現方法に関する彼女の研究も話題にのぼった。彼女は最初に叫び声と嫌悪感に関する実験をしていて、のちに笑いを研究するというもっと楽しい仕事に方向転換した。この研究の意義に疑念を抱く人を相手に、これはまじめな研究テーマなのだと納得させる必要に追われている。共用のプリンターで研究参加同意書を印刷したとき、印刷済みの用紙を目にした同僚の誰かが、匿名でこんなメモをつけたという。

> 内容＊から考えて、この紙の山はゴミだと思われます。すぐに持っていかないと処分されるでしょう。
>
> ＊これ、科学なの？

しかし、笑いはまじめな研究テーマだ。笑いこそ、私たちのデフォルトの状態なのだ。「ほかの条件が同じなら、人は自分がいつも一緒にいる人に対して心地よさや満足感を覚えるものよね。そういう人と一緒にいるときには笑うでしょう」とスコットは言う。笑いが出なければ、それは何かがおかしいと示すサインだ。極端な一例が、笑いを聞くとそれが自分に向けられた嘲りだと感じて笑いを恐れる「笑われ恐怖症」である。「これはかなり重症の精神疾患状態と一〇〇％結びついているの」とソフィーはこの症状を説明する。笑いは会話の潤滑油なので、笑いを研究することで、対人的なやりとりの核心に迫ることができる。人間どうしが一緒にいればストレスは避けられないものだが、そのストレスを笑いでやわらげる夫婦は、そうでない夫婦と比べて自分たちの関係についての満足度が高く、結婚が長続きする。

笑いのユニークな音響特性について語る前に、ソフィーは脳の模型を手に取り、聞くことに関与するさまざまな部位を指摘した。人の話を聞く場合、その発音、語彙、構文に関する情報には左脳が関与することが多い。つまり、右脳は声に含まれるこれら以外のすべての要素、たとえばイントネーションや話者の特定などを担当する。したがって、被験者をスキャナー装置に入れて笑い声を聞かせたならば、右脳のほうが活発な活動を示す。

脳のスキャンに着手する前に、ソフィーは適切な笑い声の録音データを入手する必要があった。チームの研究者二人に参加してもらった最初の録音は、順調に進んだ。「互いに相手を笑わせて、ものすごく楽しんで」いたという。ところが次にボランティアを募って録音したときには、まったくだめだった。「グループの一人目の男性が無響室でぽつんと座ったまま笑っていないのに気づくまで、私はこのボランティアの人たちが互いをよく知らなくて、友人どうしでないということに気が回らなかったの」と、ソフィーはそのときのことを語る。雑音の入らない録音データを取得するために、笑い声のドナーには無響室に一人で入ってもらう必要がある。だが、笑いとは社会的な活動だ。そこでソフィーたちは新しいやり方を考えた。無響室に入る前に、参加者たちに「同じ場で長く過ごしてもらって、ビデオを見せたり、みんなで笑わせたりして、ウォームアップさせる」ことにしたのだ。「こうやって態勢を整えてから、無響室に入ってもらうの」

こうして録音した笑い声を脳スキャン装置内のボランティアに聞かせると、明確な神経反応の生じる笑いが二種類あることがわかった。笑いとは愉快なことに対する自然な反応だが、最もよく起きるのは、会話の潤滑油として働くだけでユーモアとはほぼ無関係な、儀礼的で社交的な笑いだ。この種の作り笑いは、人と話しているときに会話に加わって楽しんでいることを伝える。一般に一〇分間の

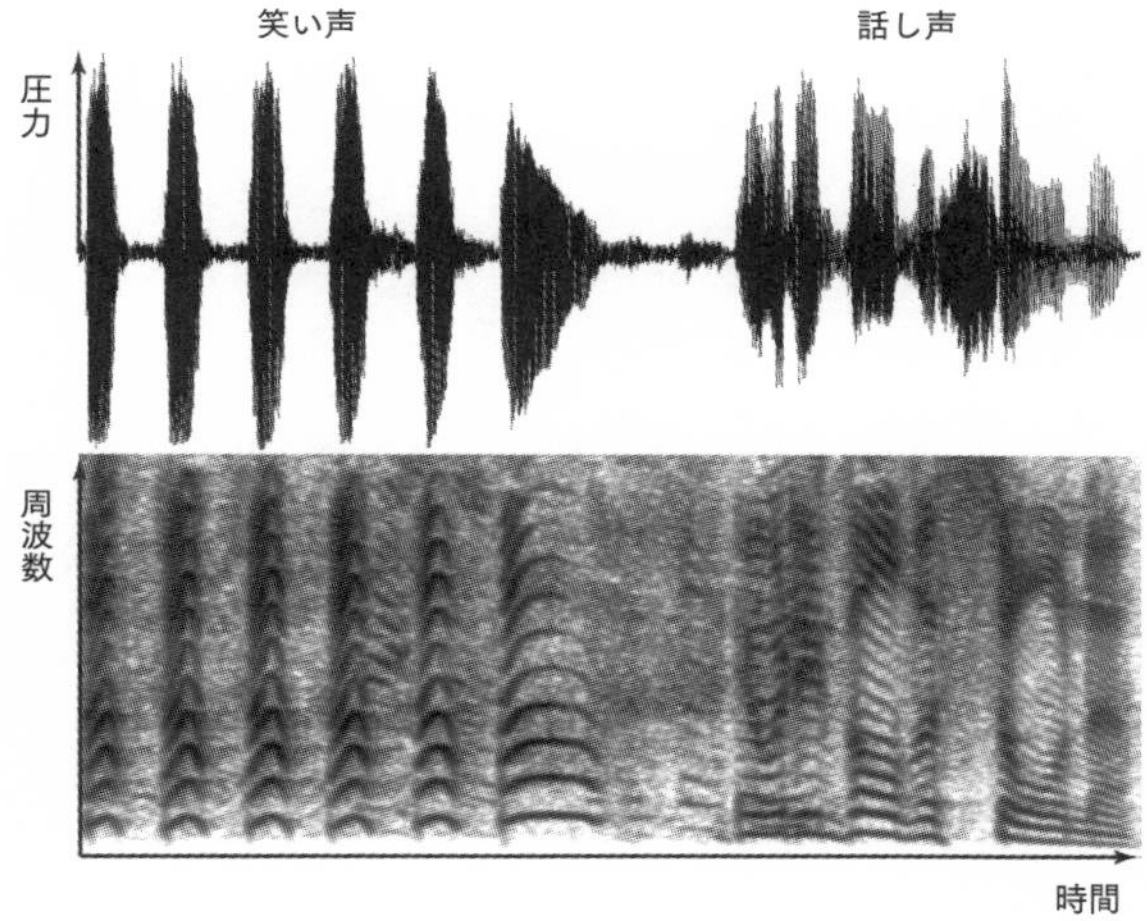

ジミー・カーがまず笑い（「ハハハハハハハ」）、それからふつうに話した（「that would involve a sauna」）ときの音声パターン

会話の中でこの笑いが五回ほど現れる。[48] 作り笑いを聞かせると、脳の内側前頭前野が活性化することがわかった。これは人の意図を理解するのに使われる領域だ。笑いのような社会的なシグナルについては、「心の理論」のネットワークが音声の解読を担うと考えるほうが理にかなっていると思われる。

もう一種類の笑いというのは、すっかりたがが外れて、抑えきれずに笑うときの笑いだ。「ハハハ」というのはきわめて単純な発声である。「ハ」と言うたびに横隔膜が痙攣し、肋間筋が肺から空気を押し出して声帯を震わせる。本物の笑いを発するときのほうが、作り笑いのときよりも圧力が高く、それに伴って声も高くなる。発声器官をコントロールできないことから、しわがれた音や笛のような音も生じる。[49] 制御不可能な笑い声は非常に妙な音になる場合もある。コメディアンのジミー・カーはその極端な例で、自分の笑い声を「喜ぶイルカ」のようだと言ったことがある。めずらしいことに、彼は息を吸いながら笑うのだ[50]。そんな制御不能な笑い声を聞くと、脳は耳のすぐ上に位置する左右の聴覚野で強い反応を示す。本物の笑い声は話し声や歌声などの日常的な音声とは著しく違って聞こえるので、その耳新しさによって聴覚野がほかのときよりも活発に活動するのだ[51]。

笑い声にはきわめて特徴的な音響特性があるので、機械学習を用いるコンピューターは非常に高い的中率で笑い声を見つけ出すことができる[52]。残念ながら、だからといってコンピューターがユーモラスな話を検出できるというわけではない。たいていの笑い声はジョークに対する反応として生じるのではなく、対人的な潤滑油として働くので、コンピューターは頻繁に判断を誤るだろう。コンピューターをジョークや嘘を見分けられる聞き手とするには、言語についてもっと多くのことを理解させる必要がある。現在のところ、コンピューターは単純な情報を大量に丸暗記することはできているが、現実に何が起きているかを理解することはできない。

社会で生きるためのスキル——嘘

BBCの諷刺コメディー番組の『イエス・ミニスター』と『イエス・プライム・ミニスター』に登場する架空の事務次官、サー・ハンフリー・アップルビーは、こんなことを言っている。「すぐれた演説とは、それが真実であると証明できるものではありません。嘘をついていることがほかの誰からも証明できないものこそ、すぐれた演説なのです[53]」。嘘をばれにくくする一つの手口として、ほかの部分ではすべて真実を語り、その中に嘘を埋め込むというやり方がある。犯罪者は、事件発生時刻を変えるなど、正しい話をわずかに書き換えることで、おおむね真実を語りながら偽りのアリバイを提示するかもしれない。省略もまた一つの手だ。たとえば仕事仲間が悪趣味なシャツを着ていたら、スーツのジャケットのカッティングだけを話題にして、その下に見えているみっともない柄についてのコメントは避けるようにする。

数々のだましの手口に出会う私たちとしては、自ら信頼性の高い嘘発見器となるのが難しいのは当然だろう。人間は、さまざまな嘘のつき方を生み出してきた。霊長類が食料を隠したりひそかに交尾したりすることから明らかなように、嘘というのは進化上のメリットのある、きわめて重要なスキルだからだ。物語をもっと楽しく忘れがたいものとするために、潤色を加えたことのない人はいないだろう。また、方便としての嘘は、社会集団の中で人とかかわるうえで重要な役割を果たす。

人間にとって、嘘のつき方の習得は子どもの発達具合を示す一つの目安となる。二歳児のおよそ二五%は嘘をつける。四歳児になるとこれがおよそ九〇%に達する。八歳までにはほぼすべての子どもが嘘をつけるようになる。(54) これは脳の発達状況を示す重要な指標である。早く嘘をつき始める子どもは認知発達も早い。幼いわが子が嘘つきだと悩む親にとって、これは慰めとなる話ではないだろうか。嘘をつけるということは、ほかの人が情報をどう受け止めるかを頭の中で思い描けているということなのだ。

集団内で人が互いにどうかかわり合うかをコンピューターでシミュレートすると、協力と正直を基盤とする社会では、嘘で得られる利得が大きくて嘘がばれるリスクが低い限りは、ときおり人をだましたり嘘をついたりすれば利益が得られるという。(55) また、協力が支配的な影響力をもつためには、嘘がときどき露呈することが重要だということもわかる。したがって、嘘を完全には見抜けないことは欠点ではなく、社会が発展するうえで重要な意味をもつと言える。

霊長類のなかで協力を示す度合いの高い種は、だまし行動も多いことが研究で判明している。人間は互いに協力しあうことで世界を支配している。ときおり人をだましてばれずにすめば、それは進化のうえで有利となる。それゆえ嘘をついていることを示す声のサインは微妙で複雑で、一貫性を欠く。嘘をつくと鼻が伸びるピノキオのような種が実在するなら、淘汰圧によって、鼻が伸びるのをコントロールする方法を習得していくだろう。人間が嘘をすべて見抜くことはできず、現時点でコンピューターよりも高度な聞き取り能力をもっていることを考えると、音声ストレス分析が十分な結果を出せないのも驚くに値しない。信頼性の高い嘘発見器を手に入れるには、人間よりもさらにうまく人の話と声を分析できる高度なＡＩが必要である。

8 コンピューターのラブレター

コンピューターとは、プログラムしてくれる人間の指示に従ってひたすらコードを走らせる愚直な僕《しもべ》である。小説家はコンピューターをワープロとして使い、サウンドエンジニアは音楽をミキシングし、アニメ作家はアニメーションプログラムを使う。しかし機械には芸術《アート》の才能はなく、創造力は人間だけがもつ才能だ。それでも科学者はこの見方を覆そうとして、コンピューターが詩を書いたり作曲したり新しい料理のレシピを作ったりできるプログラムを作ろうとしている。機械は創造力をもてるのだろうか。意見は分かれていて、創造力は生物の意識から生じるものだから、電子機器はいつまで経っても人間にはおよばないと考える人がいる。その一方で、意識も創造力もつまるところ数学的なプロセスなのだから、現実的にはそのプロセスはあまりに複雑なのでコード化できないにしても、理論上は機械も意識や創造力をもつことができるはずだと主張する人もいる。この問題に対してどんな見解があるにせよ、コンピューターはすでにニュース記事を執筆したり、科学的な仮説を立てて検証したり、絵を描いたりして、限られた範囲ではあるが人間の創造活動のまねごとをしている。その一方で、科学者はコンピューターにおける創造のプロセスをシミュレートすることによって、人間の創造力の根底に何があるのかを明らかにしようとしている。

この先、ＡＩが人の「話す」という行為に大きな影響を与えることになるだろう。コンピューターが聞くことと話すことを学習する方法については、すでに見たとおりだ。しかし、コミュニケーションに欠かせない要素、すなわち言葉についてはどうだろう。音声を自動的に文字化するツールがすでに人間どうしの言語の壁を壊しつつあり、以前なら至難の業だった会話も可能になってきた。一カ月に五億人がグーグル翻訳を利用している。そしておそらく当然といえば当然だが、最もよく翻訳されるのは「I love you」と「You have beautiful eyes」である。[1] しかしコンピューターにできるのは、愛の言葉を翻訳してオンライン・チャットを助けることばかりではない。[*] 真のＡＩは、記憶したフレーズをオウムのように繰り返すだけではなく、創造力を発揮し、言語を新たな方向へと導いていくだろう。

機械が自らの創造力を使って能力を急激に成長させ、たちまち人間を追い越して世界の覇権を奪うという見方に、私たちは「怖いもの見たさ」的な魅惑を覚える。この事実によって、二〇一七年に「フェイスブック社の人工知能研究所が開発中の二つのチャットボットの実験を中止した」というニュースがセンセーショナルに報じられた理由が説明できる。この二つのチャットボットは会話を交わしていたとき、英語から逸脱した言語でやりとりを始めたのだった。この展開について、機械は「主人を無視する」こともあるから「信じがたいくらい恐ろしい」と一部の人は考えた。しかしもう少し見識のある人は、コンピューターがもっと効率的にやりとりする方法を見つけただけだと指摘した。言語にはこうしたことが起こる。つまり進化するのだ。チャットボットは人とうまく交渉する方法を学習するよう指示されていたのだが、研究者が「英語だけを使う」という制限を課すのを忘れていたのである。

コンピューターは詩を書けるか?

コンピューターにどんなことができるのかを理解するために、エドモン・ロスタン作の一九世紀の戯曲『シラノ・ド・ベルジュラック』を改作してみよう。オリジナルの作品に登場する才能あふれる詩人のシラノは、球根のように丸々とした巨大な鼻をしている。不細工なせいで、美しいロクサーヌに愛を打ち明けることができない。また、容姿は端麗だが愚鈍なクリスチャンも、ロクサーヌに恋焦がれている。シラノとクリスチャンは、ロクサーヌに贈る詩をシラノが書き、それをクリスチャンが書いたことにするという取り決めを結ぶ。シラノの死のまぎわ、詩を書いていたのは彼だったとロクサーヌが気づき、悲恋の物語の幕が下りる。一方、私のバージョンでは、クリスチャンがシラノに頼らずコンピューターに詩を書かせる。コンピューター版の「シラノ」のコードを動かすのは愛ではなく、ロクサーヌが詩を読んで覚える快楽を最大にすることを目指すアルゴリズムだ。

---

*たとえば、会話療法を模倣するチャットボット・セラピストが作られている。研究から得られた証拠によると、人間のセラピストよりも、テクノロジーの産物であるチャットボットに対してのほうが本心を打ち明けやすいと感じる人がいるそうだ。

たとえばコンピューターはこんなラブレターを書く。

DARLING SWEETHEART
YOU ARE MY AVID FELLOW FEELING. MY AFFECTION CURIOUSLY CLINGS TO YOUR PASSIONATE WISH. MY LIKING YEARNS FOR YOUR HEART. YOU ARE MY WISTFUL SYMPATHY: MY TENDER LIKING.
YOURS BEAUTIFULLY
M. U. C.

愛しき人
あなたは私の熱烈な親愛の情です。不思議なことに私の愛情はあなたの情熱的な願いから離れません。私の愛はあなたの心を切望します。あなたは私の悩ましい共感です。つまり私のやさしい愛です。
あなたに美しく
M・U・C

これを見れば、オリジナルのシラノの立場が危うくなる心配はほぼないことがわかる。ただしこの手紙には歴史的な意義がある。コンピューターの書いたテキストの初期の例なのだ。これを書いたのは、プログラムを保存するメモリを搭載した世界初の現代的なコンピューター「ベイビー」である。

「M・U・C」は「マンチェスター大学のコンピューター」の略語だ。一九五二年、妙なラブレターのプリントアウトが大学の掲示板に張り出された。これはコンピューターのパイオニア、クリストファー・ストレイチー教授の研究の成果だった。彼は並外れたコード作成者として名を馳せていた。無謀にも膨大な量のパンチカードを使ってチェッカーゲームをプレイするプログラムを作成し、実行したからである。そのプログラムが初回からほぼ完璧に作動したことに、誰もが感嘆した。プログラムの最後には「国王陛下万歳」を演奏した。[2] ストレイチーがラブレターのプログラムを作成したのは、情報をランダムに選択するベイビーの能力をテストするためだった。プログラムはランダムにロマンティックな動詞と名詞を選び、テンプレートにあてはめて文を完成させる。この方式は、あるインスタレーション・アート作品の一部として、現在も生き続けている。アーティストでメディア考古学者でもあるデイヴィッド・リンクの作品『ラブレターズ1・0』で、当初のソースコードがそのまま使われているのだ。[3]

このプログラムは当時としてはすばらしい偉業だったが、文を生み出した創造力の源はベイビーではなくストレイチーだった。そのうえ、張り出されたプリントアウトを人間の書いたラブレターだと誤解する人は、さすがにいなかっただろう。次の例は、有名な「汝を夏の日にたとえようか」(Shall I compare thee to a summer's day?)で始まるシェイクスピアのソネットをテンプレートにして、コンピューターで完成させせた最近の試みである。

Shall I compare thee to skill,
The white heart of the release moon still come and say,

And all the one rain is the our heads, in the green day.
The precision of countrys of the corner so little garden,
darkening blessed of sea while one of the city for the voice in the window –
The rusty ban, who deadest an old and the starpy called people,
And the draw of the doors and the time for proval, so many instant
Than are a river on the warm of the blood of his willing and play
And gave me here some move; and what any.(4)*

汝を腕前にたとえようか、
静かなる解放の月の白い心臓がやって来て言う、
雨はすべてわれらの頭の中に、緑の日にある。
片隅の国々の精度はちっぽけな庭園、
海の祝福を受けながら暗く陰る一方で、町の一つが窓の中で声を求める――
古びた禁令、それはなによりも死んでいて古く、スターピーが人々を呼び、
ドアが引かれると証明の時間、かくも多くの瞬間
彼の意思と遊びの血液の温かさの上に流れる川よりも、
そしてここで私にいくらかの動きを与えた。どんな何か。

この不可解な意識の流れみたいな代物をクリスチャンが朗唱したら、ロクサーヌはやはり興ざめす

るだろう。しかし今度の作品は前作と比べて、コンピュータープログラマーが創作プロセスからかなり切り離されている。二〇一五年、当時ケンブリッジ大学にいたジェイムズ・ロイドとアレックス・デイヴィーズは、一万編の詩を使って人工ニューラルネットワークを訓練した。音声をテキストに変換するアルゴリズムを前に見たが、あれと同じようにこのプログラムも多数のサンプルを読み込むことでタスクを学習する。このニューラルネットワークは、時間の経過とともに語のパターンがどう展開するかを予測するように構築された。だから「汝を〇〇にたとえようか」という一節が与えられると、プログラムはこの行がどう完成するかを推定し、それからソネット全体がどう展開していくか、一文字ずつ予測し続ける。

訓練のあいだ、ニューラルネットワークの出力を本物の詩と比較する。ネットワークが次の文字を予測して、それが間違っていた場合には、将来の予測を改善するために、ネットワークの結合を更新する。このシステムにはあらゆる詩をそのまま丸暗記できる容量はないので、予測がもとの詩とまったく同じになることはない。

一文字ずつ予測していく場合、アルゴリズムは言語のごく基本的な構造についても学習する必要がある。数秒間の訓練を施した段階では、プログラムが生み出すのは意味不明な文字の羅列にすぎないが、それでも英語では「e」の文字が頻繁に使われるということは学習できている。

＊この詩で使われているすべての単語が実在するわけではなく、文法やスペルのミスもある。その理由については、詩の生成方法を説明するところで明らかにする。

/Wteh lea e a sti es s e inne re l se l lhre, so e sir a f e riay r mn rdh rewsr e iie r eto e
ctsse e i o en e tnea e s

訓練を開始して数分後には、文字が集まって「単語」を形成するということが学習できている。

ursoe haoth sicge tim bonr
ghoiconiiroch is a)o
PuTTY dhr doooc nins voaed ofitot tions anewt

五分経つと、実在する英単語もいくつか現れるようになる。

Stand the fanes and chen the posser.
Srone the she was insoneed the crour faning of mas,

それから数時間経つと、実在しない語が減り、文法も正しくなってくる。

Are you not pleasant?
And as I am leaving you my life like the earthworms?

最後のソネットも傑作とは言えないが、これほど単純な機械学習をしただけで、詩とわかるものが作れるようになるというのは驚きだ。ただし、コンピューターに好きなようにさせたら、がっかりするような詩しかできないおそれがある。プログラムに制限を加えれば、鑑賞に値する詩ができる可能性が上がる。たとえば五行戯詩《リメリック》と呼ばれる詩について考えてみよう。形式がはっきりと決まっているので、コンピューターでそれなりに意味の通るものを作るのはほかの詩よりもはるかに簡単だ。読む人から見て、機械が書いたとは思えないような詩ができることさえありうる。自分でこれを試してみたければ、チューリングテストの簡略版を実施すればよい。コンピューターと人間の書いた詩をそれぞれいくつか選び、どちらの書いたものか被験者に当てさせるのだ。次の詩は、一方はコンピューター、他方は人間が書いたものである。どちらがどちらか、おわかりだろうか。

詩1

By action or by suffering, and whose hour
Was drained to its last sand in weal or woe,
So that the trunk survived both fruit & flower.

行動で、あるいは苦しみで、その時間は
喜びか悲しみで最後の砂粒一つまで失われ、
だから木の幹は花や実をつけたあとも生き続けた。

詩2

nuclear Parisian age
as last as a proclamation
last like a proclamation!
as close as an interest!

核のパリジャンの時代
最後まで残った宣言が
宣言として存在し続けるように！
関心と同じくらい親密に！

最初の詩を書いたのは、イギリスのロマン派詩人、パーシー・シェリーだ。あとの詩はコンピュータープログラムが生成した。このプログラムについては、のちほどまた触れる。簡略化したチューリングテストをするのは楽しいが、創造力について調べるにはあまり役に立たない。人間の書いた詩のなかであえてひどい例を選べば、コンピューターの作った詩が見つかりにくくなり、結果がたやすく影響されてしまう。

現代コンピューティングの父と称されるアラン・チューリングは、第二次世界大戦中にドイツ軍のエニグマ暗号機の生成する暗号を解読するのに、その頭脳で貢献した。ラブレターを書くマンチェスター大学のコンピューター、ベイビーの開発にも携わった。チューリングが考案し、その名を冠したチューリングテストは、ＡＩであると認められるかを判定する重要な基準として、よくメディアにもてはやされているが、多くのコンピューター科学者はうんざりしている。チューリングは、コンピューターが人間と同じように思考できるか突き止めたいと思っていた。ある画期的な論文で、彼は「模倣《イミテーション》ゲーム」について考察した。そのゲームでは、コンピューターは詩を書くだけでなく、詩を批評することも必要になる。例として、次の架空の会話が示されている。(5)

質問者　ソネットの第一行「Shall I compare thee to a summer's day」（汝を夏の日にたとえようか）の末尾を「a spring day」（春の日）に変えたら、詩のよさは変わりませんか、それとももっとよくなりますか。

コンピューター　それでは韻が成り立ちません。

質問者　「a winter's day」（冬の日）ではどうですか。韻はちゃんと成り立つでしょう。

コンピューター　はい、でも冬の日にたとえられて喜ぶ人はいません。

質問者　ピックウィック氏と聞くとクリスマスを思い出しますか。

コンピューター　いくらかは。

質問者　しかしクリスマスがあるのは冬の日で、ピックウィック氏は冬の日にたとえられるのを嫌がらないと思いますが。

コンピューター　あなたが本気でそう言っているとは思いません。冬の日と言った場合、それが意味するのはクリスマスのように特別な日ではなくてふつうの冬の日です。

質問に答えるのは詩を書くのとは違う能力なので、今の詩作プログラムではこのような質問に対処できないだろう。現時点で、機械が創造力を発揮できるのは限られた領域の中だけだ。今のところ、それ以外の領域で機能することを求めるのはＡＩの限界を超えている。しかし、人間のアーティストでも自らの創造の意図やプロセスを説明するのに苦労することが多いのだから、私たちは機械の限界についてあまり批判的な姿勢をとるべきではないかもしれない。

しかしチューリングの論文では「逆の見方」も論じられていて、当時マンチェスター大学の神経外科長だったサー・ジェフリー・ジェファーソンの言葉が引用されている。一九四九年、ベイビーを使った研究を受けて、ジェファーソンは「機械を人格化すること」の危険性についてこう記した。

機械が偶然による記号の配列ではなく思考や感情によってソネットを書いたり協奏曲を作ったりできるようになるまで、つまり機械がそれらの作品を生み出すだけでなく自らそれを作ったと認識するようになるまで、われわれは機械が脳に比肩すると認めることはできない。機械は成功しても喜びを感じることはできず、自分が故障したときに悲しむこともできず、お世辞を言われてうれしくなることもできず、ミスを犯して落ち込むこともできず、セックスに陶酔することもできず、かなわぬ望みに怒りや失意を覚えることもできない（単に人工的にそれらしいものを示すことを除く）[6]。

アートとは人間の経験を表現して伝えるものなので、コンピューターにアートの創作はできないとジェファーソンは主張した。演劇を扱った章で見たとおり、機械は人間らしさとは何かという問いに光を投じることはできるのだが。

数多くの研究者がアートの創作プロセスを研究している。彼らは創造力とは何かを探りながら、気まぐれな人間の批評家による主観的な見解には触れまいとしている。その一例が、クラクフにあるヤギェウォ大学のヨアンナ・ミシュタル＝ラデッカとビピン・インドゥルキヤが開発した詩作システムだ。(7) このシステムでは、コンピューターが脳の複雑なプロセスを模倣して詩を作る。

同僚たちと参加した研修で、協力してフリップチャートに詩を一つ書けと命じられたとしよう。詩はあるブログ記事から着想を得たものでなくてはならない。同僚たちは各自のタスクに専念する。ある者はブログの文章からアイディアのもととなりそうなキーワードを求めて、さまざまな連想をもたらして詩作の助けとなる単語を探す。またある者は、ブログの伝える気分が怒りなのか、不安なのか、それとも幸福感なのかを調べる。さらに別の者は類義語辞典に当たり、キーワードの同義語や反意語となりうる語を付箋に書き込んで、フリップチャートに貼りつける。さらには、もとのブログの気分を反映した感情を喚起する語を探す者もいる。こうして集まったアイディアをほかの者が受け取って、詩の断片を作る。隠喩や撞着語法、修辞疑問を使った断片も作り、さらに付箋に書きつけるかもしれない。ほかの者はこの断片を調べて最もすぐれたものを選ぶように指示される。たとえば各行が韻律の規則に従っているかなどを調べる。そして最後に一編の詩が完成する。

ヨアンナのアルゴリズムはこのプロセスを模倣するが、一人一人のタスクをすべて一つのソフトウェアが行なう。以下にできあがった詩の一例を示す。アイディアのもととなったブログは次のとおり。

自分のおもちゃが繰り広げる冒険でいくらでも楽しめたことを私は覚えている。あるときにはおもちゃが何度も非業の死を遂げ、あるときには宇宙へ行った。私の水泳のレッスンについて相談し、私が犬かきの名手であることから、プールの水深の深い端で泳ぐことを認めるべきだなどと話し合っていた(8)。

ソフトウェアはテーマとして「深い端」を選び、感情として「怒り」を選んだ。それで次の詩ができた。

I knew the undisrupted end
I was like the various end
As deep as a transformation
O end the left extremity
Objective undisrupted end
I hated the choleric end
O end the dead extremity

私は崩壊していない端を知っていた
私はさまざまな端に似ていた
変容と同じくらい深く
ああ、左の端を終わらせよ
崩壊していない客観的な端
私は短気な端を嫌った
ああ、死んだ端を終わらせよ

ヨアンナとビピンがこのような詩のできばえについてほかの人たちに意見を求めたところ、ほとんどの詩はあまり高い評価を得なかった。コンピューターは詩行の価値を適切に評価する手段をもたないのだから、それも当然と言えよう。実際、この詩に何か深遠なものを感じたとしたら、それは幸運な偶然だろう。しかし詩という芸術形態では、意味の多くが読み手の心に委ねられる。では、書いたのがコンピューターだったと知っていたら、詩の読み方にはどんな影響が生じるだろう。音楽を対象としたいくつかの研究が、この点を明らかにするのに役立つ。

二〇〇八年に発表された論文で、ライプツィヒにあるマックス・プランク・ヒト認知・脳機能研究所のニコラウス・シュタインバイスとシュテファン・ケルシュは、人の脳が音楽に対して示す反応についてfMRI装置で調べた研究を報告した。(9) 実験では、二〇世紀の作曲家、アルノルト・シェーンベルクとアントン・ヴェーベルンの曲を参加者に聞かせた。一部の参加者には曲を作ったのはコンピューターだと嘘を告げ、ほかの参加者には人間が作曲したと伝えた。曲は無調音楽を選んだ。調性がなく、音の並びがランダムに感じられることから、コンピューターが作ったものと思ってもらいやすいからである。聞かされた曲が人間の作ったものだと思っている人の脳を調べると、他者の考えを予測するときに働く脳領域の活動が高まっていた。この脳スキャンの結果と脳スキャン後に実施した質問票の結果から、聞き手は作曲したのが人間だと思っている場合、作曲者の意図を読み取ろうとすることがわかった。ただし、無調のクラシック音楽というのは限られた人しか聴かないニッチな領域だ。この実験をもっと一般的なジャンル、特にシンセサイザーの音と電子的な効果がたっぷりの電子《エレクト》音楽《ロニカ》まで広げたらおもしろいに違いない。

機械が作った詩をロボットに朗読させるコンテストを開いたら、おそらく同じことが起きるだろう。コンピューターの書いた詩だと思ったら、聞き手は作者の意図を探ろうとはしないはずだ。文学作品には、作家自身の経験をもとにした自伝的なものが多い。生きるとはどういうことか、機械が理解することなど期待できるだろうか。コンピューターによる創作が、自身の苦しみに満ちた生涯について身を削りながら書いた作家の作品と取り違えられるはずがない。機械による創作という考えは壮大な夢であるが、今のところそれをコード化してコンピュータープログラムというかたちにすることはできない。私たちは、コンピューターが書いたどんな詩も「魂をもたない」と考えるので、脳の「心の理論」ネットワークを働かせることはほとんどない。

コンピューターは物語を書けるか?

ハードルを少し下げた方法の一つが、本物の人間が文章を書き、その人間味あふれるテキストをコンピューターに利用させるか、それを下敷きにして新たな文章を書かせるというやり方だ。「全米小説生成月間」の参加者の多くが、このアプローチをとっている。このイベントは、インターネットアーティストのダリウス・カゼミが「全米小説執筆月間」からヒントを得て創設したものだ。全米小説執筆月間とは、長さ五万語(英語)の小説の草稿を三〇日間で完成させるというイベントで、毎年何十万人もが参加している。アメリカで始まったが、今や世界中の人が参加するイベントへと発展した。期間を限って創造力を駆り立てるというプロセスをとることによって、サラ・グルーエンの『サーカス象に水を』などのベストセラーが誕生した。一方、全米小説生成月間に参加するのはプログラマーで、最低五万語の小説を自動的に生成するプログラムを書き上げる。二〇一五年には、二〇〇人ほどが参加した。

その翌年、私はダリウスに会った。コンピューターの書いた作品を読んでいて出くわす最高の瞬間は、人間らしく書こうと努めているプログラムが、うっかりヘマをしたときだと、彼は教えてくれた。コンピューターはめちゃくちゃな外国語を話す旅行者のような文章を吐き出すだろうし、破綻するようすを見るのが愉快な場合もあるが、その過程で期せずして、物事の本質を突く言葉が出現したりもする。ダリウスのお気に入りは、スライスドッティッドなる人物による『ザ・シーカー』という二〇一四年の応募作品だ[10]。じつを言えば、最初から最後まで読み通せる、数少ない応募作品の一つである。この作品では巧妙な仕掛けが使われている。物語自体が、人間らしくなろうとしてウィキハウの記事を読んで学習するＡＩの話なのだ。したがって主人公は機械であり、読者はその英語が完璧であることを期待しない。また、文章の多くは人間の書いた文章を集めたコーパスに由来する。この作品の大半は、通常の文というよりコンピューターのコードのような語の羅列で占められている。作品は「女の子からデートに誘われる方法」についての記事をウィキハウで調べる場面から始まり、そこから取り出した「01...ALWAYS (PRACTICE_GOOD_HYGIENE) ⇒ good」〔01…常に（清潔を―保つ）⇒よい〕のようなアドバイスが列挙される。四ページごとに、シュールレアリストの詩を思わせる短い散文が登場する。こんな本は実験的文学のファンにはアピールするかもしれないが、全編を読み通すにはよほど腰を据えてかかる必要がありそうだ。ダリウスも全ページを読んだわけではないと認めた。

コンピューターに一冊の本をまるごと執筆させるのは大変かもしれないが、ＡＰ通信の短い記事ならすでに何千本も書いている。次に挙げるのは、マイナーリーグの野球の試合結果を報じたＡＰ通信の記事からの抜粋である。

ペンシルヴェニア州ステートカレッジ（ＡＰ）――水曜日、一一回、一死満塁の場面でディラン・タイスが死球を受け、ステートカレッジ・スパイクスが九対八でブルックリン・サイクロンズを下した[11]。

ふつうの文章として読めるという点ではすばらしいが、単に事実を伝達するだけではすぐれたスポーツ記事とは言いがたい。ＡＩが人間の仕事を奪うのではないかとしきりに言われているが、当分のあいだ、ジャーナリストは失業する心配などしなくて大丈夫だ。

コンピューターは現在のところ、細かなプロット作りや、長い散文を成り立たせるのに必要な語りをうまくこなすことができない。「私の側で大幅な介入をしない限り、読者の気持ちをそらさない五〇〇〇語の作品でさえ書き上げるのは無理だと思います」とダリウスは認める。典型的な推理小説について考えてみよう。人間の作家なら、全編にわたって殺人事件をめぐる疑念の種をまき、解決へのヒントを差し挟み、にせの手がかりと目くらましの情報をちりばめる。ただ物語全体を語るだけでは、すぐれた作品にはならない。アガサ・クリスティーの『オリエント急行殺人事件』のあらすじはほんの数百語でまとめられるが、この作品が絶大な支持を得ている要因は語りの複雑さだ。登場人物の描写や、物語が紆余曲折し、袋小路に到り、徐々に真実が明かされるという展開は、何万語も費やさなければ語り尽くせない。ダリウスによれば、コンピューターがアガサ・クリスティーの立場を奪うことはない。しかし、実験小説作家のウィリアム・バロウズと張り合うくらいはできるかもしれない、とダリウスは考えている。

ロボット演劇についてのリサーチ中にアンドロイドのＢｉｎａ48がインタビューを受けるのを見たが、支離滅裂な会話はまるで実験的な文学作品の一節のようだった。もっと自然な会話をさせるにはどうしたらよいのだろう。一部の研究者は、コンピューターに物語の語り方をもっとよく理解させる必要があると考えている。ジョージア工科大学のマーク・リードルらは、語りがどんなふうに展開するかを示す事例をクラウドソーシングで集め、そこで得た情報を使って、各場面がどのようにつながっていくかを示すフローチャートを作成した。リードルは、コンピューターに人間というものを理解させるには、語りの知能、すなわち物語を語って理解する能力をもたせる必要があると考えている。(12)コンピューターに意地悪な態度をとられたような気がして、コンピューターに向かって悪態をついたことのない人はいないだろう。こうなってしまうのは、機械にはユーザーのやりたいことが理解できないからだ。機械と円滑に会話ができるようになりたければ、機械に語りの知能をもってもらう必要がある。そうなれば、コンピューターはエチケットや社会規範や価値観に関する本を読んで、望ましいふるまいを学習できるだろう。なにしろ私たちは、子どものころにベッドで聞かされた教訓話から人間関係の浮き沈みを描く恋愛小説に至るまで、さまざまな物語を通じて暗黙のうちに身の処し方を教えたり学んだりするのだ。

しかしコンピューターが世界中の本をすべて読破したとしても、知識を完全に獲得することはないだろう。問題の一つは、物語の「メッセージ」がはっきり語られることはめったにない点だ。典型的な寓話について考えてみよう。教訓について読者に自分で考えさせ、最終的な結論を出させるほうがはるかに効果がある。物語の根底にひそむメッセージを読み取るには知的努力が必要なので、それによって学習が強化されるからだ。別の例を挙げてみよう。『ドニー・ダーコ』のような映画から得られる楽しさの一部は、映画館をあとにしながら今見た映画について友人と語り合って、内容を理解する部分にある。より興味を引くために、ストーリーがわざとややこしくあいまいに語られている場合もある。語り手が細かい点をあえて語らず、受け手の想像に委ねたりもする。小説で犯行現場から逃走する銀行強盗を描写する場合、書き手は事実の大半を省略する。逃走車のイグニションキーにてこずるなど、緊張感を高めるための定番の描写はあるかもしれないが、それ以外の細かい点、たとえば車のドアを開けて運転席に座ったらドアを閉めるといった描写は、不要だしおもしろくもないので省略される。

最後にもう一つ、大事な点を指摘したい。通常、すぐれた物語はふつうでない物事を扱う。自分自身の経験をもたないコンピューターが文学を通じて人間社会について学習したら、現実の生活について偏った見方を習得してしまうだろう。未来のコンピューターとの会話は、自動車通勤のなんの変哲もない道中についてパブでこと細かに語る退屈きわまりない人物と話すようなものになるのではと想像する人もいるかもしれない。しかし実際はむしろ逆で、コンピューターが途方もなく現実離れした物語を語ることになりそうだ。

創造力を発揮するのになによりも重要なのは、平凡と非凡とのバランスをとることだ。子どもに寝る前のお話を聞かせる父親であれ、試合について語るスポーツ評論家であれ、アドリブの芸を見せるコメディアンであれ、それは変わらない。コンピューターにこれができるかをめぐって研究がなされているが、その探求が最も進んでいる分野は音楽である。音楽は抽象的な芸術形態なので、散文を書かせるのと比べれば、特定の音楽のスタイルを模倣するようにコンピューターをプログラムするほうが簡単なのだ。私は一〇代のころ、単純な確率表を使ってラグタイム音楽を作曲するプログラムを作ったことがある。たとえば、現在の音がAなら、次の音がB、C、Dになる確率はそれぞれどのくらいか。次の音をどれにするかはサイコロを振って選ぶ。それから、こうやって作ったメロディーにラグタイム音楽の構造とリズムを重ねる。この方法によって、ラグタイムの軽快な調子をもちながら、いかなる方向性もなく和音の解決に至ることもない音楽ができあがる。スコット・ジョプリンの楽曲のクオリティーにはとうていかなわないが、それを言うならペンと紙を使って書いた曲だって同じだ。最近の作曲アルゴリズムでは、私がベッドルームでひねり出した曲よりも高度なテクニックが使われる。特にすぐれたアルゴリズムの生み出した作品のなかには、コンサートホールでプロのオーケストラに演奏されているものもある。「エミリー・ハウエル」というプログラムは、モーツァルトやベートーベンのような様式の曲を作る。それを収録したCDも販売されている。ただし私の考えでは、それらの作品が今から一〇〇年後にも演奏されている可能性は低い。

コンピューターにメロディーの断片を与えて、バロック様式などで変奏曲を作らせるのは簡単だ。作曲を学ぶ学生は腕前を磨くためにこの種の練習をするが、この作業がとりたてて創造性に満ちたものとは思えない。ヨハン・セバスティアン・バッハが作った本物の作品と区別するのが難しい曲を作るプログラムがあるとしても、バッハがすでに作品を作っているのに、あえて機械にバッハ風の作品を作らせる必要があるだろうか。すばらしい作品ができたとしても、それは模倣にすぎない。コンピュータープログラムは音楽界の最近のトレンドに逆らったりしないし、斬新で魅惑的な作品を生み出しもしない。パンクロック的な反抗などしないのだ。

機械による作曲に対する一つのアプローチとして、「進化的計算」という手法がある。自然淘汰のプロセスをまねて、プログラムに音楽を作らせるのだ。自然界では、生命を形づくる遺伝暗号を含む遺伝子が染色体に収められていて、淘汰圧に応じて時間とともに進化する。「進化的作曲」では、楽譜を音楽の染色体と見なし、個々の音を一個の遺伝子と見なすことができる。自然界で進化が起きるには多様な個体が必要で、生存にプラスとなる遺伝子が何世代もかけて徐々に選択されていく。これと同様に進化的作曲でも、多様な音楽の遺伝子を生み出すために、さまざまなメロディーの集合を用意する必要がある。そのうえでコンピューターのプログラムを実行すると、新世代の楽譜が生まれ、古い楽譜が死に絶える。すぐれた楽曲ほどその遺伝子が次世代に受け継がれる可能性が高い。自然界で起きるのと同じく、子の遺伝子は両親に由来するので、新しい楽譜は両親の曲を融合させたものとなる。たとえば、楽句の出だしは一方の親からもらい、終わりは他方の親からもらうといった具合だ。しかしメロディーを融合させていくばかりでは、集合から多様性が失われる。これを防ぐために、繁殖プロセスには突然変異が組み込まれている。新しい曲が生まれるたびに、ごくわずかな確率で突然変異が生じ、それによって楽譜に記される音がランダムに変化して、遺伝的多様性が高まる。

現実の自然淘汰では、環境への適応度が高い親ほど子をもてる可能性が高い。進化的作曲では、子を生み出すのに最良の親を選ぶには、各曲の音楽的価値を評価する必要がある。ジャズを演奏する「ジェンジャム」というソフトウェアでは、このシステムのプログラマーであるアル・バイルズが、トランペット奏者としての自身の知識によって、コンピューターが生成する即興演奏の質を判断した。ケント大学のアナ・ジョーダナスが博士論文を執筆するために三種類の作曲ソフトウェアを評価したところ、ジェンジャムが最もすぐれていた。ジェンジャムの生成する曲は生身の演奏家が作ったもののように聞こえ、定形的な印象が薄い。このことによって「ちょっと人間的な雰囲気が生じます」とアナは私に語った。インターネットで調べると、トランペットを演奏するバイルズとサックスシンセサイザーで演奏するコンピューターによるパフォーマンスを見ることができる。[13] この動画では、ジャズのスタンダード〈レディー・バード〉の即興演奏の掛け合いが披露され、バイルズが自分の演奏にアドリブを返したコンピューターに向かって笑いかけるというすばらしいシーンが見られる。コンピューターは、無難な即興演奏をするという仕事をそれなりにこなす。アナは、コンピューターが人の創造力を高めてくれるのではないかと期待している。そして作曲ソフトウェアが「ミュージシャンがそこから学べるもの、あるいはインスピレーションを得られるもの、さらには厳しく批評すべき対象、そしてコンピューターにうまくできないことを批評することで学びを与えてくれるもの」として認められることを望んでいる。

コンピューターと創造力——ミュージカルを作る

バイルズとコンピューターがデュエットするのを見ていると、機械にはどのくらい創造力があるのかという興味深い疑問が浮かんでくる。コンピューターが散文を今よりうまく書けるようになったら、やはりこの疑問が浮かぶだろう。しかし答えるのは難しい。哲学者は「芸術とは何か」という問いに答えるのに苦労しているし、創造性とは何なのかを明確に述べるのも難しい。たとえば子どもの書いた「夏休みのできごと」の作文と、文学作品としての小説とでは、基準が異なるはずだ。しかし、子どもも小説家も創造力を発揮しているのは確かだ。アナの考えでは、私たちは「コンピューターに対してちょっと厳しい姿勢をとっています。それはコンピューターに創造力があると考えることに違和感を覚えるからです」。コンピューターのアートについて判断を下そうとする場合、私たちはどれほどすぐれた人間のアーティストでも、ときとして駄作を作るということを忘れてしまう（私の気に入っている例は、クイーンの〈愛しきデライラ〉という、とんでもなく安っぽい曲だ）。

サセックス大学の認知科学教授、マギー・ボーデンによれば、「創造力とは、新しく、意表を突き、価値のあるアイディアや物を生み出す能力」である。[14] サルがタイプライターを叩いてランダムな文字列を生み出したら、それは「新しい」ものではあるだろう。しかし意味のある言葉がそこにたくさん含まれているとは考えにくいし、ましてやどれほどのサルと忍耐力をもってしても、シェイクスピアの作品に匹敵するものができあがることなどありえない[15]。コンピューターをプログラムしてサルの実験をシミュレートするのは簡単だが、できあがるランダムな文字の連なりを読んで、そこになにか価値のあるものが魔法のごとく出現することを期待する人はいないだろう。アイディアが創造的かどうか、評価する必要がある。コンピューターの生み出すすべての作品について、たとえば一点から一〇点までの尺度を使うなどして、人間が手間暇をかけてそのすばらしさを評価するという方法が、一つの解決策となるだろう。

ボーデンは、創造性には三つのタイプがあることを明らかにし、意表を突くアイディアを生み出す三つの方法を提案している。第一の方法は、なじみのない、あるいはありえそうにないものの「並置」である。サルバドール・ダリが一九三〇年代に発表した《ロブスター電話》がその一例だ。このよく知られたシュールレアリスム作品では、電話の受話器にロブスターがかぶせられている。鑑賞者の多くは、受話器とロブスターの形状が似ていることを認めつつ、その二つを組み合わせることの不条理をおもしろがる[16]。しかし、それより深い意味もあった。ダリにとって、ロブスターも電話も性的な含意をもつ。だからこそ、ロブスターの生殖器を送話口に隣接させたのだ。二つ目の方法は「探索」である。ジャズミュージシャンが即興演奏を行なうときにするのがこれで、概念空間を探索するのだ。ジャンルによる制約はあるが、それでも新しい音楽のモチーフ、サウンド、リズムを生み出すことができる。ジェンジャムがするのはこれだ。第三の方法は、概念空間を「拡張」し、かつては不可能と思われた驚くべきアイディアを生み出すという、最も深遠なタイプの創造性だ。ジェイムズ・ジョイスはさまざまな言語の断片から作った語を使って『フィネガンズ・ウェイク』を書いた。刊行されたのは一九三九年だが、今もなお評価が分かれている。これは傑作なのか、それとも意味不明なたわごとなのか。評価がどうであれ、この作品が新たな地平を拓き、語りや語彙や構造に関する厳密な規則に従えという縛りから未来の書き手を解放したのは間違いない。

実現するのが最も難しいのは第三の方法だ。そのため、コンピューターで創造性を模倣しようとする場合には、第一か第二の方法を使うのが一般的となっている。コンピューターを使って一つのミュージカル作品を丸ごと作ろうという、コンピューターによる創造を試す大胆な実験がやはりそうだった。[17] このミュージカルの制作を依頼したのはスカイ・アーツ社で、二〇一六年には、実験のようすを収録した全二回のドキュメンタリー番組『コンピューターが言いまショー』(Computer Says Show) も放映された。このタイトルは、テレビの駄洒落番組のタイトルを作るように訓練されたソフトウェアが書きそうなものだ。ミュージカル自体は『柵の向こう』というタイトルだった。一九八〇年代にグリーナム・コモン空軍基地で反核運動をしたピースキャンプを舞台とし、シングルマザーのメアリーとアメリカ空軍の兵士ジムとの恋愛を中心に、プロットはゆるやかに展開する。『ガーディアン』紙はウェストエンドでの公演に二つ星の評価を下した。「ソフトウェアが作ったというグリーナム・コモンのミュージカルは笑えるくらいにステレオタイプだが、乳飲料のように口当たりはよい」

ボーデンの言う最も深遠なタイプの創造性がもたらすめくるめく高みには到達しなかったかもしれないが、ロンドン大学クイーン・メアリーでコンピューターの創造性を研究するゲラント・ウィギンズ教授は「なかなかいいミュージカルでしたよ」と教えてくれた。「ある場面では目に涙が」浮かんだという。もっとも彼は、その涙がコンピューターのアウトプットのおかげというより、脚本家や作曲家や出演者という人間によるインプットのせいではないかと感じた。それでも彼は、この作品の設定を生み出したソフトウェアがきわめて大きな飛躍を遂げたと思ったそうだ。

作品の基本プロットは、ゴールドスミス大学のマリア・テレサ・ラノらの作った「ホワット・イフ・マシン」が書いた[18]。これはフィクションの創作プロセスのモデル化を目指すプログラムで、使えそうなテーマと主要登場人物とプロットを選び、それらを組み合わせてシナリオを説明する簡潔な文を作る。たとえばテーマは野心、登場人物は兵士、プロットは冒険ものとしよう。すると「兵士が勝利を得るために、対決を避ける必要に迫られたらどうなるか」といったシナリオが提案される。いささか陳腐ではあるが、使えなくはない。

このようなシナリオを作る方法の一つは、ありふれた連想を覆すことだ。マーク・リードルが『ニュー・サイエンティスト』誌で述べているとおり、「語りの心理学者はしばしば、『常識を覆したときにだけ、物語には語る価値がある』と言う[19]」のだ。たとえば犬の好物は骨だという事実について考えてみよう。ホワット・イフ・マシンはこの事実を変更して、「骨を怖がる子犬がいたらどうなるか」というシナリオを作る。これはまさに、創造性は思いがけない並置から生じるとしたボーデンの理論の実例だ。シナリオを作る別の方法として、類義語を使って話を大げさにするというやり方もある。「人はジャンプするのが好きである」というより、「人がジャンプ中毒になったらどうなるか」という問いにするほうが、はるかに興味をそそられる。ホワット・イフ・マシンは私たちが物語を作るときに使う創造のアプローチをいくつか見事に会得しているが、欠けている部分もある。たとえば、複数の感覚様式をまたいで作業することはできない。メンデルスゾーンの序曲『ヘブリディーズ諸島』は、スコットランド西岸を船で航行した際に見た、波立つ海と霧のかかった眺めからインスピレーションを受けて作曲された。[20] このように複数の感覚領域にまたがって創作する能力を、コンピューターは模倣できるだろうか。人間にそれができるのは、さまざまな知覚や記憶や感情のあいだを言語が橋渡ししてくれるからだ。コンピューターのアルゴリズムが創造性の扉を開くには、それに相当する言語をもつ必要がある。

ホワット・イフ・マシンには感受性がないので、価値のあるものを作るのが難しいという問題もある。「小さな箱を見つけられない子猫がいたらどうなるか」というシナリオは、子ども向けのありふれた物語にはなるかもしれないが、多数の豊かな語りを生み出すことはない。おもしろいと思える程度には新鮮だが、計り知れないというほどの意外性はないアイディアが湧き出てくる、アイディアのスイートスポットと言えるだろう。ミュージカル『柵の向こう』では人間の介入が必要となり、作曲家と脚本家が六〇〇本のシナリオをふるい分けて最良のものを選んだ。こうして選ばれたのは、「負傷した兵士が一人の子どもを理解しなくては真の愛にたどり着けないという状況に置かれたらどうなるか」というシナリオだった。

このミュージカルは一九八〇年代を舞台とした恋愛もので、主人公は女性で、ハッピーエンドを迎える。全体の構成は、ケンブリッジ大学の機械学習研究グループの作成した別のソフトウェアで書かれた。このグループは一万七〇〇〇作のミュージカルを統計学的に分析し、成功を収めた作品ではどんな構成要素が使われていたのかを調べた。さらに別のソフトウェアも併用して、『柵の向こう』の構成を作成した。ソフトウェアの分析によれば、まず、『キャバレー』のオープニングで歌われる〈ヴィルコメン〉のように、オープニングの曲で観客の心をつかまなくてはいけない。それから『ウェスト・サイド・ストーリー』の〈クラプキ巡査どの〉のようにキャッチーなコメディー曲も必要だ。[21]

人間もこの種の統計的分析をする。「これこそ脳のすることだと思いますよ」とゲラントが私に言った。頻繁にミュージカルを見に行く人なら、ミュージカルのあるべき構造について、多くは無意識的なものかもしれないが、知識をもっている。この知識によって、たとえばある登場人物が挑戦的な態度で勝ち誇ったように歌う場面では〈ありのままの私〉のような歌が必須であるといった、ストーリーラインに対する期待が生まれる。

『柵の向こう』が特に斬新だった要因は、創造性にかかわるさまざまな側面を組み合わせた点にある。歌詞は、シェイクスピアの「汝を○○にたとえようか」の完成を試みたのと同じプログラムが書いた。コーディングを担当した二人の科学者、ジェイムズ・ロイドとアレックス・デイヴィーズは、プログラムに学習させるためにミュージカルから集めた歌詞を入力したが、その結果としてできあがった歌詞は、話のテーマとは無関係なことをとりとめなく考える人の意識の流れを描写したようなものとなった。[22] このときも人間の作詞家が介入して、最良のものを選んだ。メロディーについても同様で、コンピューターが作った曲からミュージシャンが選び、歌詞に合うように調整し、膨らませて完全な曲にした。[23]

楽曲をきちんと作るには、たとえば明るい曲を作るなら、コンピューターは明るい言葉や長調の陽気なメロディーを選ぶだけでは足りない。そのようなやり方では、せいぜい童謡のような単純きわまりない曲にしかならない。音楽というのは、一般にそれよりも微妙なニュアンスをたっぷりとたたえているものだ。イギリスのシンガーソングライター、リリー・アレンのヒット曲がそのよい例を示してくれる。彼女が得意とするジャンルの一つが、歌詞の伝える情感と曲の雰囲気がかみ合わない曲だ。〈ノット・フェアー〉でアレンは恋人がベッドでの行為が下手なことを恨みがましく歌うが、バックではアップビートなユーロビジョンの曲といってもおかしくない伴奏が流れる。コンピューターが曲作りの能力を上げるには、もっとすぐれた聞き手になる必要がある。曲のメロディーラインが歌詞の韻律をどう変えるか、歌詞が聞き手にどう受け止められるか、そして歌詞の真意を伝えるのを助けるにはどうしたらよいか、コンピューターは理解しなくてはならない。当てこすりや皮肉を表す声の微妙な手がかりをコンピューターが検出できるようになるには、まだ長い道のりが残っている。ましてやそうした特徴を備えた曲を作れるコンピューターなど、はるか先の話だ。

これらの問題を解決するには何十年もの取り組みが必要かもしれないが、そうした研究から生まれたツールがすでにミュージシャンのあいだで使われている。ソニー製の「フローコンポーザー」はインタラクティブな作曲ツールで、まずＡＩが楽譜を作り、それを人間のミュージシャンが調整して曲として完成させる。(24) このようなコラボレーションが偉大な作詞家や作曲家の代わりになるとは考えにくいが、このツールで用が足りる型どおりの曲を作る仕事はいくらでもある。たとえば、低予算で制作される企業宣伝用動画のＢＧＭをもっと短期間で作ることができるだろう。ＡＩは教育にも役立つはずだ。アルゴリズムを訓練して、人が新たなスキルを習得する際にフィードバックを与えるようにすることができる。音楽を勉強していて即興演奏を始めようとしている人や、カリスマ性のある話し方を完成させようとしている駆け出しの演説家の助けとなるだろう。

ＡＩと人間の共同作業

ＡＩと人が創造的な仕事で力を合わせるというやり方は、アート以外の分野でも広まっていくだろう。たとえばソフトウェアエンジニアリングがその一例だ。コンピュータープログラムの作成は、問題解決の練習になる。特定のタスクを実行させるには、機械にどんな指示を出せばよいかを考える必要があるからだ。しかし複雑なプログラムをコード化するには手間がかかり、人為的なミスが起きやすい。科学者は、ミュージシャンを支援するフローコンポーザーと同様に、ソフトウェアエンジニアを支援するためのツールの開発を進めている。最も単純なところでは、「予測入力」と似たプロセスが役に立つかもしれない。それによって、人が入力しなくても新しいコンピューターコードが自動的に生成される。これは、ほかのコンピュータープログラムの巨大なデータベースを分析することにより、アルゴリズムが次にどんなコードを配置すべきか判断するというものだ。[25]

コンピューターに自律的にコードを作成させる方法を探る研究者もいる。グーグルは自社の機械学習アルゴリズムにワーキングメモリを与え、人間の脳内での働きに近づけようとしている。同社のニューラルチューリングマシンは、単純な計算タスクを遂行する手順の作成方法を学習することができる。ただし今までのところ、データの反復的なコピーやソートといった、きわめて基礎的なタスクしか学習できていない。それでも最近AIが誕生したおかげで、一部の明確に定義された問題についてはすでに人間よりもコンピューターのほうがうまく解決できるようになっている。たとえばグーグル検索では、パフォーマンスを向上させるために機械学習を利用している。以前は、ページランキングを生成するアルゴリズムはルールベース型で、すべて人間が手作業で作成していたのだ。[26]コンピューターコードの自動生成もまだ新しい技術だが、革命的な変化をもたらすだろう。iPhoneをはじめとした最近の急進的で破壊的な威力をもつ技術に目を向ければ、たいていの製品の中核にソフトウェアが存在している。

エンジニアリングのさまざまな領域で、最終的なデザインを人間が直接決めるのではなく、実質的にはコンピューターが決めるというやり方が広まっている。私自身も、劇場の音響を改善するための対策を考えるのにそうしたソフトウェアを使っている。第5章で見たとおり、音響効果がうまく設計されていれば、俳優の声を最後列の観客まで届ける助けとなる。壁などの表面の材質、形状、外観が適切であれば、音の反射パターンが声を邪魔することなく、逆に増強してくれる。私は音を拡散させるために壁面などに取り付ける「ディフューザー」と呼ばれる凹凸のある装置の設計を専門としている。広い平坦な壁にディフューザーを取り付けるのは、鏡につや消し加工を施すのと似ている。つや消し鏡に映る視覚像がぼやけるように、音がディフューザーで反射されると聴覚像が明瞭さを失う。これによって、たとえば劇場の後部の壁から生じるエコーといった音の乱れに対処できる。(27)

私がディフューザーの研究を始めたころには、数学的原理にもとづいてうまく計算したものが最良の設計だった。私はそこに、コンピューターを使って表面の形状を検討するというイノベーションを導入した。コンピューター上での試行錯誤を通じて、適切な音響をもたらすと同時に、現代の建築にマッチする外観も併せもつ形状を模索するのである。進化の規則をなぞることで新しい楽曲を生み出す方法については本書ですでに見たが、音響工学にも同じプロセスを適用することができる。

では、私のコンピューターに創造力があったと言えるだろうか。一九世紀のイギリスの数学者、エイダ・ラヴレスから名をとったAIのテストがある。ラヴレスはよく史上初のコンピュータープログラマーと呼ばれる。チャールズ・バベッジの考案した解析機関に関する詳細な解説を執筆したからだ。この装置は史上初のコンピューターであり、プログラムに従って算術演算をするが、ラヴレスが記しているように、「何かを生み出そうという野心はいっさいもたない。私たちが指示の仕方をわかっていることに関しては何でも実行できるし、分析に従うこともできる。しかし分析的関係や真理につい

上の２つは1970年代のディフューザー。下は私が設計を手がけたシネラマ映画館の波状の天井。湾曲した形状が最近のインテリアデザインの流行に合っている。

て予測する能力はいっさいない」[28]。ラヴレステストとは、コンピューターコードを作成した人間に説明できないものを、AIが生成したかどうかを判定するテストだ。私のコンピューターがこのテストに合格するには、進化の規則を模倣すればよりよいディフューザーのデザインにたどり着けると仮説を立て、その仮説が正しいことを証明するのに必要な科学実験を設計する必要がある。だとすると、合格するのは無理だろう。

科学や工学や数学を進歩させるには、画期的なアイディアや物が必要だ。アーティストは過去の作品を足がかりにして、新たな創作をする。同じように科学者も「巨人の肩の上に立ち」、最新の知見と理解を足がかりにして、研究を進めていく。つまるところ、アーティストも科学者も、新しく、意表を突き、価値のあるものを生み出さなくてはならない。科学の探求は人類のなし遂げた最高の成果の一つだが、これとて創造力をもつコンピューターの進歩と無縁ではない。科学に対するこの新しいアプローチが最も進んでいるのは、生物学の分野だ。マンチェスター大学では、ロス・キング教授らがイヴという名の科学者ロボットを作り、新薬の発見を手伝ってもらおうと考えている。キングはびっくりするほど真っ白な実験室に私を案内し、イヴが働く狭い部屋を見せてくれた。試料を取り上げて操作する二本の腕を備えたイヴは、小型の産業用ロボットのように見え、大量の薬品や恒温器やカメラに取り囲まれている。イヴはこれらを使った実験にとりかかり、細胞を培養し、結果を撮影し、画像解析を使って細胞の培養状況を調べる。

新薬を開発するには単調な実験を延々と続ける必要があるが、イヴはこれを自動化し、一日に一万種類の化合物を調べることができるので、マラリアやアフリカ睡眠病などの薬を発見することが期待されている。実験室の自動化は、すでに各地で広く実現している。ロボットは試料のピペット操作が人間よりうまいし、休みなく働き続けることもできるからだ。しかしイヴは、片っ端から試行錯誤を繰り返す機械よりもはるかに賢い。有用な薬ができるのを当て込んで、考えられるすべてのパターンで化学物質を組み合わせてみるだけでなく、いくつもの科学理論について仮説を立て、それについて調べる実験を設計して実行する。そこでの発見にもとづいて、自らの知識をアップデートしたりもする。

イヴがこれらの作業をするには、自分の扱う分野に関する知識をもつ必要がある。キングが取り組んだ最初の科学者ロボットはアダムという名で、酵母の代謝モデルと化学の基礎知識を備えていた（酵母はヒト細胞と似ているので研究が進められている）。新薬の探索にＡＩを使うメリットの一つは、科学者よりもコンピューターのほうが特定の分野について広範で詳細な知識をもてる点だ。ただし残念ながら、その知識の多くは研究論文に記されているので、機械が利用できるように翻訳するのは困難で時間がかかる。それでもこの問題は徐々に解決されている。ある研究では、アメリカのクイズ番組『ジェパディ！』で優勝したことで知られるＩＢＭのコンピューター「ワトソン」にｐ53という腫瘍抑制タンパク質に関する研究論文七万本を分析させた。これらの文献を読んで学習したことにもとづいて、ワトソンは研究対象として、ｐ53を修飾するタンパク質候補を六つ特定した。(29)

アダムとイヴは、どうやって知識を広げて研究を進めるのか。その答えは、演繹《デダクション》、仮説形成《アブダクション》、帰納《インダクション》である。ロスは、アリストテレスからとった古典的な例を使って、演繹について説明してくれた。「一部の鳥は白鳥である」と「すべての白鳥は白い」という二つの事実を与えられれば、「一部の鳥は白い」と推論することができる。このタイプの論理的推論が、コンピューター科学のさまざまな領域の基礎となっている。仮説形成と帰納はもっと興味深い。というのは、コンピューターはこの二つを使って、検証すべき科学的仮説を立てるからだ。事例の集合から普遍的な規則を導き出すのが帰納である。アリストテレスがギリシャで鳥を観察すれば、彼はすべての白鳥が白いと推論するかもしれない。しかし、この帰納的結論は正しくない。オーストラリアに行けば黒い白鳥がいるので、そのことが証明できる。仮説形成というのはシャーロック・ホームズがやっていることで、一連の観察から最もありえそうな仮説を導き出すことである。[*]「すべての白鳥は白い」、「その鳥は白い」、ゆえに「その鳥は白鳥である」というのが仮説形成による推論の一例だ。「その鳥は白鳥である」という仮説は、さらなる観察によって検証することができる（シャーロックはその白い鳥がじつはガチョウだと知るかもしれない）。同様に、アダムが酵母について仮説を形成すると、その仮説を検証するのに最適な実験をコンピューターが設計し、それからロボットアームなどの道具を使って作業を開始する。細胞をさまざまな条件で培養し、写真を使って培養の具合を定量化する。この結果から、仮説が正しい可能性が高いかどうかがわかるので、それに従ってアダムのメモリにある理論をアップデートすることができる。これらの手順を用いて、アダムは酵母の中で特定の酵素を作る遺伝子についての新たな科学的事実を発見した。

科学における創造性という点で、アダムはどんな位置にあるのだろう。「ものすごく創造力が豊かというわけではないね。やっているのはごく単純な研究だから。できることで言えば、多くの点で人間より劣っている。だが、人間よりすぐれた点もあるんだ。たとえば、あらゆる文献を知っているし、

＊ホームズは演繹を用いていると言われることが多いが、じつはそれは間違いで、実際に用いているのは仮説形成である。

人間よりもピペット操作がはるかにうまい」とロスは説明する。しかし劣っている点もある。「できないことと言えば、たとえば問題の表現の仕方を改めるというのは、人間のようにはできないね」とロスは言った。

コンピューターはほとんどの科学的研究で中心的な役割を担っているが、機械が物言わぬ僕《しもべ》として退屈な作業を肩代わりしてくれるだけの存在から脱する時代に、私たちは入ろうとしている。人間の創造力の粋を機械学習ツールと組み合わせれば、科学をもっと急速に進歩させることができる。ロスは、将来的にはこの流れがさらに進み、コンピューターが人間よりもうまく研究できるようになると考えている。アートとは違って、科学的研究にAIを利用する場合には、人間の価値判断をどうするかというややこしい問題に妨げられることがない。「自然は正直だから……世界は私たちをだまそうなんてしないしね。コンピューターが新たな科学を生み出しているかどうかは客観的に判断できる(30)」とロスは説明してくれた。

AIは、新たな技術に至る新たな科学を実現することによって、「話す」という行為にも変化をもたらす可能性がある。エジソンの蓄音機のように、それらの技術も「話す」ことや「聞く」ことに革命を起こすかもしれない。

人間とコンピューターによる創造の未来

創造力に関する議論においては、個人にとって新しいものと世界にとって新しいものとを区別することが多い。相対性理論を考案できたのはアインシュタインだけだ。これはまさに史上初の偉業と言える。しかし誰でも創造力を備えていて、斬新な考えをもち、日々の問題に対して新たな解決策を見出している。私はつい最近、自宅の新しい食器洗い機に汚れた食器をもっとたくさん入れられる方法を編み出した。このような創造的思考に歴史的な意義はないが、私の考えた解決策は私にとっては新しい。当然ながら、歴史家は世界初のできごとや画期的な創造物ばかりに目を向ける。しかし創造力とはプロセスであり、大事なのは日常の中でそれをどう発揮するかである。特別視される一握りの人だけのものではなく、人間の知性を形成する当たり前の要素なのだ。獲物をつかまえたり、飢餓に陥らぬように食料を保存したり、住んでいる場所を攻撃から守ったりする方法を、創造力を発揮して考え出せるというのは、とりたててすごいことではないかもしれない。しかしこうした種々の創造力のおかげで、人間は世界を支配するようになったと説明できるかもしれない。

コンピューターがシラノのように詩を書けるかどうかを調べるのは楽しいかもしれないが、人が焚火や食卓を囲んで語ってきた日々の物語のほうが、文学作品よりも大事なのは間違いない。こうした日々のありふれた活動のおかげで、生存し繁栄するための知識が人々のあいだで伝わっていくのだ。そこで交わされる会話によって、人は生物学的進化というゆるやかなプロセスを飛び越え、文化や技術を急速に進化させることができる。作家のフィリップ・プルマンは、人にとって物語が大事なのはなぜかと問われたとき、こう答えた。「人に楽しさと教えを与えてくれるからだ。食料と住まいと仲間の次に、われわれが人生を楽しみ、なおかつそれに耐えるのを助けてくれるからだ。われわれがこの世で必要とするのが物語なのだ(31)」

コンピューターがシラノ・ド・ベルジュラックほどすぐれた詩を書く日はすぐには訪れないだろうが、それを言うなら人間だってそれほどすぐれた文学作品を生み出せる人はめったにいない。しかしコンピューターに脳内のプロセスを模倣させることによって、人間の創造力について知見を得ることはできる。ゲラント・ウィギンズが説明してくれたように、脳は絶えず次に起こることを予測する必要があり、そこから創造力が生まれる。これには明らかに生存上のメリットがある。私たちの防御システムは、すぐそばで待ち構えているかもしれないもの、すなわち迫りくるかもしれない危険を予想し、耳や目や鼻で感知したことに応じて警戒態勢をとる。したがって、脳は常に過去の成功や失敗にもとづいて、予想の質を上げるように努めなくてはならない。私たちは予想が外れたときにきちんと対応する能力を進化させてきた。そして絶えず予想を更新している。

私たちが感知するものに関する情報は莫大な量にのぼるので、すべてをそのまま記憶しておくことはできない。あらゆる詳細な情報を保存する容量があったとしても、すべてを保存していたら情報を引き出すのに時間がかかりすぎてしまう。よって、記憶というのはじつは脳内に保存された過去のできごとの似姿にもとづいて、再構築されたものなのだ。だから幼いころの最初の大切な記憶も、じつは家族から聞かされた話にもとづく虚構かもしれない。記憶とは絶えず変化するものである。脳は効率的な保存と効果的な予想のために、情報を極力コンパクトなかたちで常に提示しようとしている。

完璧な予想など何一つとしてない。脳がうまく役割を果たせるのは、たくさんの予想を並行して立て、さまざまな想定にもとづくいくつものシナリオを頭の中で実行しているからだ。このような働きをすべて意識的に行なっていたら、手に負えなくなってしまうだろう。だからほとんどの活動は無意識のうちに起きている。注意を向けるべき最良の予想を選ぶプロセスがあり、それが終わって初めて、私たちは予想を意識的に認識するようになる。このモデルなら、アイディアがどこからともなく湧いてきて、脳の中で完全な形をとって突然現れる、創造力の「ひらめきの瞬間」が説明できる。実際には、アイディアはどこからともなく湧いてくるのではなく、未来を予想する無意識の心から生まれ出るのだ。難しい決断を迫られたとき、最終決定を下す前にしばらく別のことをするとうまくいくというのも、このモデルで説明できるかもしれない。[32] ほかのことをしているあいだに、脳は無意識のうちに解決策をじっくり考えることができるのだ。

エジソンが〈メリーさんのひつじ〉を録音して再生したとき、聴衆は次の音素、次の単語、次の一節はどんなものかと、次に起きることを予想し続けたに違いない。[33] 人の話を聞くときに、展開を予想するのは大事だ。これができれば、相手の間違った発音やこちらの聞き違いに対処することができる。蓄音機の録音について言えば、スズ箔で覆われた管から生じる雑音にかき消された言葉を、脳が推測することができる。ゲラント・ウィギンズは、私と話しているあいだにときおり「簡単な文について考えてみましょう。まず」などと不意に言葉を止めて、予想の重要さを私に証明してみせた。これはちょっとした拷問だ。というのは、脳は次に起きることを知りたいのに、文の残りの部分が予想できないので、それがわからないのだ。

次に聞こえてくる音素から、語られている言葉の暗示する意味に至るまで、人はさまざまなレベルで予想をする。そのためには、相互に結びついたニューロンからなる巨大なネットワークを備えた大きな脳が必要だ。神経科学は、創造力に関係する脳領域やニューロンの相互接続の複雑さについて解明し始めたばかりだ。[34]

進化上の優位をもたらす予想のプロセスから創造性が生じるのなら、それをコンピューターでシミュレートすることはできるのだろうか。さらにそのようなモデルで言語の進化するプロセスを説明することはできるのだろうか。太古の人類の言語能力に新たな光を当てることもできるのだろうか。今、科学者は脳の構造を模したコンピューターを構築しようとしている。これが実現すれば、先に挙げた問いについて考える「ホワット・イフ」のゲームができるようになるだろう。祖語が進化した過程を探求し、話す能力の進化で創造力の果たした役割をさらに理解することもできるかもしれない。コンピューターの創造力はずいぶん長い道のりをたどり、進歩してきた。最初の一歩は、世界初の現代的なコンピューターの性能をテストするためのラブレターだった。この創造力が、今からほんの数十年後には、私たちのもつ「話す能力」というすばらしい力が進化してきた過程を明らかにしてくれるかもしれない。

謝辞

以下の皆様をはじめとして、本書の刊行に力を貸してくださったたくさんの方々にお礼を申し上げたい。ダニエル・アールト、ジェイミー・アンガス、クリステラ・アントーニ、ロバート・アッシャー、マシュー・エイレット、ナヒーム・バシール、ピーター・ベル、タム・ブラクスター、ファビアン・ブラックハーネ、デイヴィッド・ブリテン、英国吃音協会の委員の皆様、パトリック・キャンベル、ジェン・チェスターズ、クリスチャン・ベック・クリステンセン、デボラ・コックス、ジェニー・コックス、マイケル・コックス、ネイサン・コックス、ピーター・コックス、スティーヴン・コックス、ヘレナ・ダファーン、ビル・デイヴィーズ、ニキ・ディッベン、レイチェル・エヴァラード、ブルーノ・ファゼンダ、チャールズ・ファーニーホウ、スー・フォックス、ギャレス・フライ、ヨルク・ヘンスゲン、ジョス・ハースト、ニック・ホームズ、デイヴィッド・ハワード、ビピン・インドゥルキヤ、アナ・ジョーダナス、ダリウス・カゼミ、サイモン・キング、サイモン・カービー、フランシスコ・ラセルダ、エイドリアン・リーマン、マーク・ルーニー、ルイーズ・ルパージュ、デイヴィッド・リンク、ジェイムズ・ロイド、ソフィー・ミーキングズ、ダンカン・ミラー、デイヴィッド・ミルナー、ヨアンナ・ミシュタル＝ラデッカ、ジュディス・ニューマン、ジョン・ポッター、ルイーザ・プリチャード、スティーヴ・リーナルズ、ソフィー・スコット、デイヴィッド・シャリーアトマダーリー、ダン・ストーウェル、ヨハン・スンドベリ、ピーター・タラック、インゴ・ティッツェ、ラミ・ツァバル、アルダート・ヴレイ、アナ＝ソフィア・ワッツ、オリヴァー・ワッツ、エロイーズ・ホイットモア、ゲラント・ウィギンズ、スチュアート・ウィリアムズ、ティム・ワイズ。うっかり挙げ損ねてしまった方がいたら、お詫び申し上げる。

訳者あとがき

二〇二〇年、夏。東京と周辺地域はオリンピックの熱気に包まれているはずだった。ところが新型コロナウイルス感染症の流行という想定外の事態に見舞われ、オリンピックどころか慣れ親しんだ日常すら奪われた。学校や職場へ行く代わりに、自宅でコンピューターの画面越しにコミュニケーションをとることを余儀なくされている人も多い。思いがけないかたちで、新しいコミュニケーションのあり方が一気に私たちの生活に浸透した。この変革が起きているさなか、本書『コンピューターは人のように話せるか？――話すこと・聞くことの科学』の刊行へ向けた作業が終盤を迎えた。

ほんの一五〇年ほど前まで、人の話す言葉はその場限りで消えてしまうものであり、時や場所を隔てて聞くことはできなかった。しかしエジソンによる蓄音機の発明をはじめとするテクノロジーの進歩によって、時間や空間を超えて人の声を聞くことができるようになった。一年あまり前、本書の翻訳に着手したときには、この進展は私にとってひとつの歴史の流れにすぎなかった。ところがコロナ禍のもとでインターネットを介した新たな対話の様式を実践しはじめると、テクノロジーと言語コミュニケーションの関係が身近なトピックとなった。このタイミングで本書の翻訳を完成させる最終作業に携わるなかで、そこに書かれているさまざまなテクノロジーやコンセプトがにわかにリアルなものとして浮かび上がってきた。

本書において原作者のトレヴァー・コックスは、話す能力の生物学的進化を扱う第1章「進化」から、コンピューターによる言語的創造活動の可能性を論じる最終章「コンピューターのラブレター」まで、言語によるコミュニケーションの進化を多様な角度から展望していく。生物学・医学的な観点から人の一生における声の変化を追う「声の三つの時代」、人の声に対する工学的技術の影響を分析する「電気で声を変える」、ロボットが人間に代わって役者となる可能性を探求する「ロボットは役者にすぎない」など、どの章も膨大なリサーチに裏づけられた説得力をもって、「声」をめぐる新たな視野を読者に与えてくれる。コックスは幅広い人脈を生かし、多彩な分野のエキスパートから話を引き出す。そこで語られる「声」の達人たちの研究や体験をめぐるエピソードには興味が尽きない。

テクノロジーの進歩によって、人間の果たしてきた役割や仕事が機械に奪われてしまうのではないかと危惧する声が高まっている。作家や俳優など「言葉」とのかかわりが深い職業はどうなるのか。コックスはこの点についても数々の事例や根拠をもとに、彼なりの見解を示している。詳しくは本文に譲るが、人間が近い将来にこれらの仕事を失うことはなさそうだ。しかし、テクノロジーと創造力との関係に変化が起きていくのは間違いない。人間がテクノロジーのさらなる発展とともに歩み、その恩恵を受けながら、新たな時代の到来に立ち会う。そのときが平穏に訪れることを私は願う。

＊　＊　＊

言語によるコミュニケーションという、ふだんはなにげなくこなしている行為が、じつは人類の長い歴史から生まれた複雑で高度な作業であった。そしてこれがテクノロジーの発達と密接にかかわっていて、これからも「語ること」と「テクノロジー」は手を携えて進歩していく。この興味深い事実を教えてくれた本書を翻訳する機会をいただけたことに感謝したい。白揚社の阿部明子氏は、その機会を与えてくださり、翻訳を完成させるまでの道のりを導いてくださった。この場を借りてお礼を申し上げる。

田沢恭子

二〇二〇年八月

domain'. *Journal of Artificial General Intelligence,* 6(1), pp. 87–110.

24. Ghedini, F., Pachet, F. and Roy, P., 2016. 'Creating music and texts with flow machines'. *Multidisciplinary Contributions to the Science of Creative Thinking.* Springer Singapore, pp. 325–43.
25. もっと最近では、マイクロソフトとケンブリッジ大学がオンラインでコードを集め、それを使ってごく短いプログラムを作成するシステムを作っている。人間がプログラムの仕様を指示すると、システムがそれに合ったコードを生成する、という仕組みだ。Balog, M., Gaunt, A. L., Brockschmidt, M., Nowozin, S. and Tarlow, D., 2016. 'DeepCoder: Learning to Write Programs'. arXiv preprint arXiv:1611.01989.
26. Metz, C., 2016. 'AI is transforming Google search. The rest of the web is next'. *Wired.* http://www.wired.com/2016/02/ai-is-changing-the-technology-behind-google-searches/.
27. Cox, T. J. and D'Antonio, P., 2016. *Acoustic Absorbers and Diffusers: Theory, Design and Application.* CRC Press.
28. Riedl, M. O., 2014. 'The Lovelace 2.0 Test of Artificial Creativity and Intelligence'. arXiv preprint arXiv:1410.6142.
29. Steadman, I., 2013. 'IBM's Watson is better at diagnosing cancer than human doctors'. *Wired.* http://www.wired.co.uk/news/archive/2013-02/11/ibm-watson-medical-doctor. ワトソンは平均的な医学部2年生に相当する知識に到達したと言われている。IBM, 2014. 'IBM Watson Ushers in a New Era of Data-Driven Discoveries'. https://www-03.ibm.com/press/us/en/pressrelease/44697.wss.
30. これによって実験者バイアスを排除することもできる。コンピューターが神経科学に影響を与え始めている理由の一つがこれである。Lorenz, R., Monti, R. P., Violante, I. R., Anagnostopoulos, C., Faisal, A. A., Montana, G. and Leech, R., 2016. 'The automatic neuroscientist: a framework for optimizing experimental design with closed-loop real-time fMRI'. *NeuroImage,* 129, pp. 320–34.
31. 'Pullman, Philip'. *Oxford Encyclopedia of Children's Literature,* 2006.
32. Dijksterhuis, A., Bos, M. W., Nordgren, L. F. and Van Baaren, R. B., 2006. 'On making the right choice: the deliberation-without-attention effect'. *Science,* 311, pp. 1005–7.
33. さらにこれよりはるかに高度な抽象的思考として、ほかの聴衆が歌詞に対してどんな反応を示すか予想し、次に蓄音機を試すのは誰かなどと考えていたかもしれない。
34. 世間ではよくこれが右脳の役割だと言われているが、じつは右脳だけではない。

ments/automated-earnings-stories-multiply. 以下も参照。Benedictus, L., 2016. 'Man v machine: can computers cook, write and paint better than us?' *Guardian* および AP, 'AP expands Minor League Baseball coverage', https://www.ap.org/press-releases/2016/ap-expands-minor-league-baseball-coverage.

12. Riedl, M. O., 2016. 'Computational Narrative Intelligence: A Human-Centered Goal for Artificial Intelligence'. arXiv preprint arXiv:1602.06484.
13. ジェンジャムによる演奏は、以下で聞くことができる。https://www.youtube.com/watch?v=rFBhwQUZGxg.
14. Boden, M. A., 2004. *The Creative Mind: Myths and Mechanisms.* Psychology Press, pp. 1–10.
15. 2003年、ペイントン動物園は6頭のクロザルを使ってこれを実験した。全部で5ページのテキストができたが、ほとんどは「s」の文字で埋め尽くされているだけだった。Adam, D., 2003. 'Give six monkeys a computer, and what do you get? Certainly not the Bard'. *Guardian.*
16. 駄洒落などの言葉遊びを生み出すコンピューターは、これと同じタイプの創造性を用いている。Ritchie, G., 2009. 'Can Computers Create Humor?' *AI Magazine,* 30(3), pp. 71–81.
17. 人工知能を使ってSF短編映画も作られている。Newitz, A., 2016. 'Movie written by AI algorithm turns out to be hilarious and intense'. https://arstechnica.co.uk/the-multiverse/2016/06/sunspring-movie-watch-written-by-ai-details-interview/.
18. Llano, M. T., Colton, S., Hepworth, R. and Gow, J., 2016. 'Automated fictional ideation via knowledge base manipulation'. *Cognitive Computation,* 8(2), pp. 153–74.
19. Parkin, S., 2014. 'Automatic authors: Making machines that tell tales'. *New Scientist,* 2990.
20. Schwarm, B., 2013. 'The Hebrides, Op. 26'. http://www.britannica.com/topic/The-Hebrides-Op-26.
21. より完全なストーリーラインは、マドリード大学のパブロ・ヘルバス博士の率いた研究を利用したプログラム「プロパーライター」を使って作成された。Colton, S., Llano, M. T., Hepworth, R., Charnley, J., Gale, C. V., Baron, A., Pachet, F., Roy, P., Gervás, P., Collins, N. and Sturm, B., June 2016. 'The beyond the fence musical and computer says show documentary'. *Proceedings of the International Conference on Computational Creativity.*
22. ニューラルネットワークが生み出した歌詞は、ほとんどが詩の連なったようなものだったが、たまたまデータに公演のレビューが含まれていたので、歌詞が突然、素人批評家のようなトーンに切り替わることも何度となくあった。出力された歌詞のなかにはこんな一節もあった。「キャストのメロディーとダンスのミュージカルショーは人気作品のスリルを恐れているように思われることもあり、2004年版の『パーティーのボートとインドのショー』の公演というヒット作の好みを分析している」
23. コンピューターに作詞をさせる試みもなされている。たとえば以下を参照。Gonçalo Oliveira, H., 2015. 'Tra-la-lyrics 2.0: Automatic generation of song lyrics on a semantic

25(15), pp. 2051–6.
52. Truong, K. P. and Van Leeuwen, D. A., 2007. 'Automatic discrimination between laughter and speech'. *Speech Communication,* 49(2), pp. 144–58.
53. Lynn, J. and Jay, A., 1984. *The Complete Yes Minister: The Diaries of a Cabinet Minister, by the Right Hon. James Hacker MP.* BBC Books.
54. BBC World Service. *The Why Factor,* 'The Lie'. http://www.bbc.co.uk/programmes/p0188dbq, 2013年5月20日放送。
55. McNally, L. and Jackson, A. L., July 2013. 'Cooperation creates selection for tactical deception'. *Proceedings of the Royal Society B,* 280(1762), p. 20130699. The Royal Society.

8　コンピューターのラブレター

1. グーグル翻訳のプロダクトマネジメントおよびユーザーエクスペリエンスの責任者、バラク・トゥロフスキーによる。https://www.theguardian.com/technology/2016/jun/04/man-v-machine-robots-artificial-intelligence-cook-write.
2. Campbell-Kelly, M., 1980. 'Programming the Mark I: Early programming activity at the University of Manchester'. *Annals of the History of Computing,* 2(2), pp. 130–68.
3. https://transmediale.de/content/there-must-be-an-angel-on-the-beginnings-of-arithmetics-of-rays.
4. http://jamesrobertlloyd.com/blog-2016-04-18-poetry-net.html.
5. このアイディアはチューリングによる思考実験であり、テストを明確に提案したわけではない。Turing, A. M., 1950. 'Computing machinery and intelligence'. *Mind,* 59(236), pp. 433–60.
6. Jefferson, G., 1949. 'The Mind of Mechanical Man'. *British Medical Journal,* 1(4616), pp. 1105–10.
7. Misztal-Radecka, J. and Indurkhya, B., 2016. 'A blackboard system for generating poetry'. *Computer Science,* 17(2), p. 265.
8. http://hyperboleandahalf.blogspot.co.uk/2013/05/depression-part-two.html.
9. Steinbeis, N. and Koelsch, S., 2009. 'Understanding the intentions behind man-made products elicits neural activity in areas dedicated to mental state attribution'. *Cerebral Cortex,* 19(3), pp. 619–23. この分野で行なわれた別の研究では、人に音楽を聞かせてからそれがコンピューターの作曲したものだと知らせると、その曲に対する評価が下がることが判明している。当然ながら、コンピューターによる作曲に対する偏見を最も顕著に示すのはミュージシャンだった。Moffat, D. C. and Kelly, M., 2006. 'An investigation into people's bias against computational creativity in music composition'. *Proceedings of the 3rd International Joint Workshop on Computational Creativity.* ECAI06 Workshop, Riva del Garda, Italy.
10. https://github.com/thricedotted/theseeker/blob/master/the_seeker.pdf,.
11. White, E. M., 2015. 'Automated earnings stories multiply'. AP. https://blog.ap.org/announce

を参照。Davis, K. H., Biddulph, R. and Balashek, S., 1952. 'Automatic recognition of spoken digits'. *Journal of the Acoustical Society of America,* 24(6), pp. 637–42.

39. BBC, 2011. 'Say what? iPhone has problems with Scots accents'.
40. Caliskan, A., Bryson, J. J. and Narayanan, A., 2017. 'Semantics derived automatically from language corpora contain human-like biases'. *Science,* 356(6334), pp. 183–6.
41. この例は以下からとった。Science News, 2017. 'Biased bots: Human prejudices sneak into artificial intelligence systems'. https://www.sciencedaily.com/releases/2017/04/170413141055.htm.
42. Dahl, G. E., Yu, D., Deng, L. and Acero, A., 2012. 'Context-dependent pre-trained deep neural networks for large-vocabulary speech recognition'. *Audio, Speech, and Language Processing, IEEE Transactions,* 20(1), pp. 30–42.
43. Rayner, K., White, S. J., Johnson, R. L. and Liversedge, S. P., 2006. 'Raeding Wrods With Jubmled Lettres There Is a Cost'. *Psychological science,* 17(3), pp. 192–3.
44. 2011年、グーグルの音声検索ツールGoogle Search by Voiceは、数百万人のユーザーから集めた2400億語を用いて訓練されていた。'Speech Recognition Lightning Talk – Google and AAAI 2011'. https://www.youtube.com/watch?v=g6iAOdRsDOM.
45. Dong, X. L., Gabrilovich, E., Murphy, K., Dang, V., Horn, W., Lugaresi, C., Sun, S. and Zhang, W., 2016. 'Knowledge-Based Trust: Estimating the Trustworthiness of Web Sources'. *IEEE Data Eng. Bulletin,* 39(2), pp. 106–17.
46. Chilton, M., 2015. 'The best spoonerisms'. *Telegraph.*
47. Kiddon, C. and Brun, Y., 2011. 'That's what she said: double entendre identification'. *Proceedings of the 49th Annual Meeting of the Association for Computational Linguistics: Human Language Technologies,* 2. pp. 89–94.
48. Scott, S. K., Lavan, N., Chen, S. and McGettigan, C., 2014. 'The social life of laughter'. *Trends in Cognitive Sciences,* 18(12), pp. 618–20.
49. 作り笑いよりも自発的な笑いのほうが、全体の時間が長く、一回一回の発声が短く、声が高く、無声部分が多く、平均強度が低い。作り笑いのほうが鼻音成分が多い。Lavan, N., Scott, S. K. and McGettigan, C., 2016. 'Laugh like you mean it: Authenticity modulates acoustic, physiological and perceptual properties of laughter'. *Journal of Nonverbal Behavior,* 40(2), pp. 133–49.
50. カーは同業のコメディアン、ニック・ヘルムの芸を見ていたときの愉快なエピソードを語っている。カーの説明によると「彼がお決まりの芸をやるのを見て私はおかしくてたまらず、爆笑してしまった。するとニックは演じるのをやめて、こう言ったんだ。『いいかげんにしろ、ジミー。お前の芸で俺を笑わせようとするのはやめてくれ』ってね」http://www.digitalspy.com/tv/news/a788818/jimmy-carr-compares-laugh-weird-honking-goose-while-talking-new-netflix-show/.
51. 泣き声もほかの声と著しく異なるので、やはり聴覚野を活性化する。以下を参照。Arnal, L. H., Flinker, A., Kleinschmidt, A., Giraud, A. L. and Poeppel, D., 2015. 'Human screams occupy a privileged niche in the communication soundscape'. *Current Biology,*

23. Lacerda, F., June 2009. ‘LVA technology: The illusion of lie detection’. *FONETIK.*
24. Kreiman and Sidtis, op. cit., p. 369.
25. Eriksson, A. and Lacerda, F., 2007. ‘Charlatanry in forensic speech science: A problem to be taken seriously’. *International Journal of Speech, Language and the Law,* 14(2), pp. 169–93.
26. BBC News, 2013. ‘Defamation Act 2013 aims to improve libel laws’. http://www.bbc.co.uk/news/uk-25551640.
27. Damphousse, K. R., Pointon, L., Upchurch, D. and Moore, R. K., 2007. ‘Assessing the validity of voice stress analysis tools in a jail setting’. Report submitted to the US Department of Justice.
28. 逮捕者が自分の発言が音声ストレス分析にかけられていると思った場合、最近の薬物使用について14%が嘘をついたが、分析について知らされていない場合には40%の人が嘘をついた。Damphousse et al., op. cit.
29. Jones, E. E. and Sigall, H., 1971. ‘The bogus pipeline: a new paradigm for measuring affect and attitude’. *Psychological Bulletin,* 76(5), p. 349.
30. Arthur, C., 2009. ‘Government data shows £2.4m “lie detection” didn’t work in 4 of 7 trials’. *Guardian.* 以下も参照。http://www.ministryoftruth.me.uk/2012/02/08/nemesyscos-lva-technology-ghosts-in-the-noise/#disqus_thread.
31. Ekman, P., 2009. *Telling Lies: Clues to Deceit in the Marketplace, Politics, and Marriage* (revised edition). WW Norton & Company.〔改訂前の版が『暴かれる嘘——虚偽を見破る対人学』（P・エクマン著、工藤力訳編、誠信書房）として邦訳されている〕
32. BBC News, 1989. ‘Exxon Valdez creates oil slick disaster’. http://news.bbc.co.uk/onthisday/hi/dates/stories/march/24/newsid_4231000/4231971.stm.
33. Schuller, B., Batliner, A., Steidl, S., Schiel, F. and Krajewski, J., January 2011. ‘The Interspeech 2011 speaker state challenge’. *Interspeech,* pp. 3201–4.
34. Bone, D., Black, M., Li, M., Metallinou, A., Lee, S. and Narayanan, S. S., August 2011. ‘Intoxicated Speech Detection by Fusion of Speaker Normalized Hierarchical Features and GMM Supervectors’. *Interspeech,* pp. 3217–20.
35. 同じ人物が酔っているときと酔っていないときに録音し、その二つの音声サンプルを比較させた場合、的中率は74%となる。サンプルを一つだけ聞かせて比較をさせない場合には、的中率は65%に下がる。Pisoni, D. B. and Martin, C. S., 1989. ‘Effects of Alcohol on the Acoustic-Phonetic Properties of Speech: Perceptual and Acoustic Analyses’. *Alcoholism: Clinical and Experimental Research,* 13(4), pp. 577–87.
36. 情動、疲労、ストレスも影響した可能性がある。Kreiman and Sidtis, op. cit., p. 360.
37. Oberlader, V. A., Naefgen, C., Koppehele-Gossel, J., Quinten, L., Banse, R. and Schmidt, A. F., 2016. ‘Validity of content-based techniques to distinguish true and fabricated statements: A meta-analysis’. *Law and Human Behavior,* 40(4), p. 440.
38. Jim Flanagan et al., 1980. ‘Techniques for expanding the capabilities of practical speech recognizers’. *Trends in Speech Recognition.* オードリーについて、さらに詳しくは以下

有効かについて知りたかったからである。Mann, M., Cox, T. J. and Li, F. F., 2011. 'Music Mood Classification of Television Theme Tunes'. *International Society of Music Information Retrieval,* pp. 735–40.

6. データが大量にあって、コンピューターの作業をやってくれる人手もたくさんあるなら、ディープニューラルネットワークに音声をそのまま入力して、特徴抽出のプロセスを省くことができる。しかし私たちには大量のデータがなかった。
7. この曲は以下で聞くことができる。http://www.televisiontunes.com/Noggin_the_Nog.html.
8. Kreiman and Sidtis, op. cit.
9. Elaad, E., 2003. 'Effects of feedback on the overestimated capacity to detect lies and the underestimated ability to tell lies'. *Applied Cognitive Psychology,* 17(3), pp. 349–63.
10. 嘘発見の達人をだまそうとしていると伝えて、ティーンエイジャーの競争心に訴えるという手もある。俳優は誇張されたステレオタイプ的な手がかりを示しがちなので、使わないほうがよい。
11. 全実験を網羅した平均的中率は54%。Bond, C. F. and DePaulo, B. M., 2006. 'Accuracy of deception judgments'. *Personality and social psychology Review,* 10(3), pp. 214–34.「微表情」と呼ばれる一瞬の表情から嘘を見抜くのが特にうまい達人が存在するのかについては、嘘研究者のあいだで意見が分かれている。テレビドラマ『ライ・トゥ・ミー——嘘の瞬間』は、そうした達人がいるという前提で制作されている。
12. Wiseman, R., 1995. 'The megalab truth test'. *Nature,* 373(6513), p. 391.
13. 9割の国でそう考えられていた。Vrij, A., Granhag, P. A. and Porter, S., 2010. 'Pitfalls and opportunities in nonverbal and verbal lie detection'. *Psychological Science in the Public Interest,* 11(3), pp. 89–121.
14. Shermer, M., 2011. *The Believing Brain.* Macmillan.
15. 残念ながら、嘘をついたときにフィードバックを即座に受け取る集団の一つが犯罪常習者であり、彼らは捜査官をだますための対策を覚えていく。
16. 嘘つきはもっともらしい話を語ることにも集中している。そしてほかの人が自分の言葉からどんな印象を受けているか絶えず確かめているなら、さらなる認知負荷が生じる。ただしこれは神経質な人が真実を語っている場合にもあてはまる。
17. Vrij, A., Edward, K. and Bull, R., 2001. 'People's insight into their own behaviour and speech content while lying'. *British Journal of Psychology,* 92(2), pp. 373–89.
18. Serota, K. B., Levine, T. R. and Boster, F. J., 2010. 'The Prevalence of Lying in America: Three Studies of Self-Reported Lies'. *Human Communication Research,* 36(1), pp. 2–25.
19. Ten Brinke, L., Stimson, D. and Carney, D. R., 2014. 'Some evidence for unconscious lie detection'. *Psychological Science,* p. 0956797614524421.
20. 潜在連合テストについては、声に対する先入観について述べた章でも言及した。
21. BBC News, 2003. http://news.bbc.co.uk/1/hi/uk/3227849.stm.
22. Heingartner, D., 2004. 'It's the Way You Say It, Truth Be Told'. *New York Times.* http://www.nytimes.com/2004/07/01/technology/it-s-the-way-you-say-it-truth-be-told.html.

road to the valley of eeriness'. *Frontiers in Psychology,* 6, p. 390.

41. Mitchell, W. J., Szerszen Sr, K. A., Lu, A. S., Schermerhorn, P. W., Scheutz, M. and MacDorman, K. F., 2011. 'A mismatch in the human realism of face and voice produces an uncanny valley'. *i-Perception,* 2(1), pp. 10–12. Tinwell, A., Grimshaw, M. and Nabi, D. A., 2015. 'The effect of onset asynchrony in audio-visual speech and the Uncanny Valley in virtual characters'. *International Journal of Mechanisms and Robotic Systems,* 2(2), pp. 97–110.
42. https://www.lifenaut.com/bina48/.
43. われわれはみな相手の話に注意を払っていることを示すためのちょっとした応答として、いわゆる「相づち」を打つ（たとえばイギリスのコメディ番組『フォルティ・タワーズ』で登場人物のシビルが口にする「Oh I knowww」など）が、Bina48はこれもできない。
44. ほかに、この感覚が嫌悪反応から生じるとする説もある。どこかおかしく見えるヒューマノイドは、問題のある人間（たとえば病んでいるなど）のように見える。そのため私たちは嫌悪反応を起こし、近づかないようにするのだ。
45. 『スピリキン――あるラブストーリー』でロボットと共演したジュディ・ノーマンも同様の感想を述べている。彼女は質疑応答の席で観客に対し、ロボットが「じつは人間の俳優と大して変わらないの。まったく違うかと予想していたのだけど、実際にはそんなことはなかったのよ」と語った。また、「一番難しいのは、俳優がミスしたときにロボットは助けてくれないという点ね」とも語っている。
46. コンピューターのキャラクターのセリフを人間に言わせるのは、ふつうのやり方である。映画『2001年宇宙の旅』では、カナダ人俳優のダグラス・レインがコンピューターHALの声を担当した。
47. プログラムされた動作以外にも、たとえばアイコンタクトなど、ロボットによる自動的な動作を使うこともできただろう。

7　コンピューターの耳にご用心

1. この事件の詳細は以下で閲覧できる。http://news.bbc.co.uk/1/hi/world/americas/3243015.stmおよびLevi-Minzi, M. and Shields, M., 2007. 'Serial sexual murderers and prostitutes as their victims: Difficulty profiling perpetrators and victim vulnerability as illustrated by the Green River case'. *Brief Treatment and Crisis Intervention,* 7(1), p. 77.
2. Party, B. W., 2004. 'A review of the current scientific status and fields of application of polygraphic deception detection'. *British Psychological Society.*
3. 'Innocent Until Proved Guilty?' ABC News, 2006. http://abcnews.go.com/Primetime/story?id=1786421.
4. Juslin, P. N. and Laukka, P., 2003. 'Communication of emotions in vocal expression and music performance: Different channels, same code?' *Psychological Bulletin,* 129(5), p. 770.
5. テーマ曲に関するこの既発表の研究では、人工ニューラルネットワークではなくサポートベクターマシンを使っている。これは、サポートベクターマシンがどのくらい

24. https://www.acapela-group.com/demos/.
25. Victoria T., 2016. 'How we fell in love with our voice-activated home assistants'. *New Scientist,* 3104.
26. Parke, P, 2015. 'Is it cruel to kick a robot dog?'. CNN, http://edition.cnn.com/2015/02/13/tech/spot-robot-dog-google/index.html.
27. https://www.biomotionlab.ca/でデモが見られる。以下も参照。Waytz, A., Epley, N. and Cacioppo, J. T., 2010. 'Social cognition unbound: Insights into anthropomorphism and dehumanization'. *Current Directions in Psychological Science,* 19(1), pp. 58–62.
28. Newman, J., 2014. 'To Siri with Love: How One Boy With Autism Became BFF With Apple's Siri'. *New York Times.*
29. Ramaswamy, C., 2017. '"Alexa, sort your life out": when Amazon Echo goes rogue'. *Guardian.* 2015年には、サムスンのテレビ用スマートリモコンがまわりの会話を記録し、音声分析を行なう第三者企業に送信していることが判明して、サムソンは心ならずも大きくマスコミに取り上げられることになった。
30. Hern, A., 2017. 'Murder defendant volunteers Echo recordings Amazon fought to protect'. *Guardian.*
31. Eng, J., 2016. 'NYC to Parents: Make Sure Your Baby Monitors Don't Get Hacked'. NBC News.
32. Walker, T, 2017. 'How local accents have replaced Stephen Hawking-style voice boxes'. *Guardian.*
33. 複数の提供者の声を平均したものを使うことが多い。そのほうが最終結果がよくなるのだ。
34. 以下のサイトでデモを試すことができる。http://www.nutbot.net/talking_head/.〔リンク切れ〕
35. 研究チームは被験者に地方訛りや外国訛りでも話させた。McGettigan, C., Eisner, F., Agnew, Z. K., Manly, T., Wisbey, D. and Scott, S. K., 2013. 'T'ain't what you say, it's the way that you say it – left insula and inferior frontal cortex work in interaction with superior temporal regions to control the performance of vocal impersonations'. *Journal of Cognitive Neuroscience,* 25(11), pp. 1875–86.
36. The Naked Scientists, 2016. 'The neuroscience of a good impression'. www.thenakedscientists.com/articles/interviews/neuroscience-good-impression.
37. Logan, T., 2007. 'Nice talking to you, machine'. *New Scientist,* 2590.
38. Spinney, L., 2017. 'Exploring the uncanny valley: Why almost-human is creepy'. *New Scientist,* 3097.
39. Mäkäräinen, M., Kätsyri, J., Förger, K. and Takala, T., 2015. 'The funcanny valley: A study of positive emotional reactions to strangeness'. *Proceedings of the 19th International Academic Mindtrek Conference,* pp. 175–81.
40. Kätsyri, J., Förger, K., Mäkäräinen, M. and Takala, T., 2015. 'A review of empirical evidence on different uncanny valley hypotheses: Support for perceptual mismatch as one

Journal of the Acoustical Society of America, 22(2), pp. 151–66.
6. Davis, A., 2016. 'Mechanical chess player baffled crowds for nearly a century'. IEEE.
7. ここで実演を聞くことができる。https://youtu.be/k_YUB_S6Gpo. この装置はハワードのレプリカとは異なるが、原理は同じである。Brackhane, F. and Trouvain, J., 2008. 'What makes "Mama" and "Papa" acceptable? – Experiments with a replica of von Kempelen's speaking machine'. *Proceedings of the 8th International Speech Production Seminar,* pp. 333–6.
8. 以下からの翻訳。Trouvain, J. and Brackhane, F., 2011. 'Wolfgang von Kempelen's "speaking machine" as an instrument for demonstration and research' in W.-S. Lee and E. Zee (eds.), *Proceedings of the 17th International Congress of Phonetic Sciences,* pp. 164–7.
9. 'The Speaking Machine'. *Punch,* 11 (1846), p. 83.
10. Altick, R. D., 1978. *The Shows of London.* Harvard University Press, p. 355.（『ロンドンの見世物』R・D・オールティック著、小池滋監訳、浜名恵美ほか訳、国書刊行会）
11. 'The New York Fair'. *Bell Telephone Quarterly,* January 1940, p. 63.
12. Schroeder, M. R., 1981. 'Dudley, Homer W.: A Tribute'. *Journal of the Acoustical Society of America,* 69(4), p. 1222.
13. Dlugan, A., 2012. 'What is the Average Speaking Rate?'. http://sixminutes.dlugan.com/speaking-rate/.
14. https://youtu.be/5hyI_dM5cGo などで実際の録音を聞くことができる。あとの引用はこの動画による。
15. Fagen, M. D., Millman, S., Joel, A. E. and Schindler, G. E., 1975. *A History of Engineering and Science in the Bell System: Communications sciences (1925– 1980), Vol. 5.* Bell Telephone Laboratories Inc., pp. 101ff.
16. 以下にもとづいて作図した。Dudley, H., Riesz, R. R and Watkins, S. S. A., 1939. 'A synthetic speaker'. *Journal of the Franklin Institute,* 227, pp. 739–64.
17. http://www.ti.com/corp/docs/company/history/timeline/eps/1970/docs/78-speak-spell_introduced.htm.〔リンク切れ〕
18. 'Who is Hatsune Miku?'. http://www.crypton.co.jp/miku_eng.
19. Kenmochi, H. and Ohshita, H., 2007. 'VOCALOID - commercial singing synthesizer based on sample concatenation'. *Interspeech,* pp. 4009–10.
20. https://youtu.be/UQw03TXZsHA. 残念ながら、この動画は音質がよくない。
21. Boone, J. V. and Peterson, R. R., 2016. 'Sigsaly – The Start of the Digital Revolution'. https://www.nsa.gov/about/cryptologic-heritage/historical-figures-publications/publications/wwii/sigsaly-start-digital/.
22. Kahn, D., 2014. *How I Discovered World War II's Greatest Spy and Other Stories of Intelligence and Code.* CRC Press.
23. 99% Invisible Podcast, 2016. 'Vox Ex Machina'. http://99percentinvisible.org/episode/vox-ex-machina/.

36. 正確には、圧縮は楽曲の最も大きな音を弱めるが、並行して全体の音量を上げるので、結果として小さな音が強調されることになる。
37. しかしささやくような歌い方が一般的になりつつあることから、流行が変わろうとしているのかもしれない。Robinson, P., 2017. '"Whisperpop" : why stars are choosing breathy intensity over vocal paint-stripping'. *Guardian.*
38. McCormick, N., 2005. 'Take that, says Robbie as he faces his critics'. *Telegraph.*
39. 以下からの引用。BBC Radio 4, 2014. 'Creating Pitch-Perfect'. http://www.bbc.co.uk/programmes/b01shwkq.
40. ダンは空気を吸いすぎたり空気が足りなくなったりしないように、リズムのバランスをとることも必要だと言った。
41. Rahzel. 'If Your Mother Only Knew'. https://youtu.be/ifCwPidxsqA.
42. アカペラをやるのでない限り、ビートボクサーは声の低音部を強調するためにマイクを使う。たいていのボーカル用マイクは口を近づけると近接効果で低音が強調される。
43. ラゼールのパフォーマンスをよく聞くと、「only」の「l」がしばしば混ざり合った音になっているのがわかる。
44. *Sparky and the Talking Train.* https://www.youtube.com/watch?v=3O3IzIzoVvk&feature=youtu.be.
45. このとき声優は声門を閉じる必要がある。そうしないと、多くの音が肺の奥へ進んで消えてしまう。
46. アルバムバージョンを聴くこと。https://youtu.be/x-G28iyPtz0.
47. Hildebrand, H. A., Auburn Audio Technologies Inc., 1999. 'Pitch detection and intonation correction apparatus and method'. US Patent 5,973,252.
48. この性質を利用した見事な聴覚の錯覚を、ダイアナ・ドイチュは「話し声から歌に変わる」錯覚と呼んでいる。deutsch.ucsd.edu/psychology/pages.php?i=212.
49. ビートルズの〈ア・デイ・イン・ザ・ライフ〉で用いられている声の移動もその一例である。ヘッドフォンで聞くと、その効果がはっきりとわかる。レノンが「I read the news today」と歌いだすときには、彼の声は右側だけから聞こえる。第1節が「I'd love to turn you on」という言葉で終わるときには、声は左に移動しており、左側だけから聞こえる。この音響処理は「交唱」という伝統的な歌い方の影響を受けている。交唱では聖歌隊を二つに分け、呼びかけと応答で交互に歌い合って曲に空間的な広がりを与える。

6 ロボットは役者にすぎない

1. 'An Evening With Edison'. *New York Times,* 6 April 1878.
2. Preece, W. H., 1878. 'The Phonograph'. *Journal of the Society of Arts,* 26, p. 537.
3. Thompson, E., 1995. 'Machines, Music, and the Quest for Fidelity: Marketing the Edison Phonograph in America, 1877–1925'. *Musical Quarterly,* 79(1), pp. 131–71.
4. http://www.bbc.co.uk/mediacentre/latestnews/2016/bbc-russian-virtual-voice-over.
5. Dudley, H. and Tarnoczy, T. H., 1950. 'The speaking machine of Wolfgang von Kempelen'.

18. 残響を使って表せるのは、部屋の広さだけではない。エロイーズ・ホイットモアとラジオドラマについて話したとき、彼女はフラッシュバックや現実ではないできごとを表現するためにも残響がよく使われると説明してくれた。
19. Cox, T., 2014. 'Reverb: Why we dig messy sound'. *New Scientist,* 3000.
20. 音楽プロデューサーが聞き手の期待を利用したほかの例としては、ダニエル・ラノワが1993年に発表した〈デス・オブ・ア・トレイン〉がある。この曲で使われているスラップバックエコーは、1950年代にサン・レコードが開拓したエフェクトを彷彿させる。これがラノワの曲にノスタルジックな雰囲気を与えている。
21. Fry G., 2015. 'Capturing sound for Complicité's *The Encounter*'. *Stage.* https://www.thestage.co.uk/features/gareth-fry-capturing-sound-for-complicites-the-encounter.
22. 本書第1章でこの手がかりについて述べている。
23. 声を遠くまで通す必要性がオペラの発声法を生み出した大きな要因だが、ほかの文化的要因も無視してはならない。Potter, op. cit. を参照。
24. いずれにしてもオペラでは、どの言語が歌われているのかわからないことも少なくない。Freddie Mercury and Montserrat Caballé. 'Barcelona'.
25. ジョン・ポッターによれば、現代のオペラの発声法はおそらく19世紀とは異なる。当時の記録によると、おそらくもっと幅広い歌唱法が用いられていた。
26. Long, C., 2016. 'Bob Dylan and the Manchester Free Trade Hall "Judas" show'. BBC. www.bbc.co.uk/news/entertainment-arts-36211789.
27. 人間が最も聞き取りやすい帯域の倍音を増幅するために、声帯の振動も変える。女優がフォルマントの調節をするかどうかについては、まだかなりの議論が続いている。最新の証拠からは、女優はおそらくこの調節をせず、声帯の振動のみを調節していることが示唆されている。Master, S., De Biase, N. G. and Madureira, S., 2012. 'What About the "Actor's Formant" in Actresses' Voices?' *Journal of Voice,* 26(3), pp. e117–e122.
28. Smith, J. and Wolfe, J., 2009. 'Vowel-pitch matching in Wagner's operas: implications for intelligibility and ease of singing'. *JASA Express Letters, Journal of the Acoustical Society of America,* 125, EL196.
29. Al Bowlly. 'Melancholy Baby'. https://youtu.be/rRF5D68e44Q. この例は以下からとった。Potter, J. and Sorrell, N., 2012. *A History of Singing.* Cambridge University Press.
30. Frith, S., 1986. 'Art versus technology: The strange case of popular music'. *Media, Culture & Society,* 8(3), pp. 263–79.
31. Leslie, J. and Snyder, R., 2010. *History of The Early Days of Ampex Corporation.* AES Historical Committee.
32. Hammer, P., 1994. 'In Memoriam John T. (Jack) Mullin'. *Journal of the Audio Engineering Society,* 42(6).
33. 'Billie Holiday Dies Here at 44; Jazz Singer Had Wide Influence'. *New York Times,* 1959. https://timesmachine.nytimes.com/timesmachine/1959/07/18/8059444.html?PageNumber=15
34. Empire, K. 2006. 'Let's judge women on their talent, not their pain'. *Guardian.*
35. Adele. 'Someone Like You'. https://youtu.be/hLQl3WQQoQ0.

watch?v=JypvFpw3qhU. 録音された曲の冒頭では、2人の歌い方のあいだで歩み寄りが多く起きている。以下を参照。Potter, J., 2006. *Vocal Authority: Singing Style and Ideology.* Cambridge University Press.

3. このマネージャーはアート・クラインという。Freedland, M., 1985. *Jolie: The Al Jolson Story.* W. H. Allen, p. 52.
4. 文化的な要因を見逃してはならない。Potter, op. cit. 聴き手の行動の変化については以下も参照。Byrne, D., 2012. *How Music Works.* Canongate Books.
5. BBC, 1956. *The Listener.*
6. ウェールズではおなじみの「男たちの合唱が遠くから聞こえてくる」という場面をどうするかという問題もあった。プロデューサーは大道芸人を雇ってスタジオの外の廊下で歌わせた。スタジオ入り口の防音扉を開閉することで、歌声の大きさと遠さを変えることができた。
7. インパルス応答の測定に銃を使うことがある。私は残響の世界記録を調べたとき、インチンダウン油槽でスタート合図用のピストルを使った。Cox, T., 2014. *Sonic Wonderland: A Scientific Odyssey of Sound.* Random House.（『世界の不思議な音』トレヴァー・コックス著、田沢恭子訳、白揚社）
8. 声の聞こえてくる場所も少し変えた。
9. 以下に挙げるのは、声の演出に関するすばらしい論考である。Lacasse, S., 2000. 'Listen to my voice: the evocative power of vocal staging in recorded rock music and other forms of vocal expression'. PhD thesis, University of Liverpool. フラットな再生の例がほかにも扱われている。
10. 以下は、脳スキャンと知覚測定を用いたもっと完全な研究である。Kumar, S., von Kriegstein, K., Friston, K. and Griffiths, T. D., 2012. 'Features versus feelings: dissociable representations of the acoustic features and valence of aversive sounds'. *Journal of Neuroscience,* 32(41), pp. 14184–92.
11. Arnal, L. H., Flinker, A., Kleinschmidt, A., Giraud, A. L. and Poeppel, D., 2015. 'Human screams occupy a privileged niche in the communication soundscape'. *Current Biology,* 25(15), pp. 2051–6.
12. LeDoux, J. E., 2015. 'The Amygdala Is NOT the Brain's Fear Center'. https://www.psychologytoday.com/blog/i-got-mind-tell-you/201508/the-amygdala-is-not-the-brains-fear-center.
13. このS3Aプロジェクトには、BBC研究開発部に加えて、サリー大学、ソルフォード大学、サウサンプトン大学も参加している。
14. Weaver, M., 2017. '"I will mumble this only once": BBC's Nazi drama *SS-GB* hit by dialogue complaints'. *Guardian.*
15. Gentleman, A. and Gibbons, F., 1999. 'Outcry at Nunn's use of mikes in theatre'. *Guardian.*
16. Billington, M., 1999. 'Review: *Troilus and Cressida*'. *Guardian.*
17. ローレンス・オリヴィエ賞の最優秀音響賞も2度受賞している。

47. Tigue, C. C., Borak, D. J., O'Connor, J. J., Schandl, C. and Feinberg, D. R., 2012. 'Voice pitch influences voting behavior'. *Evolution and Human Behavior,* 33(3), pp. 210–16.
48. Klofstad, C. A., Anderson, R. C. and Nowicki, S., 2015. 'Perceptions of competence, strength, and age influence voters to select leaders with lower-pitched voices'. *PLOS One,* 10(8), p. e0133779.
49. Klofstad, C. A., 2015. 'Candidate voice pitch influences election outcomes'. *Political Psychology.* 例外もいくらかあった。たとえば男性候補者と女性候補者が争った場合には、声の高い男性のほうが有利になる。クロフスタッドの推測によれば、このパターンでは声の低い男性候補はあまりにも攻撃的に感じられるからかもしれない。
50. Gupta, R., 2011. 'What is Vocal Fry?'. https://www.ohniww.org/katy-perry-voice-vocal-fry/.
51. Anderson, R. C., Klofstad, C. A., Mayew, W. J. and Venkatachalam, M., 2014. 'Vocal fry may undermine the success of young women in the labor market'. *PLOS One,* 9(5), p. e97506.
52. しかしこのホルモンへの曝露に伴う副作用として、免疫機能の抑制が生じる。そのためこのホルモンを高濃度で全身に行き渡らせられるのは、ほかの点で健康に問題のない人だけである。したがって、声の高さは遺伝子の質を示すしるしとなりうる。このことによって、身体的に左右対称性の高い人ほど魅力的な声をもっている理由も説明できるだろう。Hughes, S. M., Pastizzo, M. J. and Gallup Jr, G. G., 2008. 'The sound of symmetry revisited: Subjective and objective analyses of voice'. *Journal of Nonverbal Behavior,* 32(2), pp. 93–108.
53. Cheng, J. T., Tracy, J. L., Ho, S. and Henrich, J., 2016. 'Listen, follow me: Dynamic vocal signals of dominance predict emergent social rank in humans'. *Journal of Experimental Psychology: General,* 145(5), p. 536.
54. Rosenberg, A. and Hirschberg, J., 2009. 'Charisma perception from text and speech'. *Speech Communication,* 51(7), pp. 640–55.
55. 確実な根拠がある場合には、ゆっくり話すほうが効果的である。Von Hippel, W., Ronay, R., Baker, E., Kjelsaas, K. and Murphy, S. C., 2016. 'Quick Thinkers Are Smooth Talkers: Mental Speed Facilitates Charisma'. *Psychological Science,* 27(1), pp. 119–22.
56. Jürgens, R., Grass, A., Drolet, M. and Fischer, J., 2015. 'Effect of Acting Experience on Emotion Expression and Recognition in Voice: Non-Actors Provide Better Stimuli than Expected'. *Journal of Nonverbal Behavior,* 39(3), pp. 195–214.
57. 声の高低の変化が誇張されたのは、フレーズを読み上げるという演技のプロセスによるものだったのかもしれない。演技するときには、人を惹きつけようとして、自然と声に高低をつけて話すものである。少なくとも私がラジオ番組に出演するときにはそうしなくてはならない。

5　電気で声を変える

1. Milner, G., 2011. *Perfecting Sound Forever: The Story of Recorded Music.* Granta Books.
2. Bing Crosby and Al Jolson. 'Alexander's Ragtime Band'. https://www.youtube.com/

1093–6.

32. 強い訛りによる差は評価スケール上で5%だった。訛り以外の要素の影響を排除するため、実験では母語話者の用意した文を母語話者と非母語話者に読み上げさせた。

33. http://www.lasvegas.videobooth.tv/.〔リンク切れ〕

34. 拍手喝采の7割は七つのレトリックで説明できた。Heritage, J. and Greatbatch, D., 1986. 'Generating applause: A study of rhetoric and response at party political conferences'. *American Journal of Sociology*, 92(1), pp. 110–57.

35. これは思いがけない箇所で自然に起きた拍手ではなく、演説者の合図によって起きた拍手についてである。ちなみに別の研究では、この数字はおよそ3分の1だった。

36. http://news.bbc.co.uk/1/hi/magazine/8128271.stm.

37. Huettel, S. A., Mack, P. B. and McCarthy, G., 2002. 'Perceiving patterns in random series: dynamic processing of sequence in prefrontal cortex'. *Nature Neuroscience,* 5(5), pp. 485–90.

38. Shu, S. B. and Carlson, K. A., 2014. 'When three charms but four alarms: identifying the optimal number of claims in persuasion settings'. *Journal of Marketing,* 78(1), pp. 127–39.

39. メタファーも強力なレトリックである。トランプ大統領がワシントンの「沼の水を抜く」〔問題を解決するという意味〕というフレーズを使うのはその一例。

40. Bull, P. E., 1986. 'The use of hand gesture in political speeches: Some case studies'. *Journal of Language and Social Psychology,* 5, pp. 103–18.

41. 他の職業についても声の高さの研究が行なわれている。CEOは声が低いほうが高額の報酬を受け取り、経営する企業の規模が大きい。しかしこの研究では関連を見出しただけで因果関係は証明されていないので、声が低ければ成功するというわけではないかもしれない。Mayew, W. J., Parsons, C. A. and Venkatachalam, M., 2013. 'Voice pitch and the labor market success of male chief executive officers'. *Evolution and Human Behavior,* 34(4), pp. 243–8.

42. Atkinson, M., 1984. *Our Masters' Voices: The Language and Body Language of Politics.* Psychology Press, p. 113.

43. ビアードの言葉は以下からの引用。Davies, C., 2014, 'Mary Beard: vocal women treated as "freakish androgynes"', *Guardian* およびDowell, B., 2013, 'Mary Beard suffers "truly vile" online abuse after *Question Time*', *Guardian.*

44. Reeve, E., 2015. 'Why Do So Many People Hate the Sound of Hillary Clinton's Voice?'. *New Republic.* https://newrepublic.com/article/121643/why-do-so-many-people-hate-sound-hillary-clintons-voice.

45. これは政治家には有効だが、ある研究によれば、男性弁護士の場合、男性らしさの少ない声で話す弁護士のほうが勝つ確率が高い。その理由の一つは、弁護士は自分の主張に説得力がないとわかっているときに、無意識のうちに男性的な話し方をするせいかもしれない。

46. Klofstad, C. A., Nowicki, S. and Anderson, R. C., 2016. 'How Voice Pitch Influences Our Choice of Leaders'. *American Scientist,* 104(5), p. 282.

大学のジャック・グリーヴは位置情報の付加された10億件近いツイートにもとづいて、アメリカの南東部では国内のほかの地域と比べて「shit」（クソ）、「damn」（畜生）、「bitch」（あばずれ）の使用頻度が高いことを示す地図を作成した。Gajanan, M., 2015. 'Want to know how to curse like a proper American? Have a look at these maps'. *Guardian.*

18. また、語彙変種〔「路地」という同じ対象を指すのに使われる「ginnel」や「path」といったバリエーション〕が他地域で使われることは少ないが、それと比べて、よく知られている母音の発音のバリエーション〔たとえば「path」を「パス」や「パース」と発音する〕は他地域に行っても使われる。発音は話し方との結びつきが強いので、単語の発音は変わりにくい。
19. リーマンは、この傾向が生じたのは、第二次世界大戦後に人が都市から移動したせいで地方の訛りが薄まったからだとする仮説を立てている。
20. 「far」などの語尾の「r」にもあてはまる。
21. これはすべての英語話者にあてはまるわけではない。スコットランド、アイルランド、アメリカでは、今もこの「r」音を発音する人が多い。
22. Quinn, B., 2011. 'David Starkey claims "the whites have become black"'. *Guardian.* スターキーはイノック・パウエルの「血の川」演説〔1968年、イギリスの政治家パウエルがイギリスの移民受け入れ政策に異議を唱えた過激な演説〕にも言及した。
23. Fox, S., 2015. *The New Cockney: New Ethnicities and Adolescent Speech in the Traditional East End of London.* Palgrave Macmillan.
24. スー・フォックスはこの言葉をスタンフォード大学のペネロピ・エッカート教授から引用した。これは欧米の工業化社会にあてはまる。
25. Kerswill, P., 2011. TEDxEastEnd https://www.youtube.com/watch?v=hAnFbJ65KYM.
26. Aitchinson, J., 1996. 'Is our language sick?'. *Independent.* https://www.independent.co.uk/life-style/reith-lectures-is-our-language-in-decay-1317695.html.
27. 別の研究でスー・フォックスは、人がすでに4歳のときにこれらの言語的特徴を身につけていることを確認した。このことから、この発音が単なるティーンエイジャーの流行ではなく長期的な言語変化である可能性が高いことが示唆される。
28. McGlone, M. S. and Tofighbakhsh, J., 1999. 'The Keats heuristic: Rhyme as reason in aphorism interpretation'. *Poetics,* 26(4), pp. 235–44.
29. Guerini, M., Özbal, G. and Strapparava, C., 2015. 'Echoes of persuasion: The effect of euphony in persuasive communication'. arXiv preprint arXiv:1508.05817. システムの開発と検証を同じデータセットで行なった場合（たとえばツイッターの情報を使って開発したシステムをツイートでテストする）、的中率は72〜88%となる。システムを別のデータセットに適用した場合（たとえば映画のキャッチコピーに適用する）には、的中率は50〜60%に下がる。
30. 破裂音はバンド名でもよく使われる。
31. Lev-Ari, S. and Keysar, B., 2010. 'Why don't we believe non-native speakers? The influence of accent on credibility'. *Journal of Experimental Social Psychology,* 46(6), pp.

期の実験として地方訛りが使われた。

7. 皮肉にも、ケーリー・グラントはじつはイギリスのブリストルで生まれ育った。メイソンがイギリスの強い地方訛りを使っていたら、アメリカの観客はその言葉を理解するのに苦労したかもしれない。アメリカで『トレインスポッティング』が公開されたときには、ユアン・マクレガーのセリフがもっとソフトなスコットランド訛りに吹き替えられた。
8. 詩全体は次のとおり。'Five plump peas in a pea pod pressed. One grew, two grew, and so did all the rest. They grew and grew and grew and grew and grew and never stopped. Till they grew so plump and perky that the pea pod popped!'
9. スイスなどいくつかの国では、発音は社会的な身分よりも地理と結びついている。
10. Clark, L., 2016. 'Fish "chat" to each other and may have "regional accents"'. *Wired.* http://www.wired.co.uk/article/listening-to-regional-accents-of-cod.
11. ある群れが別の生息地へ移動すると、コミュニケーションを改善するために鳴き声を変えることを余儀なくされるかもしれない。この場合、群れのあいだで発声の相違がさらに急速に進む。ヒトの進化における訛りの役割について、詳しくは以下を参照。Cohen, E., 2012. 'The evolution of tag-based cooperation in humans'. *Current Anthropology,* 53(5), pp. 588–616.
12. 私は類像性について読んだことから、擬音語の研究をしようと思い立った。Bones, O. C., Davies, W. J. and Cox, T. J., 2017. 'Clang, chitter, crunch: Perceptual organisation of onomatopoeia'. *Journal of the Acoustical Society of America,* 141, p. 3694.
13. 「ボウバ」と「キキ」という架空の言葉に二つの図形を結びつけさせる実験からも、普遍的特性の例が得られた。被験者は丸みを帯びた図形を「ボウバ」と結びつけ、角ばった図形を「キキ」と結びつける傾向を示した。2016年に行なわれたこの実験は、こうした普遍的特性が、かつて考えられていたよりもじつはもう少し広く見られるということを初めて明らかにした。Blasi, D. E., Wichmann, S., Hammarström, H., Stadler, P. F. and Christiansen, M. H., 2016. 'Sound–meaning association biases evidenced across thousands of languages'. *Proceedings of the National Academy of Sciences,* p. 201605782.
14. Kaplan, S., 2016. 'A nose by any other name: Biology may affect the way we invent words'. *Washington Post.* https://www.washingtonpost.com/news/speaking-of-science/wp/2016/09/12/a-nose-by-any-other-name-biology-may-affect-the-way-we-invent-words/.
15. この理由の一つは、遠い過去のイギリスにいた集団の多様性にある。ヨーロッパ各地から渡来した部族がイギリス諸島に定住したが、これらの部族は互いからかなり離れて暮らしていたので、話し方の多様性が維持されたのだ。Crystal and Crystal, op. cit.
16. McDonnell, A., 2016. 'It's scone as in "gone" not scone as in "bone"'. YouGov. https://yougov.co.uk/news/2016/10/31/its-scone-gone-not-scone-bone/. 数値の内訳は次のとおり。ABC1層では「bone」(ボウン)と同じ韻が40%、「gone」(ゴーン)と同じ韻が55%。C2DE層では「bone」と同じ韻が45%、「gone」と同じ韻が46%。合計が100%にならないのは、「その他」や「わからない」の回答もあるため。
17. データを集めてアメリカ人が使う新しい言葉の地図を作成した研究もある。アストン

42. 初めのうち、沈黙はむしろ陶酔状態をもたらしたという。テイラーはさらにこう語っている。「それからすぐに私を取り巻くエネルギーの大きさに魅了されました。自分の体の境界がわからなくなったので、自分がとてつもなく巨大な存在のように感じました。そこにあるすべてのエネルギーと自分が一体であると感じ、それはすばらしい感覚でした」http://www.ted.com/talks/jill_bolte_taylor_s_powerful_stroke_of_insight/transcript?language=en. 以下も参照。Morin, A., 2009. 'Self-awareness deficits following loss of inner speech: Dr. Jill Bolte Taylor's case study'. *Consciousness and Cognition,* 18(2), pp. 524–9.
43. Filik, R. and Barber, E., 2011. 'Inner speech during silent reading reflects the reader's regional accent'. *PLOS One,* 6(10), p. e25782.
44. もう一つ例を挙げるなら、吃音者はしばしば内的発話のほうが流暢にできる。
45. Perrone-Bertolotti et al., op. cit.
46. Woods, A., Jones, N., Alderson-Day, B., Callard, F. and Fernyhough, C., 2015. 'Experiences of hearing voices: analysis of a novel phenomenological survey'. *Lancet Psychiatry,* 2(4), pp. 323–31.
47. Wilkinson, S. and Bell, V., 2016. 'The representation of agents in auditory verbal hallucinations'. *Mind & Language,* 31(1), pp. 104–26.
48. Alderson-Day, B., Bernini, M. and Fernyhough, C., 2017. 'Uncharted features and dynamics of reading: Voices, characters, and crossing of experiences'. *Consciousness and Cognition,* 49, pp. 98–109.

4 声のカリスマ性

1. 2016年7月1日までの選挙戦のデータ。https://www.washingtonpost.com/news/the-fix/wp/2016/07/01/donald-trump-has-been-wrong-way-more-often-than-all-the-other-2016-candidates-combined/.
2. Atwill, J. M., 2009. *Rhetoric reclaimed: Aristotle and the liberal arts tradition.* Cornell University Press, p. 37.
3. 言うまでもなく、話し方を変えようとした試みは不首尾に終わった。また、ヒラリー・クリントンの発音も詳細にチェックされた。たとえば南部を遊説中に南部人ふうに母音を伸ばす発音を使ったことがコメンテーターから攻撃された。http://www.nytimes.com/2015/03/21/us/politics/scott-walker-hones-his-image-among-republicans-for-possible-presidential-race.html?_r= 0.
4. Crystal, B. and Crystal D., 2015. *You Say Potato: The Story of English Accents.* Macmillan, p. 63. 以下も参照。www.bl.uk/learning/langlit/sounds/find-out-more/received-pronunciation/.
5. シェイクスピアを演じるアメリカ人俳優について不満を言いたがる人がいるが、おそらく現代のアメリカ人の発音は、現在イギリスで話されているどの発音よりもかつてシェイクスピア劇で使われていた発音に近い。Crystal and Crystal, op. cit.
6. 20世紀の大半にわたりこの伝統はほぼ変わらなかったが、第二次世界大戦中には短

果」によるものだ。成人の声の持ち主について、回答者が答える年齢にはこれより下はありえないという下限がある（たとえば15歳）が、答えとなりうる高い年齢はたくさん存在する。

27. 身長を推測する必要がある場合には、気道の共鳴によって生じる声の音色を聞くほうがよい。そうすれば、およそ10センチの誤差の範囲内で身長を推測することができる。Morton, J., Sommers, M., Lulich, S., Alwan, A. and Arsikere, H., 2013. 'Acoustic features mediating height estimation from human speech'. *Journal of the Acoustical Society of America,* 134(5), p. 4072.
28. これは現時点で好まれている認知モデルだが、誰もが同意しているわけではない。Mathias, S. R. and von Kriegstein, K., 2014. 'How do we recognise who is speaking?'. *Frontiers in Bioscience (Scholar Edition),* 6, pp. 92–109.
29. https://www.judiciary.gov.uk/wp-content/uploads/2014/12/r-v-dwaine-george.pdf.
30. Legge, G. E., Grosmann, C. and Pieper, C. M., 1984. 'Learning unfamiliar voices'. *Journal of Experimental Psychology: Learning, Memory, and Cognition,* 10(2), p. 298.
31. Saslove, H. and Yarmey, A. D., 1980. 'Long-term auditory memory: Speaker identification'. *Journal of Applied Psychology,* 65(1), p. 111.
32. 研究によると、聞き慣れた声で「もしもし」と言われた場合には20〜60％の割合で識別できる。数字の開きが大きいのは、実験の設計によって正答率が大きく変わるからだ。Kreiman and Sidtis, op. cit., p. 177.
33. Wolfe, T., 1987. *The Bonfire of the Vanities*. Vintage, pp. 16–17.（『虚栄の篝火』トム・ウルフ著、中野圭二訳、文藝春秋）〔本文の引用は邦訳書より〕
34. Kreiman and Sidtis, op. cit., pp. 160–2.
35. ペンギンに自分の声を加工した音声（たとえば声の高さを変える）を聞かせたところ、ジェンツーペンギンなどの営巣するペンギンの場合、声の高さを大幅に変えると鳴き声を識別できなくなる。一方、鳴き声を逆再生して聞かせると、識別に影響は生じない。このことから、タイミングとリズムはあまり重要でないことがわかる。
36. Kreiman and Sidtis, op. cit., p. 182.
37. http://whatsnext.nuance.com/customer-experience/five-common-voice-biometrics-myths/.〔リンク切れ〕
38. 'First Impressions'. *Wired,* May 2016.
39. http://www.bbc.co.uk/news/technology-39965545.
40. Waugh, P., 2015. 'The novelist as voice hearer'. *Lancet,* 386(10010), pp. e54– e55. この論文で、作家たちが「内なる声の力を使って、現実の読者の思いや感情と結びついた思いや感情をもつ架空の登場人物を生み出す」方法が説明されているのも私は気に入った。
41. Perrone-Bertolotti, M., Rapin, L., Lachaux, J. P., Baciu, M. and Loevenbruck, H., 2014. 'What is that little voice inside my head? Inner speech phenomenology, its role in cognitive performance, and its relation to self-monitoring'. *Behavioural Brain Research,* 261, pp. 220–39.

達するとされている。https://www.theguardian.com/society/2016/jul/10/transgender-clinic-waiting-times-patient-numbers-soar-gender-identity-services.

13. 研究結果の示す展望は混沌としている。女性の声になるためには手術に加えて言語療法も必要だが、そうした療法の質や量にはかなりのばらつきがある。

14. Hancock, A. and Helenius, L., 2012. 'Adolescent male-to-female transgender voice and ommunication therapy'. *Journal of Communication Disorders,* 45(5), pp. 313–24.

15. Davies, S., Papp, V. G. and Antoni, C., 2015. 'Voice and communication change for gender nonconforming individuals: giving voice to the person inside'. *International Journal of Transgenderism,* 16(3), pp. 117–59.

16. Hillenbrand, J. M. and Clark, M. J., 2009. 'The role of f 0 and formant frequencies in distinguishing the voices of men and women'. *Attention, Perception, & Psychophysics,* 71(5), pp. 1150–66.

17. クリステラのコメントにもとづく。これらの特徴の変更が成功するかどうかを調べた研究がごくわずかにあるが、決定的な結果は出ていない。

18. 「アクースマティック」と呼ばれるピタゴラスの弟子たちは、カーテンの向こうにいる師の姿を見ずに、カーテンごしに声を聞くことしか許されなかったと言われている。しかしこれに疑念を呈した者もいる。Kane, B., 2014. *Sound Unseen: Acousmatic Sound in Theory and Practice.* Oxford University Press, USA.

19. Pear, T. H., 1931. *Voice and Personality.* Chapman & Hall, p. 151. 本節の引用はすべてこの本による。

20. Lehr, S. and Banaji, M., 2011. 'Implicit Association Test (IAT)'. *Oxford Bibliographies in Psychology.* doi: 10.1093/obo/9780199828340–0033.

21. Kalat, J. W., 2015. *Biological psychology.* Nelson Education.

22. Johnson, D. R., Cushman, G. K., Borden, L. A. and McCune, M. S., 2013. 'Potentiating empathic growth: Generating imagery while reading fiction increases empathy and prosocial behavior'. *Psychology of Aesthetics, Creativity, and the Arts,* 7(3), p. 306.

23. 脳研究によると、読み手の描くイメージが鮮明であるほど、心の「典型的」な言語中枢とともに活性化する脳領域が増える。たとえば、私たちは特定のメタファーを解釈する際に、感覚と運動をつかさどる脳領域を使う。「ささくれ立った一日」を過ごしたり「ねちっこい人間」に遭遇したりした人の話を読むと、触覚と結びついた脳の感覚野が活性化する。Lacey, S., Stilla, R. and Sathian, K., 2012. 'Metaphorically feeling: comprehending textural metaphors activates somatosensory cortex'. *Brain and Language,* 120(3), pp. 416–21.

24. Andersen, E. S., 1984. 'The acquisition of sociolinguistic knowledge: Some evidence from children's verbal role-play'. *Western Journal of Communication (includes Communication Reports),* 48(2), pp. 125–44.

25. Kreiman, J. and Sidtis, D., 2011. *Foundations of voice studies: An interdisciplinary approach to voice production and perception.* John Wiley & Sons.

26. 聞き手は若年成人の年齢を実際より高く推定する傾向がある。これはおそらく「床効

2. 面談は症状の発現後6カ月以上経ってから行なわれた。Miller, N., Taylor, J., Howe, C. and Read, J., 2011. 'Living with foreign accent syndrome: insider perspectives'. *Aphasiology,* 25(9), pp. 1053–68.
3. DiLollo, A., Scherz, J. and Neimeyer, R. A., 2014. 'Psychosocial implications of foreign accent syndrome: two case examples'. *Journal of Constructivist Psychology,* 27(1), pp. 14–30.
4. 患者がふざけてそんなしゃべり方をしていると思った身内が怒りや恐怖、不信感を示したという事例もある。
5. デイヴィッド・ソープのドキュメンタリー映画*Do I Sound Gay?*（2014年）はこの問題について探り、言語療法士に助けを求めるゲイ男性がいる理由についても検証している。この自伝的映画によると、自分の声が問題だと思う人はいるが、それはもっと深い心理的問題の表れであることが多い。
6. Rule, N. O., 2017. 'Perceptions of sexual orientation from minimal cues'. *Archives of Sexual Behavior,* 46(1), pp. 129–39.
7. ある研究で、俳優にストレートとゲイの両方を演じさせて比較した。その結果、ゲイを演じているときには男性の一般的な音域の上限付近まで声を高くすることがわかった。ゲイを演じるときにはまた、声の高さを大きく変化させて、抑揚をつけた話し方になっていた。Cartei, V. and Reby, D., 2012. 'Acting gay: Male actors shift the frequency components of their voices towards female values when playing homosexual characters'. *Journal of Nonverbal Behavior,* 36(1), pp. 79–93.
8. それほどよく研究されていないが、ゲイの声のステレオタイプとして一般的に認められている特徴は、母音がより明瞭で長く伸ばされること、「l」音がより明瞭であること、「p」「t」「k」音が過度にはっきりと発音されることなどである。*Do I Sound Gay?* を参照。「ボーカルフライ」（ブリトニー・スピアーズが〈ベイビー・ワン・モア・タイム〉の出だしで使った、低いしわがれ声）や文末のイントネーションの上昇もゲイの話し方の特徴とされる。
9. Van Borsel, J. and Van de Putte, A., 2014. 'Lisping and male homosexuality'. *Archives of Sexual Behavior,* 43(6), pp. 1159–63.
10. 別の例として、男性の声の高さは、発声器官が出せる下限付近であることが多い。これは女性にはあてはまらない。男性は声が低いほうが魅力的だと見なされるので、声域の下のほうを使わざるをえないのだと考えられる。Graddol, D. and Swann, J., 1983. 'Speaking fundamental frequency: some physical and social correlates'. *Language and Speech,* 26(4), pp. 351–66.
11. 以前は、メディア界のゲイの声のロールモデルといえば、ゲーム番組『ザ・ジェネレーション・ゲーム』や『ブランケティー・ブランク』の司会を務めたラリー・グレイソンなどの過度にオカマ的な著名人しかいなかったので、彼らによってこのステレオタイプが強化された。
12. 積極的に医師の助言を求めていない人はこれよりずっとたくさんいると思われる。ある推定では、自分の性別に違和感を覚えて医学的処置を検討する人が人口の0.2％に

47. 私たちは1年間に600万語を話し（註1を参照）、1語を発するのに平均で0.3秒かかる。Yuan, J., Liberman, M. and Cieri, C., September 2006. 'Towards an integrated understanding of speaking rate in conversation'. *Interspeech.* つまり1年間に話す時間はおよそ200万秒となる（24日に相当する！）。男性の話す声の高さが120ヘルツだとすると、声帯は1年間に2億回より少し多く開閉することになる。
48. 肺の効率が下がり、肺気量は一般に40％ほど減る。
49. クックの声の高さがどう変化したかを後期の放送で突き止めるのは難しい。というのは、プロデューサーが低音の周波数を強調したからだ。分析は以下による。Reubold, U., Harrington, J. and Kleber, F., 2010. 'Vocal aging effects on F 0 and the first formant: a longitudinal analysis in adult speakers'. *Speech Communication,* 52(7), pp. 638–51.
50. Pemberton, C., McCormack, P. and Russell, A., 1998. 'Have women's voices lowered across time? A cross-sectional study of Australian women's voices'. *Journal of Voice,* 12(2), pp. 208–13.
51. https://www.theguardian.com/music/2007/jul/05/popandrock1.
52. 音楽における期待について、詳しくはBall（前出）を参照。
53. http://www.parliament.uk/business/publications/research/key-issues-for-the-new-parliament/value-for-money-in-public-services/the-ageing-population/.
54. Golub, J. S., Chen, P. H., Otto, K. J., Hapner, E. and Johns, M. M., 2006. 'Prevalence of perceived dysphonia in a geriatric population'. *Journal of the American Geriatrics Society,* 54(11), pp. 1736–9. 以下も参照。Johns, M. M., Arviso, L. C. and Ramadan, F., 2011. 'Challenges and opportunities in the management of the aging voice'. *Otolaryngology – Head and Neck Surgery.*
55. 以下を参照。'Voice lifts: something to shout about', *Guardian,* https://www.theguardian.com/lifeandstyle/2012/sep/23/voice-lift-vocal-cord-treatment. '"Voice Lift" Surgery, In Most Cases, Not Worth It', https://www.seattleplasticsurgery.com/voice-lift-surgery-in-most-cases-not-worth-it/.
56. 声の健康維持に関するこれ以外のアドバイスについてはhttp://voicecare.org.uk/を参照。〔リンク切れ〕
57. Tay, E. Y. L., Phyland, D. J. and Oates, J., 2012. 'The effect of vocal function exercises on the voices of aging community choral singers'. *Journal of Voice,* 26(5), pp. 672–e19.
58. Stemple, J. C., 2002. *Vocal Function Exercises.* Plural Publishing Incorporated.
59. Prakup, B., 2012. 'Acoustic measures of the voices of older singers and nonsingers'. *Journal of Voice,* 26(3), pp. 341–50.
60. Lortie, C. L., Rivard, J., Thibeault, M. and Tremblay, P., 2016. 'The Moderating Effect of Frequent Singing on Voice Aging'. *Journal of Voice,* 31(1), pp. 112.e1–e12.

3 私の声は私

1. Monrad-Krohn, G. H., 1947. 'Dysprosody or altered "melody of language"'. *Brain: a journal of neurology.*

33. 環境による影響の好例として、思春期前には発声器官そのものに男女差はないのに、フォルマントは男子のほうが女子より低い傾向がある。声道の長さを少し調節すると、子どもの声は女性的にも男性的にもなる。
34. Schneider, B. and Bigenzahn, W., 2003. 'Influence of glottal closure configuration on vocal efficacy in young normal-speaking women'. *Journal of Voice,* 17(4), pp. 468–80.
35. Xu, Y., Lee, A., Wu, W.L., Liu, X. and Birkholz, P., 2013. 'Human vocal attractiveness as signaled by body size projection'. *PLOS One,* 8(4), p. e62397.
36. 魅力的な男性の声の特徴として、抑揚が少ないという点も挙げられる。Puts, D. A., 2005. 'Mating context and menstrual phase affect women's preferences for male voice pitch'. *Evolution and Human Behavior,* 26(5), pp. 388–97.
37. Scott, S. and McGettigan, C., 2016. 'The voice: From identity to interactions' in Matsumoto, D., Hwang, H. C. and Frank, M. G. (eds). 'APA handbook of nonverbal communication'. *American Psychological Association,* pp. 289–305.
38. 女性の声も月経周期に従って変化し、妊娠可能性が最も高い時期を知らせる弱いサインとなる。Fischer, J., Semple, S., Fickenscher, G., Jürgens, R., Kruse, E., Heistermann, M. and Amir, O., 2011. 'Do women's voices provide cues of the likelihood of ovulation? The importance of sampling regime'. *PLOS One,* 6(9), p. e24490.
39. Simmons, L. W., Peters, M. and Rhodes, G., 2011. 'Low-pitched voices are perceived as masculine and attractive but do they predict semen quality in men?'. *PLOS One,* 6(12), p. e29271.
40. Hatzinger, M., Vöge, D., Stastny, M., Moll, F. and Sohn, M., 2012. 'Castrati singers – All for fame'. *Journal of Sexual Medicine,* 9(9), pp. 2233–7.
41. https://www.theguardian.com/music/2002/aug/05/classicalmusicandopera.artsfeatures.
42. https://youtu.be/KLjvfqnD0ws. 録音時にはモレスキの声がすでに最盛期を過ぎていたと主張する者もいる。
43. ボーイソプラノの声を録音し、コンピューターで処理して声道の共鳴を除去した。これによって、少年の声帯が出す音に近いものが残った。それからバリトンの声道で生じる共鳴のコンピューターシミュレーションを使い、周波数の一部を強調してそれ以外の部分を弱めることによって少年の声帯の音を拡張した。こうしてシミュレートした結果、カストラートは成人男性と同様の声道をもっていたと考えられた。
44. カストラートはバリトンよりも現代のソプラノに近い声道の共鳴を使っていたのだろうか。現代のオペラ歌手は、フォルマントの使い方が男女で異なる。この点については第5章で詳しく扱う。
45. Jenkins, J. S., 1998. 'The voice of the castrato'. *Lancet,* 351(9119), pp. 1877–80からの引用。この引用元には、De Brosses, C. (1799). *Lettres historiques et critiques sur l'Italie.* 3 vols., Paris, 3, p. 246と記されている。
46. http://www.telegraph.co.uk/news/health/3312210/Are-you-damaging-your-voice.html. 慈善団体のヴォイス・ケア・ネットワークは、教師が声を健康に保つための貴重なアドバイスを提供している。http://voicecare.org.uk/.〔リンク切れ〕

social correlates'. *Language and Speech,* 26(4), pp. 351–66.
15. Kuhl, op. cit.
16. 'Robot companion's can-do attitude rubs off on children'. https://www.newscientist.com/article/mg23331144-100-robot-companions-cando-attitude-rubs-off-on-children/.
17. Roy, B. C., Frank, M. C., DeCamp, P., Miller, M. and Roy, D., 2015. 'Predicting the birth of a spoken word'. *Proceedings of the National Academy of Sciences,* 112(41), pp. 12663–8.
18. ロイのTEDトークを文字に書き起こしたもの。http://www.ted.com/talks/deb_roy_the_birth_of_a_word?language=en.
19. Ramírez-Esparza, N., García-Sierra, A. and Kuhl, P. K., 2014. 'Look who's talking: speech style and social context in language input to infants are linked to concurrent and future speech development'. *Developmental Science,* 17(6), pp. 880–91.
20. Curtiss, S., 2014. *Genie: a psycholinguistic study of a modern-day wild child.* Academic Press.
21. ルーマニアの孤児たちの窮状についても同じことが言える。さまざまな研究で、言語的および社会的なインプットが限られた状態で施設に収容されていると、言語習得に影響が生じることが判明している。
22. https://www.ted.com/talks/patricia_kuhl_the_linguistic_genius_of_babies?language=en.
23. Hakuta, K., Bialystok, E. and Wiley, E., 2003. 'Critical evidence: A test of the critical-period hypothesis for second-language acquisition'. *Psychological Science,* 14(1), pp. 31–8.
24. Scovel, T., 2000. 'A critical review of the critical period research'. *Annual Review of Applied Linguistics,* 20, pp. 213–23.
25. 左利きの人の場合、5人に1人は右脳で言語処理をしている。http://www.rightleftrightwrong.com/brain.html.
26. Plaza, M., Gatignol, P., Leroy, M. and Duffau, H., 2009. 'Speaking without Broca's area after tumor resection'. *Neurocase,* 15(4), pp. 294–310.
27. Miller, N., 2016. 'Stuttering isn't only psychological – and a cure might be coming'. *New Scientist,* 3067.
28. ただし、吃音研究でfMRIを使用する際には難しい点があるので、実験は慎重に設計する必要がある。装置の強力な磁石のオンとオフを切り替えると電磁石のコイルに強烈な力が生じ、それに伴ってきわめて大きな雑音が周期的に生じる。この雑音を聞くことが流暢さの助けとなるかもしれない。
29. 吃音のある人とない人のあいだに明らかな違いが見られるのは確かだが、そうした構造的な違いが吃音の原因なのか、それとも吃音によって脳の発達が阻害された結果なのか、その答えはわかっていない。
30. 私は会議の日にパトリックと昼食をともにして話をしたが、この引用は英国吃音協会のブログによる。https://stamma.org/your-voice/what-if-we-fight-our-right-stammer.
31. https://www.britannica.com/biography/Lewis-Carroll.
32. http://www.stutteringhelp.org/famous-people/lewis-carroll.

チンパンジーは人間の話し声を聞き取ることができ、また人間の声による命令に反応するように調教することもできる。人間は理解可能な発話に不可欠な1000〜5000ヘルツ付近の帯域ではチンパンジーよりも聴覚がすぐれている。しかし聴取可能な最小音量の差はせいぜい20デシベルで、これは静かな会話と張り上げた声との音量の差でしかない。Coleman, M. N., 2009. 'What do primates hear? A meta-analysis of all known nonhuman primate behavioral audiograms'. *International Journal of Primatology,* 30(1), pp. 55–91.

27. 'Neanderthal'. *Oxford Dictionaries.* Oxford University Press. http://www.oxforddictionaries.com/definition/english/neanderthal.
28. Pagel, M., 2016. 'How humans evolved language, and who said what first'. *New Scientist,* 229(3059), pp. 26–9.
29. Bolhuis, J. J., Tattersall, I., Chomsky, N. and Berwick, R. C., 2014. 'How could language have evolved?'. *PLOS Biology,* 12(8), p. e1001934.
30. 声帯のスペクトルは実効周波数応答として放射インピーダンスの計算に使える。
31. ある研究では、抑揚のない声が過去の性的パートナーの人数を表す指標になることが発見されている。Hodges-Simeon, C. R., Gaulin, S. J. and Puts, D. A., 2011. 'Voice correlates of mating success in men: examining "contests" versus "mate choice" modes of sexual selection'. *Archives of Sexual Behavior,* 40(3), pp. 551–7.
32. Aalto, D., Aaltonen, O., Happonen, R. P., Jääsaari, P., Kivelä, A., Kuortti, J., Luukinen, J. M., Malinen, J., Murtola, T., Parkkola, R. and Saunavaara, J., 2014. 'Large-scale data acquisition of simultaneous MRI and speech'. *Applied Acoustics,* 83, pp. 64–75.
33. これは進化上のできごとを個体の発達がなぞることを示す好例である。Fitch, W. T., 2000. 'The evolution of speech: a comparative review'. *Trends in Cognitive Sciences,* 4(7), pp. 258–67.
34. D'Anastasio, R., Wroe, S., Tuniz, C., Mancini, L., Cesana, D. T., Dreossi, D., Ravichandiran, M., Attard, M., Parr, W. C., Agur, A. and Capasso, L., 2013. 'Micro-biomechanics of the Kebara 2 hyoid and its implications for speech in Neanderthals'. *PLOS One,* 8(12), p. e82261.
35. Lieberman, op. cit.
36. Fitch, W. T., de Boer, B., Mathur, N. and Ghazanfar, A. A., 2016. Monkey vocal tracts are speech-ready. *Science Advances,* 2(12), p. e1600723.
37. Fitch, *The Evolution of Language,* op. cit.
38. Bowling, D. L., Garcia, M., Dunn, J. C., Ruprecht, R., Stewart, A., Frommolt, K. H. and Fitch, W. T., 2017. 'Body size and vocalization in primates and carnivores'. *Scientific Reports,* 7. 音響で体の大きさを誇張する方法は、喉頭の下降だけではない。ケニアのルシンガ島で、絶滅したヌーの化石が発見されている。そのヌーの鼻道は非常に長く、そのおかげでよく響く低音を発することができたと考えられている。https://news.nationalgeographic.com/2016/02/160204-ancient-wildebeest-fossil-ice-age-dinosaur/.
39. Fitch, W. T. and Giedd, J., 1999. 'Morphology and development of the human vocal tract:

14. Walsh, S. A., Luo, Z. X. and Barrett, P. M., 2013. 'Modern imaging techniques as a window to prehistoric auditory worlds' in *Insights from Comparative Hearing Research.* Springer New York, pp. 227–61.

15. 背景雑音の中から特定の音を聞き取るのも重要な能力である。以下を参照。Fay, R. R. and Popper, A. N., 2000. 'Evolution of hearing in vertebrates: the inner ears and processing'. *Hearing Research,* 149(1), pp. 1–10.

16. これらの帯域幅が生じるのは、音波のサイズが周波数とともに変化することによる。低周波では音の波長が頭の大きさよりも大きいので、音は容易に頭を回り込んで音源から遠い側の耳に届く。そのため、タイミングの手がかりが役に立つ。高周波の場合、音の波長が頭の大きさよりも小さいので、音が頭に沿って反対側の耳に届くのが難しくなる。このため、音量の手がかりのほうが役に立つ。

17. Martin, T., Marugán-Lobón, J., Vullo, R., Martín-Abad, H., Luo, Z. X. and Buscalioni, A. D., 2015. A Cretaceous eutriconodont and integument evolution in early mammals. *Nature,* 526(7573), pp. 380–4.

18. Quam, R., Martínez, I., Rosa, M., Bonmatí, A., Lorenzo, C., de Ruiter, D. J., Moggi-Cecchi, J., Valverde, M. C., Jarabo, P., Menter, C. G. and Thackeray, J. F., 2015. 'Early hominin auditory capacities'. *Science Advances,* 1(8), p. e1500355.

19. http://australianmuseum.net.au/australopithecus-africanus. この化石は1924年に発見された。

20. 現生人類はこの帯域の感度を若干失ったが、これより高周波の音を聞き取る能力は現生人類のほうがすぐれている。

21. Martínez, I., Rosa, M., Quam, R., Jarabo, P., Lorenzo, C., Bonmatí, A., Gómez-Olivencia, A., Gracia, A. and Arsuaga, J. L., 2013. 'Communicative capacities in Middle Pleistocene humans from the Sierra de Atapuerca in Spain'. *Quaternary International,* 295, pp. 94–101.

22. http://humanorigins.si.edu/evidence/human-fossils/species/homo-heidelbergensis. 以下も参照。Buck, L. T. and Stringer, C. B., 2014. '*Homo heidelbergensis*'. *Current Biology,* 24(6), pp. R214–R215.

23. 非常に新しい証拠によれば、ホモ・サピエンスはこれより10万年前に登場した可能性もある。Richter, D., Grün, R., Joannes-Boyau, R., Steele, T. E., Amani, F., Rué, M., Fernandes, P., Raynal, J. P., Geraads, D., Ben-Ncer, A. and Hublin, J. J., 2017. 'The age of the hominin fossils from Jebel Irhoud, Morocco, and the origins of the Middle Stone Age'. *Nature,* 546(7657), pp. 293–6.

24. Stoessel, A., David, R., Gunz, P., Schmidt, T., Spoor, F. and Hublin, J. J., 2016. 'Morphology and function of Neandertal and modern human ear ossicles'. *Proceedings of the National Academy of Sciences,* 113(41), pp. 11489–94.

25. スペインで発見されたいくつかの重要な化石にもとづいて、53万年前という年代がしばしば持ち出されている。

26. チンパンジーと人間について、もっと極端な比較を考えることもできる。私たちがチンパンジーとは別の進化の経路をたどり始めたのは今から600万〜700万年前だが、

ture of Listening in America, 1900–1933. MIT Press, p. 49.

12. Pogue, E., 2014. 'Unsettled Score'. *Scientific American.* https://www.scientificamerican.com/article/why-digital-music-looks-set-to-replace-live-performances/.

1 進化

1. 1861年にF・M・ミュラーの語った言葉。Noiré, L., 1917. *The origin and philosophy of language.* The Open Court Publishing Company, p. 73. に引用されている。ミュラーの *Lectures on the Science of Language* では若干違っている。
2. ここでは手話が見過ごされている。
3. ダーウィンの説と言語の進化について、詳しくは以下を参照。Fitch, W. T., 2010. *The Evolution of Language.* Cambridge University Press.
4. Ball, P., 2010. *The Music Instinct: How Music Works and Why We Can't Do Without It.* Random House.（『音楽の科学』フィリップ・ボール著、夏目大訳、河出書房新社）〔本文の引用は邦訳書より〕
5. Lieberman, D., 2011. *The Evolution of the Human Head.* Harvard University Press.
6. http://museumvictoria.com.au/melbournemuseum/discoverycentre/600-million-years/timeline/devonian/acanthostega/.
7. Christensen, C. B., Lauridsen, H., Christensen-Dalsgaard, J., Pedersen, M. and Madsen, P. T., 2015. 'Better than fish on land? Hearing across metamorphosis in salamanders'. Proceedings of the Royal Society of London *B: Biological Sciences,* 282(1802), p. 20141943.
8. Kitazawa, T., Takechi, M., Hirasawa, T., Adachi, N., Narboux-Nême, N., Kume, H., Maeda, K., Hirai, T., Miyagawa-Tomita, S., Kurihara, Y. and Hitomi, J., 2015. 'Developmental genetic bases behind the independent origin of the tympanic membrane in mammals and diapsids'. *Nature communications,* 6.
9. Yost, W. A., 1994. *Fundamentals of Hearing: An introduction.* Academic Press.
10. 本節のライヘルトに関する引用は以下による。Asher, R. J., 2012. 'Evolutionary Biology and Scepticism: the Reception of Darwinism in 19th Century German Embryology' in Calne R. and O'Reilly, W. (eds.), *Scepticism: Hero and Villain.* NOVA publishers, pp. 71–86.
11. この言葉は大げさに聞こえるかもしれないが、これがヘッケルのスタイルであり、その見解は今では彼の学問上の不行跡のせいで影が薄くなっている。ヴェラ・ワイスベッカーはきわめて率直にヘッケルを「完璧な奇人」と呼び、彼がデータを「いたずらに改竄」したせいで今日の進化的生物学者が迷惑をこうむっていると指摘した。
12. Grothe, B. and Pecka, M., 2015. 'The natural history of sound localization in mammals – a story of neuronal inhibition'. *Inhibitory Function in Auditory Processing.* この論文では鼓膜の出現を今から2億1000万～2億3000万年前としている。これは三畳紀にあたり、このころに両生類、爬虫類・鳥類、哺乳類で別個に中耳が形成された。
13. Luo, Z. X., Chen, P., Li, G. and Chen, M., 2007. 'A new eutriconodont mammal and evolutionary development in early mammals'. *Nature,* 446(7133), pp. 288–93.

註

＊2020年6月29日にURLのアクセス確認

はじめに

1．1878年2月13日、王立協会会員のエイベル教授が英国電信技術者協会第63回通常総会の議長の任を全うできたことに謝意を表明したときの言葉。*Journal of the Society of Telegraph Engineers,* 7(21), pp. 68–74.

2．蓄音機の実演後にスティーヴンズ工科大学の物理学教授アルフレッド・マイヤーからトマス・エジソンに宛てた手紙に記された言葉。http://edison.rutgers.edu/yearofinno/TAEBdocs/Doc1175_MayertoTAE_1-15-78.pdf?DocId=D7829C.

3．アルベルト・シュペーア軍需相の言葉。Huxley, A., 1958. *Brave New World Revisited.* New York and Evanston: Perennial Library.（『素晴らしい新世界ふたたび』オールダス・ハックスレー著、高橋衞右訳、近代文芸社ほか）

4．*London Weekly Graphic,* 16 March 1878. 'The Phonograph at the Royal Institution'. 当初、エジソンの蓄音機に疑念を投げかける人もいたが、それは蓄音機があまりにも単純で、現実的とは思えなかったからである。懐疑的な大学教授は蓄音機を紹介した新聞記事を読んで、記者のことを「つまらぬへっぽこ文士で、精神錯乱の初期症状を呈している」と批判した。エジソンを「馬鹿者か法外な悪党か、あるいはその両方」と見なす記事もあった。しかし観客を仰天させ楽しませた王立研究所での実演により、あらゆる疑念が払拭された。

5．この蓄音機は私が王立研究所で見たものと同一と思われる。エジソンが送った装置のイギリス到着が間に合わなかったので、イギリスでの最初のデモンストレーションではこれとは別の装置が使われた。Preece, W. H., 1878. 'The phonograph'. *Journal of the Society of Telegraph Engineers,* 7(21), pp. 68–74.

6．Rubery, M., 2014. 'Thomas Edison's Poetry Machine'. *19: Interdisciplinary Studies in the Long Nineteenth Century.*

7．Edison, T. A., 1878. 'The phonograph and its future'. *North American Review,* 126(262), pp. 527–36.

8．2013年に放映されたイギリスのSFドラマ『ブラック・ミラー』の「ずっと側にいて」というエピソードはこれとよく似ている。

9．https://www.theverge.com/a/luka-artificial-intelligence-memorial-roman-mazurenko-bot.

10．https://www.bloomberg.com/news/articles/2016-12-13/why-google-microsoft-and-amazon-love-the-sound-of-your-voice.

11．Thompson, E., 2002. *The Soundscape of Modernity: Architectural Acoustics and the Cul-*

ディフューザーと使用例の写真（298ページ） Cox, T. J. and D’Antonio, P., 2016. *Acoustic Absorbers and Diffusers: Theory, Design and Application*. CRC Pressから再録。

歌詞出典

「終わりが近い」「充実した人生を生きた」（87–88ページ） ‘the end is near’...‘lived a life that’s full’ from ‘My Way’, lyrics by Paul Anka.

「oh baby baby」（150ページ） ‘oh baby baby’ from ‘...Baby One More Time’, lyrics by Max Martin.

「I’m the hunter」（161–62ページ） ‘I’m the hunter’ from ‘Hunter’, lyrics by Björk and Mark Bell.

「どんな雲の上にも青空が広がっている」（177ページ） ‘Every cloud must have a silver lining’ from ‘My Melancholy Baby’, lyrics by George A. Norton.

図版出典

トマス・エジソンの写真（9ページ）　Library of Congress, Prints & Photographs Division, http://www.loc.gov/pictures/resource/cwpbh.04044/

北米先住民ピーガン族の写真（12ページ）　オリジナル版：Herbert E. French photograph collection, Library of Congress, http://www.loc.gov/pictures/item/npc2008000561/. クリーンアップ版：Harris & Ewing, https://commons.wikimedia.org/w/index.php?curid= 6338449

ヒトの聴覚系の図（21ページ）　Inductiveload, https://commons.wikimedia.org/w/index.php?curid=5958172から取得したベクトルファイルより。このファイルはChittka, L., Brockmann, A., 2005. 'Perception Space − The Final Frontier'. *PLOS Biology*, 3(4): e137. https://doi.org/10.1371/journal.pbio.0030137の図をトレースしたもの。

MRI装置内で調べた声道の図（36ページ）　許可を得て以下から再録。Daniel Aalto. Aalto, D., Aaltonen, O., Happonen, R.P., Jääsaari, P., Kivelä, A., Kuortti, J., Luukinen, J.M., Malinen, J., Murtola, T., Parkkola, R. and Saunavaara, J., 2014. 'Large scale data acquisition of simultaneous MRI and speech'. Applied Acoustics, 83, pp. 64–75.

骨相学の図（67ページ）　Wellcome Library, London. Chart from *The Phrenological Journal* ('Know Thyself'), print from Dr E. Clark

結合性に重きを置いた現代の脳の図（67ページ）　Laboratory of Neuro Imaging and Martinos Center for Biomedical Imaging, Consortium of the Human Connectome Project – www.humanconnectomeproject.orgの厚意により掲載。

オペラ公演の漫画（82ページ）　John Vanderbank of Handel's Flavioによる版画。パブリックドメインで取得可能。

ペアーの実験の写真（103ページ）　Pear, T. H., 1931. *Voice and Personality*. Chapman & Hall, p. 151

イギリス諸島のスコーン地図（134ページ）　Adrian Leemann, David Britain, Tam Blaxterの厚意により掲載。

ダミーヘッドの写真（172ページ）　Thorsten Krienke, https://www.flickr.com/photos/krienke/

ケンペレンの装置の図（198ページ）　Kempelen, W. von., 1791. *Mechanismus der menschlichen Sprache*. Degen, p. 438. レプリカの写真はFabian BrackhaneおよびJürgen Trouvainの厚意により掲載。

万国博覧会でのボーダーの写真（204ページ）　New York Public Library, catalog ID (B-number): b11686556

アンドロイドリプリーQ2の写真（223ページ）　Max Braun, https:// www.flickr.com/photos/maxbraun/

『スピリキン――あるラブストーリー』の写真（228ページ）　Steve Tannerによる撮影、Pipeline Theatreの厚意により掲載。

嘘発見器実験の写真（234ページ）　Ed Westcottによる撮影、US Department of Energy Photo Archivesから取得。

トレヴァー・コックス（Trevor Cox）
イギリス・マンチェスターにあるソルフォード大学の音響工学教授。英国音響学会より2004年にティンダル・メダル、2009年に音響工学の普及貢献賞を受賞。BBCラジオやディスカバリーチャンネルなどのテレビ番組にも数多く出演し、音響について一般向けにわかりやすく解説している。前著『世界の不思議な音』で米国音響学会のサイエンスライティング賞を受賞。

田沢恭子（たざわ・きょうこ）
翻訳家。お茶の水女子大学大学院人文科学研究科英文学専攻修士課程修了。訳書に『アルゴリズム思考術』『重力波は歌う』『ダーウィンの覗き穴』（以上、早川書房）、『バッテリーウォーズ』（日経BP社）、『幸せに気づく世界のことば』（フィルムアート社）、『賢く決めるリスク思考』（インターシフト）、『世界の不思議な音』『戦争がつくった現代の食卓』（白揚社）ほか多数。

ISBN978-4-8269-0221-2

コンピューターは人《ひと》のように話《はな》せるか？

二〇二〇年十一月十日　第一版第一刷発行

著　者　トレヴァー・コックス
訳　者　田沢恭子《たざわきょうこ》
発行者　中村幸慈
発行所　株式会社　白揚社　© 2020 in Japan by Hakuyosha
東京都千代田区神田駿河台一—七　郵便番号一〇一—〇〇六二
電話＝(03)五二八一—九七七二　振替〇〇一三〇—一—二五四〇〇
装　幀　西垂水敦（krran）
印刷所　株式会社　工友会印刷所
製本所　牧製本印刷株式会社